Geuren

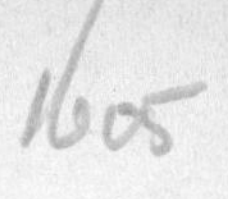

RADHIKA JHA

Geuren

Vertaald door Jeannet Dekker

Eerste druk 2001, tweede druk 2003

Oorspronkelijke titel: *Smell*

Omslagontwerp: Studio Deunk, Amsterdam
Foto voorzijde omslag: Prabuddha Das Gupta
Foto achterzijde omslag: Vandana Kohli
Typografie en zetwerk: CeevanWee, Amsterdam

www.boekenarena.nl
ISBN 90 461 0005 7 / NUR 311

Voor grenzeloze zielen

Voor Sander Thoenes, mijn vriend

Deel een

Een

Wanneer het hard waaide, wat die lente vaak het geval was, drong de geur van vers stokbrood kruidenierswinkel Madras binnen en ging daar de strijd aan met de prikkelende geuren van tafelzuur en massala.

De geur kwam zelfverzekerd de winkel in en dreef de spot met de rondborstige, in sari's gehulde etalagepoppen, de Chinese gebedsmolens en de Indiase videobanden die in de etalage aan de straatkant lagen. Voor de planken met kant-en-klare etenswaren – in kokosolie gebakken schijfjes banaan, samosa's, *gulab jamuns* en papadums – bleef de geur altijd even hangen en boette iets aan kracht in door de indringende uitheemse aroma's.

Een nieuwe vlaag koude aprilwind die door de open deur naar binnen kwam, bracht versterkingen met zich mee, en de geur van stokbrood drong dan altijd verder de winkel in. Hij dreef ongeschonden over de groenten heen, langs de toonbank waar mijn oom zijn krant zat te lezen, langs het rek met tijdschriften die naar drukinkt en chemicaliën roken, en sloeg ten slotte de hoek om, naar de achterkamer waar ik zat. Daar, aan alle kanten omsingeld door de bedwelmende geuren van kardemom, kurkuma, kaneel en koriander, ging de geur, die door de L-vorm van de ruimte onbereikbaar was voor de versterkingen, voor de laatste keer de strijd aan, totdat hij door zijn uitheemse gastheren werd verzwolgen.

Tijdens die laatste ogenblikken van moedige roekeloosheid drong hij altijd mijn neusgaten binnen. Ik hield mijn adem in, probeerde hem een schuilplaats te bieden, maar mijn verraderlijke longen lieten me altijd weer in de steek. Met een verslagen zucht ademde ik uit en liet de specerijen van mijn eigen land, het land dat ik nooit had gezien, weer bezit van me nemen.

Mijn oom Krishenbhai Patel was de eigenaar van de *épicerie.* Hij had hem dertien maanden eerder gekocht van de weduwe van de voormalige eigenaar, de Sri Lankaanse M. Gunashekharan, die in deze zelfde winkel was doodgestoken. Iedereen in de gemeenschap wist dat de Sri Lankaanse maffia hem had gedood. 'Die man was stom,' vertelde tante Latha me, 'hij wilde niet genoeg betalen voor zijn bescherming. Wie heeft nu niets voor zijn bescherming over, snap jij dat nou?'

Tante Latha was de Indiase vrouw van mijn oom. Krishenbhai was de jongste broer van mijn vader en de benjamin van de familie. Hij was zo lang mogelijk in Nairobi gebleven, lang nadat mijn opa was overleden en mijn vader de winkel had geërfd. Maar uiteindelijk moest hij weg. Hij vertrok kort na het huwelijk van mijn vader en mijn moeder. Ik heb nooit geweten waarom, maar onder de bedienden ging het gerucht dat hij verliefd op haar was geworden. Niemand in de familie heeft er ooit iets over gezegd.

Ik werd naar deze jongste oom gestuurd toen er weer rellen uitbraken en ze over de muren van ons huis in Parklands klommen. Mijn vader was toen al dood, en zijn geliefde winkel was samen met hem ten onder gegaan. De rest van ons was op dat moment in Mombasa, bij mijn andere oom, waar we in de vakantie altijd heen gingen. Mijn vader was achtergebleven om een oogje op de verbouwing van de winkel te houden. Hij was van plan om een deel ervan om te bouwen tot een galerie voor jonge Afrikaanse kunstenaars en wilde dat het werk voor de moesson klaar zou zijn, ruim op tijd voor het nieuwe toeristenseizoen. Hij was er zeker van dat de rellen niet langer dan een dag of twee zouden duren, zoals altijd het geval was geweest. Hij zei tegen de bouwvakkers dat hij ze twee keer zoveel zou betalen als ze het werk op tijd afkregen. De meesten waren gebleven, maar toen hij op een dag bij de winkel aankwam, was er helemaal niemand meer. Hij werd nerveus en belde naar huis om de auto te laten sturen. Maar de auto, zo werd hem verteld, was naar de drogisterij om laxeermiddelen voor mijn oma te halen. Tegen de tijd dat de chauffeur, Chege, bij de winkel aankwam, stond die al in lichterlaaie. De volgende dag, toen het vuur was gedoofd, vonden ze het verkoolde skelet van mijn vader in de winkel. Van het ene op het andere moment haatte ik Chege, en alle andere zwarte mannen. Maar ik was de enige die haat voelde. De rest van de familie aanvaardde de gebeurtenissen domweg als het noodlot. Zelfs mijn moeder, die beter had moeten weten, zei dat het aan pappa zelf te wijten was dat ze hem hadden vermoord. 'Hij vertrouwde hen te veel,' zei ze bitter.

We keerden voor de crematie terug naar Nairobi. Het was gek om zijn botten voor de tweede keer te verbranden. Toen ik dat tegen mijn moeder zei, gaf ze me een klap. Het was de allereerste keer dat ze zoiets deed. 'Je bent een slecht, ondankbaar stuk ellende.' Ze barstte in tranen uit. Terwijl ik naar haar keek en het brandende gevoel in mijn wang minder werd, werd ik door een vreselijke nieuwsgierigheid gegrepen. Waarom was de crematie zo belangrijk? Hij was toch al dood, er was toch geen lichaam meer dat we konden verbranden?

'*Maa*,' zei ik aarzelend, 'het spijt me, huil nu niet.' Ze antwoordde niet. Ik begon zachtjes over haar rug te wrijven, zoals ze altijd bij de jongens of mij deed wanneer we niet konden slapen. Ik vond het heel erg dat ik zonder nadenken iets had gezegd. Eindelijk hielden haar schouders op met trillen. Met de rand van haar witte sari veegde ze haar ogen af. Ik stond zachtjes op en liep naar de deur.

'Leela.'

Toen ik hoorde hoe ze mijn naam uitsprak, bleef ik staan.

'Je moet de doden van deze wereld naar de volgende leiden. Anders komen ze bij je spoken.'

'Hoe dan?' vroeg ik op uitdagende toon, niet in staat om te geloven dat mijn vader, die van ons allemaal had gehouden, ons kwaad zou doen, alleen maar omdat hij dood was.

'Ze beroven je van je herinneringen,' antwoordde ze, 'omdat je geen waardige, laatste herinnering voor hen in je geest hebt geschapen.'

Ze cremeerden hem volgens de hindoeïstische riten, met heel veel *ghee*, bloemen, rijst en een rieten baar. Mijn vijfjarige broertje Sunil, die tien minuten ouder was dan zijn tweelingbroertje, moest de brandstapel aansteken omdat hij nu het gezinshoofd was. Mijn moeder moest zijn handje vasthouden toen hij de ghee op het hout goot en de woorden van de priester voor hem herhalen omdat Sunil de vreemde lettergrepen amper kon uitspreken. De crematieplaats is traditioneel verboden gebied voor meisjes, maar ik moest mee van mijn moeder om te zien hoe de brandstapel brandde. Ik stond achter haar en mijn broertjes en keek met droge ogen naar de vlammen. Ik kan de bittere smaak van de rook nog steeds proeven. Toen we terugkeerden om de resten op te halen, zoals het ritueel voorschrijft, moest ik van mijn moeder de urn met zijn as en stukjes bot naar huis dragen.

Bij de tweede rel kwamen ze naar ons huis, waarbij ze op zoek naar contant geld de bekleding van de meubels kapotscheurden. Omdat ze niet veel vonden, namen ze de tv, de videorecorder en mijn vaders videobanden met natuurfilms mee. Daarna besloot mijn moeder om Kenia te verlaten. Ze schreef naar haar broer in Engeland die haar met tegenzin uitnodigde om te komen. 'We hebben een klein huis,' schreef hij, 'met maar één logeerkamer.' Mijn moeder raakte nog meer in zichzelf gekeerd dan vroeger. Ik merkte dat ze me op de vreemdste momenten zat aan te kijken. De uitdrukking op haar gezicht kon ik niet plaatsen, maar ze gaf me een ongemakkelijk gevoel.

Op een dag stond ze voor de poort van mijn school op me te wachten. 'Laten we een stukje gaan rijden,' zei ze als antwoord op mijn onuitgesproken vraag. 'Ik wilde naar het park gaan. Er zijn een paar dingen die ik met je wil bespreken, en dat kunnen we onderweg doen.' Ik voelde me opgelucht. Het nationale park van Nairobi lag op amper twintig minuten rijden van het centrum van de stad. Het was een van de lievelingsplekken van mijn vader geweest. Op zondagmiddag nam hij ons er graag mee naartoe, nadat hij de boekhouding had gedaan. Mijn moeder reed altijd, terwijl mijn vader ons over de dieren vertelde. Ze vond het leuk om te rijden. Maar ik voelde me ellendiger dan ik me ooit had kunnen voorstellen toen ik hoorde wat ze me te vertellen had. Ze had besloten om alleen mijn broertjes mee naar Engeland te nemen. Ze wilde mij naar Krishenbhai en zijn vrouw in Parijs sturen.

'Alleen maar totdat ik een baan heb gevonden en mijn leven daar op orde heb,' zei ze zenuwachtig toen ze de gekwelde uitdrukking op mijn gezicht zag.

'Waarom mag ik niet mee?' vroeg ik kwaad. 'Het is zo oneerlijk. Eerst wordt pappa ons ontnomen. Ik moet mijn school en Nairobi en al mijn vriendinnen vaarwel zeggen, en nu raak ik jou en Sunil en Anil ook nog kwijt.' Bittere tranen rolden over mijn wangen. 'Hou je dan helemaal niet van mij, Maa?'

'Dat mag je nooit denken, Leela,' riep mijn moeder. Ze trapte op de rem en zette de auto aan de kant van de weg. Een paar bosbokken die zich in de struiken hadden verstopt sprongen op en gingen er geschrokken vandoor. 'Denk je dat dit gemakkelijk voor me is? Heb je niet gezien hoe bezorgd ik ben sinds ik die brief van Atul kreeg? Maar ik kan niet in Nairobi blijven. Hier zijn te veel herinneringen, ik ben veel te bang. We zouden trouwens omkomen van de honger. De winkel was wel verzekerd, maar de verzekering dekt maar een klein deel van de schade.' Ze klemde haar handen om het stuurwiel, en de kleine frons die ik sinds de dood van mijn vader zo vaak had gezien, verscheen tussen haar ogen. 'Er zijn ook schulden. Sinds de rellen begonnen, liepen de zaken niet goed meer. Ik heb niet eens geld om de schade aan ons huis te laten herstellen. Als ik het verkoop, heb ik iets om in Engeland mee te beginnen.'

'Maar waarom kan ik niet mee naar Engeland?' vroeg ik, terwijl ik mijn uiterste best deed om mijn tranen te bedwingen.

Mijn moeder boog zich voorover en drukte de rand van haar sari in mijn hand, zodat ik mijn ogen kon afvegen. 'Omdat mijn broer niet rijk is. We kunnen hem niet met de last van vier mensen opzadelen,' zei ze zachtjes.

'Maar waarom ik? Waarom stuur je niet een van de jongens naar Parijs?'

'Die zijn te klein, en bovendien wil tante Latha jou, Leela.'

'Waarom wil ze mij?'

'Ze wil een meisje. Vanwege haar toestand kan tante Latha zelf geen kinderen krijgen. Ze wil heel graag een meisje dat ze kan vertroetelen en verwennen. Het zou egoïstisch van me zijn om nee te zeggen.'

Op dat moment wist ik dat mijn moeder had besloten om me op te geven. 'Waarom?' vroeg ik op doffe toon.

'Omdat Krishenbhai het jonge broertje van je vader is. Hij lijkt heel erg op je vader.'

'Nee, dat bedoelde ik niet. Waarom kan ze zelf geen kinderen krijgen?'

Mijn moeder leek in verlegenheid te zijn gebracht en keek naar haar handen. 'Dat weten we niet,' antwoordde ze uiteindelijk. 'Medisch gezien is er niets mis met haar, en ook niet met Krishenbhai.'

Ik begreep niet goed wat deze 'toestand' was, maar de bedienden giechelden wanneer ze het erover hadden. Ik wilde het aan mijn moeder vragen, maar toen ik zag dat ze mijn blik ontweek, wist ik dat ze me nooit de waarheid zou vertellen.

In de dagen daarna, toen we de voorbereidingen voor ons vertrek troffen, bleef dit me dwarszitten. Wie was deze persoon bij wie ik moest gaan wonen? Waarom deed iedereen zo ontwijkend wanneer ik er iets over vroeg? Vlak voordat ik naar het vliegveld zou vertrekken, deed ik een laatste poging.

'Wat is die "toestand" van tante Latha, Maa?'

Ze antwoordde niet. Ik probeerde haar blik in de spiegel te vangen, maar ze bleef naar een punt ongeveer vijftien centimeter boven mijn hoofd kijken.

'Vertel het me, Maa, alsjeblieft,' zei ik smekend. 'Niemand vertelt me tegenwoordig nog iets.'

De hand die mijn lange haar aan het kammen was, hield even op en ging toen weer verder. 'Je hebt heel, heel erg geboft,' zei mijn moeder, op een slimme manier van onderwerp veranderend. 'Je gaat in de allermooiste stad ter wereld wonen. Je zult vertroeteld en verwend worden door je oom en tante die evenveel van je zullen houden als van een eigen dochter. Je zult elk jaar mooier worden, en op een dag zal de hele wereld aan je voeten liggen.'

Haar blik kruiste de mijne in de spiegel, en ineens begonnen we allebei te glimlachen. Die lach voelde vreemd aan op ons gezicht, en terwijl we naar onze eigen spiegelbeelden keken, verdween hij. We wendden allebei schuldbewust onze blik af en spraken pas weer met elkaar toen het tijd was om afscheid te nemen

Dat is het beeld dat bij me opkomt wanneer ik nu aan haar denk: mijn beeldschone, liefhebbende, machteloze maar uiteindelijk o zo verraderlijke moeder.

Twee

Mijn oom Krishenbhai kwam me van het vliegveld afhalen. Hij herkende me zodra ik door de automatische schuifdeuren liep en gebaarde dat ik naar hem toe moest komen. Toen ik hem zag, was ik verbijsterd. Hij was veel langer dan mijn vader, maar leek zoveel op hem dat hij een tweelingbroer had kunnen zijn. Hij was alleen veel beter gekleed dan mijn vader ooit was geweest. Hij droeg een lange overjas van zachte zwarte wol. Rond zijn nek hing een sjaal in zwart, rood en marineblauw. Ik voelde me lelijk in mijn vormeloze blauwe overjas met zijn schoolmeisjesachtige capuchon en mijn versleten leren schoolschoenen. Ik had altijd al een hekel aan die schoenen gehad en had ze niet willen meenemen. 'Alsjeblieft, Maa, daardoor zie ik eruit als een Afrikaanse in de afdankertjes van een *mazungu*, een blanke vreemdeling,' had ik gejammerd. Maar mijn moeder gaf niet toe. 'We zijn nu arm,' had ze ongeduldig gezegd, en er bijna terloops aan toegevoegd: 'Maar dat is niets om je voor te schamen.' We hadden allebei geglimlacht, omdat ze had herhaald wat mijn vader zo vaak had gezegd.

Mijn oom en ik staarden elkaar aan, geen van beiden wetend wat we moesten zeggen. Ten slotte verbrak hij de stilte. 'Mijn god, wat lijk je op je moeder! Dezelfde ogen...' Zijn ogen werden vochtig. Hij tastte in de zak van zijn overjas naar een zakdoek en snoot zijn neus. Bijna onwillig richtte hij zijn blik weer op mijn gezicht. 'Je vader had geluk. Maar kijk eens wat hem uiteindelijk is overkomen, de arme man.'

Zijn woorden klonken meelevend, maar ik voelde me misselijk toen ik besefte dat hij een schuldige tevredenheid tentoonspreidde. Ik vond niet langer dat hij op mijn vader leek. De man die voor me stond was een volslagen vreemde. Een vreselijk verdriet overspoelde me, waardoor ik niet in staat was om een woord uit te brengen. 'Geen geluk, zeg ik je,' hoorde ik hem zeggen, 'en je arme moeder is weduwe. En zo jong. De pandit heeft zich vast vergist toen hij dacht dat hun horoscopen bij elkaar pasten.'

Ik staarde hem vol afgrijzen aan en kon niet geloven dat hij dat echt had gezegd. 'Maar hij is nu dood,' snauwde ik.

Zijn gezicht veranderde onmiddellijk en kreeg een verdrietige uitdrukking. 'Natuurlijk, natuurlijk. Vergeef me. Ik wilde niet de spot drijven met de doden. Maar weet je, ik heb het gevoel dat Prembhai nog steeds leeft.' Hij schudde zijn hoofd, en zijn mondhoeken gingen nog verder naar beneden. 'Het zal wel even duren voordat ik er gewend aan ben.'

Ik keek naar de grond omdat ik zijn blik wilde ontwijken. Het was onverdraaglijk om te zien hoe gemakkelijk hij een verdrietig gezicht kon trekken.

Mijn oom moet mijn weerzin hebben gevoeld. 'Kom maar. Waar is je bagage? Is dat alles?' vroeg hij bruusk, zonder me aan te kijken.

'We mochten in het vliegtuig maar twintig kilo meenemen, oom,' loog ik. De waarheid was dat pappa's testament nog steeds niet was bekrachtigd en dat we nagenoeg alles wat we bezaten hadden moeten verkopen om vliegtickets naar Parijs en Londen te kunnen betalen.

Mijn oom keek naar mijn tas, daarna naar mij en klopte me op mijn hoofd. 'Maak je geen zorgen, tante Latha gaat heel veel kleren voor je kopen.' Hij pakte mijn tas en beende naar de uitgang.

Ik liep achter hem aan naar buiten. In vergelijking met Kenia leek het trottoir akelig leeg. De lucht was grijs en er woei een wind die bitter koud was. De weinige mensen die buiten liepen haastten zich met voorovergebogen hoofden voort, de blikken van anderen ontwijkend. Er stond auto's langs het trottoir geparkeerd. Er kwamen kleine rookwolkjes uit de uitlaatpijpen. De in het zwart gehulde gestalte van mijn oom ploegde voort door de wind, die hem blijkbaar niet opviel. Ik probeerde zijn voorbeeld te volgen, maar mijn lichaam klapte dubbel in de wind en kromde zich in een poging iets van de warmte te bewaren. Ik had nog nooit zo'n kou gevoeld. De wind sneed door mijn dunne kleren en leek mijn lichaam in glas te veranderen.

Mijn oom beende over de parkeerplaats in de richting van een gedeukte blauwe stationcar en deed de passagiersdeur open. Voorzichtig stapte ik in. Vanbinnen rook de auto naar benzine, leer en sigarettenrook. Het waren opwindende geuren die ik gretig in me opnam. Ik draaide me om en keek uit het raampje. We reden op een gladde grijze weg die zich rond het vliegveld slingerde. Aan beide kanten werd het uitzicht belemmerd door enorme borden met reclames voor bekende dingen met vreemde namen. Toen kwamen we op een brede snelweg met zes banen en heel veel auto's. Ik keek naar de andere mensen in hun auto's. Af en toe kruiste mijn blik die van iemand anders, en soms glimlachte die ander. Maar vaak waren dat mensen in oudere, langzamere auto's. De bestuurders van de indrukwekkende nieuwe auto's hielden hun blik steevast op de weg voor hen gericht.

Toen we voor mijn gevoel al een hele tijd hadden gereden, vroeg ik: 'Waar is de stad? En waar zijn alle gebouwen?'

Mijn oom lachte. 'We zijn nog lang niet in de stad. Het vliegveld ligt bijna tachtig kilometer van Parijs.'

'Vindt u het leuk om in de stad te wonen, oom?' vroeg ik hem.

'In Parijs?' Vol spottend ongeloof trok hij een wenkbrauw op. 'Het is de beste stad ter wereld.'

'De beste,' herhaalde ik. 'Waarom?'

'Waarom?' Zijn stem klonk schor van opwinding. 'Omdat het een echt internationale stad is, vol met mensen uit alle uithoeken van de wereld.'

'Wat leuk!' Ik keek hem aan, gegrepen door de hartstocht in zijn stem. 'Net zoiets als Muthaiga dus.'

Hij keek me niet-begrijpend aan.

'Muthaiga in Nairobi, oom. Daar zijn alle ambassades en wonen alle blanke mensen. Daar bent u toch weleens geweest toen u nog in Kenia woonde?'

Hij schudde zijn hoofd. 'Nee, daar ben ik nooit geweest. In die dagen was het daar streng verboden voor niet-blanken. Hoe dan ook,' zei hij laatdunkend, 'in vergelijking met Parijs is Nairobi een dorp. Mensen van over de hele wereld komen hierheen om deel uit te maken van deze stad. Ze komen af op de ziel van de stad, omdat die groter is dan alle mensen die erin wonen.'

Zijn enthousiasme was aanstekelijk, waardoor ik iets milder jegens hem gestemd werd. 'Ik kan niet wachten tot we er zijn,' zei ik. Ik ging rechtop zitten en probeerde over de hekken heen te kijken die hier de snelweg omzoomden. Maar er was niets te zien. Alleen maar enorme lege akkers, en heggen die in de winter bruin waren geworden. Ik keek mijn oom aan en vroeg: 'In welk deel van de stad woont u, oom?'

Hij haalde ongeduldig zijn schouders op. 'De naam zegt je toch niets.'

'Maar is het in het oosten of het westen, het noorden of het zuiden?'

Hij rukte zijn blik los van de weg en keek me gek genoeg verdedigend aan. 'We wonen niet echt in de stad.'

'Maar uw brieven hadden als poststempel Parijs!'

Zijn handen klemden zich steviger om het stuur. 'Het is te vol in de stad, te veel mensen, te heet in de zomer. De huizen zijn heel klein en staan dicht op elkaar. Bijna niemand woont nog in de stad. Ze wonen allemaal in de buitenwijken. Net als wij.' Hij schonk me een triomfantelijk glimlachje en keek weer naar de weg.

Ik zei niets meer, maar ik voelde me raar, alsof ik zojuist slecht nieuws had gekregen.

We verlieten de snelweg en reden door kronkelende straatjes. De smalle huizen hadden onopvallende deuren en ramen met armoedige luiken. Ik verlangde ineens heel erg naar de brede schone wegen van Parklands, die waren omzoomd door palissander- en koraalbomen. Ik wilde dolgraag nog een keer in onze tuin zitten, wat heel spannend was omdat de rand van het natuurpark, met zijn antilopen, gazellen en neushoorns, op een steenworp afstand lag. Door de opeengeklemde huizen en de vreemde architectuur had ik het gevoel dat pappa nog verder weg was.

Toen waren we de huizen gepasseerd en reden tussen ongenaakbare, hoge gebouwen door, die in de onwaarschijnlijkste kleurencombinaties waren beschilderd. Het terrein ertussen was vlak en kleurloos. Net als op het vliegveld was er niemand te zien. De weg eindigde voor een grote poort. We reden erdoorheen en stopten voor een aantal gebouwen in bruin, rood en lichtpaars. Met een wee gevoel realiseerde ik me dat dit mijn nieuwe thuis was.

Drie

Een krakende lift met stalen wanden, die met graffiti waren besmeurd, bracht ons naar de vijfde verdieping. Met een schok kwam hij tot stilstand, en de deur schoof akelig langzaam open. Ik haalde diep adem en stapte snel de lift uit. We stonden in een stille grijze gang met aan beide uiteinden stalen deuren. Bijna onmiddellijk rook ik het: die geur van olie, tafelzuur en specerijen die kenmerkend is voor een Indiaas huishouden. Voor iemand wier familie al drie generaties in een land vol open vlakten en wind woonde, tussen een volk dat naar de rook van houtvuren, as en een tikje ranzige boter rook, was de geur zelfs nog veel gemakkelijker te herkennen. Toen ik klein was, vertelde mijn kindermeisje Mariamma me een keer dat Afrikanen Aziaten nog voordat ze ons echt zagen al aan onze geur konden herkennen. Ik had mijn uiterste best gedaan om mezelf te ruiken, maar ik rook niets. Op die dag, in die gang zonder frisse lucht die aan alle kanten door dikke betonnen wanden werd afgesloten, kreeg de geur waarover Mariamma het had gehad een vorm, en hij dook als een jakhals behoedzaam uit de schaduwen op.

Ik bleef staan. Ik had nog nooit zoiets sterks geroken, of iets wat zo slecht bij de omgeving paste. Een akelig gevoel van onheil overviel me. Ik wilde naar beneden rennen, voelen dat de wind zijn tanden weer in mijn lichaam zette en me zuiverde van de herinnering aan deze lucht. Maar het was te laat. De lift was alweer weg. Mijn oom liep voor me uit door de gang, langs drie identieke deuren, en bleef voor de vierde staan. Ik volgde langzaam in zijn voetspoor, terwijl de lucht bij elke stap sterker en hardnekkiger werd.

Boven de ingang van de flat bungelde een gedroogde Spaanse peper die de boze geesten moest afweren. Mijn oom zette mijn tas neer, maakte de drie sloten los en gaf een duw tegen de deur. De stalen deur zwaaide open. Hij pakte de tas en liep naar binnen. Ik bleef aarzelend staan. Mijn oom riep ongeduldig vanuit de kleine gang: 'Blijf daar niet staan, kom snel binnen. Ik moet de deur op slot doen.' Zijn stem leek van ver te komen. Ik haalde diep adem en liep naar binnen. De muffe lucht omsloot me en vertelde me dat ik echt opgesloten zat.

Ik keek om me heen, zoekend naar een vluchtweg. Er kwamen vier deuren op de gang uit, maar ze waren allemaal dicht. Mijn oom had de deur op slot gedaan en tilde mijn tas weer op. Hij deed een van de deuren open en liep voor me uit een andere gang in. Hier was de lucht minder overweldigend, maar hij bleef ons volgen.

Mijn oom bleef staan bij een deur aan het einde van de gang en wachtte tot ik bij hem was. Hij gebaarde uitnodigend dat ik eerst naar binnen mocht gaan. Ik liep een kleine vierkante kamer in. Afgezien van twee matrassen die opgerold tegen de twee tegenoverliggende wanden lagen, was de kamer leeg. In de muur die het verste bij me vandaan was, bevond zich een raam dat door een jaloezie van grijs metaal volledig werd afgesloten. Op de muur boven een van de matrassen hing een plaatje van een jonge Indiase filmster, dat zo te zien uit een tijdschrift was geknipt. Ze had een rond, vlezig gezicht, een smalle neus en een klein pruilmondje. Het plaatje hield op waar haar aanzienlijke decolleté begon.

Krishenbhai zette de tas in een hoek bij de andere matras. 'Dit is je bed,' zei hij glimlachend, zij het enigszins beschaamd. 'Ga maar even uitrusten, dan ga ik kijken wat je tante Latha aan het doen is.' Hij liep in de richting van de deur.

Ineens wilde ik niet dat hij wegging. Het idee dat ik alleen in deze kamer zou zijn, maakte me bang. 'Oom,' riep ik tegen hem, 'weet u wie er in deze kamer woont?' Omdat ik zo moe was, wist ik mijn vraag niet echt goed te formuleren.

Hij bleef even staan, met zijn hand op de deurknop. Zonder zich om te draaien zei hij op achteloze toon: 'Ja, natuurlijk. Amma woont hier. Ze is een grote hulp voor ons, omdat ze voor je tante zorgt wanneer die last van haar toestand heeft. Ze kan ook voor jou zorgen.'

Ineens leek de kamer nog veel kleiner. 'Maar... ik ben bijna achttien, er hoeft niemand meer voor me te zorgen,' jammerde ik. 'En ik hou er niet van als mensen me voortdurend in de gaten houden.'

Hij draaide zich om en keek opzettelijk naar mijn benen. Ik keek naar zijn ogen. Ze waren nat en glimmend, als kiezelstenen in een beek. Ik voelde dat ik kippenvel op mijn knieën kreeg, daar waar mijn huid onbedekt was. Toen keek hij op en glimlachte koeltjes. 'We hadden niet gedacht dat je al zo groot zou zijn, Leela. Dat is jammer.' Zijn stem werd scherper. 'Maar in dit land zijn de woningen klein, en je moet er maar aan wennen. Jullie daar in Afrika zijn verwend.'

Ik kon mijn oren niet geloven. Wij in Afrika konden toch niet meer hebben dan hij in Europa? Hij woonde toch veilig in Parijs, terwijl zijn broer in Nairobi was vermoord?

Nu ik zweeg, nam hij zijn kans waar om te vertrekken. 'Brave meid. Ga maar uitrusten. Je zult er snel aan wennen,' zei hij iets rustiger, en hij liep de kamer uit.

De deur viel achter hem dicht. Ik voelde me net een gevangene. Wanhopig keek ik de kamer rond, en ten slotte liep ik naar het raam. Maar er zaten dikke stalen balken aan het kozijn vast, waardoor ik niet eens een glimp van de buitenwereld kon opvangen. Ik deed mijn best om het raam open te krijgen en raakte steeds meer in paniek. Uiteindelijk lukte het me.

Ik kreeg een vlaag koude wind in mijn gezicht waardoor ik

des te meer besefte waar ik nu was. Gretig leunde ik naar buiten, verlangend naar de aanblik van andere mensen, maar die waren er niet. Het enige wat ik kon zien, waren eindeloze rijen identieke rechthoekige ramen waarvan de gele kozijnen afstaken tegen de paarse en blauwe muren van de gebouwen voor me. Ik ging weer zitten en dacht aan het uitzicht vanuit mijn kamer in Nairobi: de rode aarde en de paarse bougainville tegen de muur rond ons huis, en de straat achter het huis. Er waren altijd mensen op straat: kleine kinderen die tegen steentjes schopten zodat er stofwolkjes oprezen, de *bokamama* met haar rieten tas vol groen-paarse *sukumawiki*, of Chege die stond te roken en met de dienstmeisjes flirtte.

Het beeld verdween al snel. De kleuren zwakten af en werden dof. Weer staarde ik naar de ramen van het gebouw aan de overkant. Ze leken op spiegels, en het enige wat ik kon zien was mezelf, weerspiegeld in een van de platte vlakken. Mijn lichaam zakte tegen de vensterbank in elkaar en ik kon me niet meer bewegen.

Ik hoorde het gestommel en geschuifel van naderende voetstappen. Ze hielden voor de deur stil. Ik wachtte. Ineens vloog de deur achter me met een klap open. Ik draaide me snel om en voelde me een beetje schuldig.

In de smalle deuropening stond een reusachtige vrouw, die een verbaasd en ontzet gezicht trok. Haar armen waren even dik als mijn dijen bij elkaar genomen. Haar borsten hadden een weeshuis kunnen voeden. Haar buik was enorm, als een zeil dat opbolde in de wind. Dit, besefte ik, verscheurd door walging en verwondering, was tante Latha. Meestal zijn vrouwen uit Gujarat klein en schrompelen ze naarmate ze ouder worden als stukjes hout ineen. Na de dood van mijn vader was mijn moeder in één nacht ineengeschrompeld. Maar deze vrouw was een ballon geworden.

Ik bleef als verstijfd voor het raam staan, maar de berg stond niet stil. Ze bewoog zich snel en onvast door de kamer. Ze had een donkere huid en keek boos. In haar kielzog volgde de geur van mosterdolie, massala en goedkoop talkpoeder, waardoor ze te groot voor de kamer leek. 'O nee. Waarom heb je dat raam opengedaan? De mensen kunnen je zien,' zei ze in het Gujarati. Ik drukte mezelf plat tegen de vensterbank aan. 'Je mag nooit het raam opendoen, dan worden we beroofd! Je weet niet hoe slecht die mensen zijn!' Ze duwde me opzij en deed het raam dicht, de greep naar beneden duwend zodat het goed was afgesloten. 'Ik heb tegen hem gezegd dat glazen ruiten een slecht idee waren. We hebben hier tralies nodig, dikke ijzeren tralies. Maar Krishen blijft maar geld aan kleren verkwisten, en we moeten de hypotheek op de winkel ook nog afbetalen!'

Toen ze het raam eindelijk goed had afgesloten, draaide ze zich om en keek me ondoorgrondelijk aan. 'Dus jij bent het nichtje van mijn man,' zei ze op vlakke toon, 'welkom.' Haar stem had niets zachts, en de vormen van haar lichaam dat tegen het raam leunde evenmin. Ze nam me aandachtig in zich op en zag hoe versleten mijn kleren en mijn schoenen waren. Haar ogen richtten zich weer op mijn gezicht. 'Krishen zegt dat je heel veel op je moeder lijkt.' Ze knikte in zichzelf. 'Ze was een leuk meisje uit Saurashtra, of niet?'

'Wat?' Ik was verbaasd en een tikje geïrriteerd door haar onwetendheid. 'Mijn moeder komt uit India, niet uit Saura-dinges.'

Ze begon te lachen. Haar wangen trilden, en toen begonnen haar nek en armen ook te schudden. 'Dom gansje, Saurashtra ligt in Gujarat.'

'O... o, natuurlijk,' zei ik. Ik voelde me ineens heel stom.

Ik staarde naar haar enorme lijf en wenste dat ze zou verdwijnen. Maar ze bleef waar ze was, me aanstarend, terwijl de lach uit haar ogen verdween. Er kwam een blik voor in de plaats die moeilijker te lezen was. 'Als je nu een braaf meisje bent,' zei ze, 'dan krijgen we verder geen problemen, begrijp je dat?' Ze had een rollende r en ademde uit terwijl ze sprak, waardoor je het gevoel kreeg dat je je evenwicht verloor wanneer je naar haar luisterde.

De hortende, ademloze cadans van haar manier van spreken leek op het onregelmatige geluid van haar voetstappen. Ineens kreeg ik medelijden met haar, vanwege de lompe massa die ze elke dag met zich mee moest torsen. Ik vroeg me af hoe mijn oom, die zo slank en elegant was, met deze grote vleesklomp had kunnen trouwen. Ik probeerde me voor te stellen hoe ze de liefde met elkaar bedreven, met hem bovenop.

Ze zag de uitdrukking op mijn gezicht, en haar eigen gelaat verhardde. 'Krishen heeft weer tegen me gelogen. Hij zei dat je jong en onbedorven was, maar jullie Afrikanen zijn allemaal hetzelfde, verdorven tot op het bot, met een dure smaak.'

Woedend deed ik een stap in haar richting. 'Hoe durft u?' riep ik. 'Ik ben geen Afrikaanse, niet meer dan u...' De woorden stierven weg op mijn lippen.

Ze hield haar gezicht vlak voor het mijne, zodat ik recht in haar zwarte kraaloogjes moest kijken. Die waren in tegenstelling tot de rest van haar lichaam keihard. 'O, ben je geen Afrikaanse?' zei ze zacht en spottend. 'Wat ben je dan wel? Je bent zeker geen Indiase. Je bent daar niet geboren, en onze goden steken de oceaan niet over.' Die ogen daagden me uit om te zeggen dat ze ongelijk had. Ik keek terug, van haat vervuld, maar ik kon geen passend antwoord bedenken.

Ze deed snel een stap opzij, alsof ze iets in me had gezien wat haar walging opwekte, en ging verder met haar tirade: 'Je kunt maar beter je leven beteren, meisje. Hier zul je geen luxe vinden. Je woont nu in mijn huis en moet je aan mijn regels houden. Bid maar dat God je moge helpen.' Toen draaide ze zich om en ging weg.

Eindelijk begon ik te huilen. Ik huilde om mijn vader, mijn moeder, mijn broertjes, mijn oma, de binnenplaats van ons huis, de straten die altijd vol mensen waren en de dieren in het park. Ik huilde omdat ik eindelijk inzag wat ik allemaal had verloren.

Vier

Ik hoorde dat mijn oom me vanaf de andere kant van de woning riep voor het eten. Snel streek ik mijn haar glad, deed mijn jas uit en waagde me buiten de doosachtige kamer. Ernaast was een kleine badkamer. Ik zocht niet naar het lichtknopje, maar liep naar binnen en ging op de wc-pot zitten. De badkamer was koel en rook fris, naar zeep. Toen ik daar in het donker op de wc zat, ontspande ik me. Ineens hoorde ik ergens boven mijn hoofd het geluid van een ontploffing. Ik sprong op en staarde verschrikt naar het plafond. Toen hoorde ik het geruststellende geluid van water dat door een leiding stroomde. Iemand in de woning boven ons had zo-even de wc doorgetrokken. Ik begon te lachen, op een vreemde manier getroost door het geluid.

Ik waste mijn handen en gezicht en liep naar de woonkamer. Ze zaten al aan tafel. De eettafel stond recht onder een raam, waarvoor gordijnen van roze satijn stevig waren dichtgetrokken. De kamer zelf leek maar een klein beetje groter dan de mijne, met hetzelfde stel ramen in een van de muren. Maar ik voelde me kleiner omdat er een grote bank en stoelen van hout en fluweel stonden, en een lage glazen tafel die boordevol zilveren en koperen goden en godinnen stond.

'Kom, kom. Ga zitten en eet,' beval mijn oom. Gehoorzaam ging ik op de lege stoel naast hem zitten.

'Nee, nee, niet daar,' snauwde mijn tante met een mond vol eten. 'Dan zit je Amma in de weg. Ga hier maar zitten.' Ze wees naar het uiteinde van de lange rechthoekige tafel, zo ver mogelijk bij hen vandaan.

Ik ging stilletjes zitten en keek naar het eten dat op tafel stond. Er stonden *puri's*, pilav, gevogelte, vlees, papadums, *kheer*, *srikhand*, drie soorten groenten en dal. Het was een feestmaal, maar wel een verboden feestmaal. Ik schrok toen ik de kip en het vlees zo onverschrokken tussen de groenten zag staan. Mijn vader zou ontzet zijn geweest.

Op dat moment kwam er een oude vrouw de keuken uit schuifelen, met nog meer schalen met eten in haar handen. Ik keek haar nieuwsgierig aan. Ondanks de warmte droeg ze een trui en had ze een sjaal om haar hoofd gewikkeld en laag over haar voorhoofd getrokken, zodat haar gezicht in het donker verscholen bleef.

'Dit is Amma. Ze helpt ons in huis,' stelde tante Latha haar aan me voor. Amma schuifelde naar de plek waar ik zat en gluurde naar me.

'Wat ben je knap,' zei Amma glimlachend. Ik keek verlegen naar haar op en verstijfde toen. De ene helft van Amma's gezicht was door een gebrek aan pigment wit en de andere helft was donkerbruin. Toen ze de uitdrukking op mijn gezicht zag, deinsde ze achteruit naar het andere einde van de tafel, ondertussen iets in zichzelf mompelend. Ze zette de schalen onhandig neer en liep weg, nog steeds in zichzelf pratend.

'Slaap ik bij haar?' fluisterde ik op doffe toon.

Geen van tweeën antwoordde. Ze waren druk bezig om het eten met een woeste snelheid in hun monden te proppen.

Ten slotte keek mijn oom naar me op. Zijn wangen puilden uit van het eten. 'Kom, kom. Doe niet zo verlegen. Je moet eten. Je bent nu bij familie.'

Ik keek naar het eten. De geur die van het eten opsteeg, was tegelijk vertrouwd en onbekend, en de bekende en onbekende geuren waren zo vaardig met elkaar verweven dat ik ze niet van elkaar kon onderscheiden. De geuren doordrenkten mijn zintuigen en deden mijn hoofd suizen. Onze groenten roken nooit zo krachtig en zwaar, dacht ik beneveld. Het komt vast door de massala's, nam ik aan, ze kunnen hier vast niet de juiste specerijen krijgen.

Mijn hand bewoog zich vastbesloten naar de dal, maar veranderde toen ineens van richting en bleef besluiteloos boven de schaal met kip hangen. Mijn oom zag het en glimlachte. '*Hahn, hahn, beti*, neem wat. Je bent nu in een vreemd land, die ouderwetse regels gelden hier niet. Je moet wat nemen, anders krijgt de kou je te pakken.'

Ik koos voor een middenweg en nam wat saus maar geen kip, wat me tegelijkertijd een schuldig en opgewonden gevoel gaf.

Voorzichtig proefde ik. Het eten was verrukkelijk: de curry leek het vlees van de kip in zich te hebben opgezogen, de basmati was precies lang genoeg gekookt – elke rijstkorrel was volmaakt en plakte niet aan de andere. Een paar seconden lang hing ik met mijn gezicht boven mijn bord en liet de vele aroma's tot me doordringen. Toen verspilde ik geen tijd meer en lepelde alles zo snel als ik kon naar binnen.

Ineens verbrak mijn tante de stilte. 'Heeft *madame* Gunashekharan al betaald?'

De hand waarin mijn oom zijn lepel hield, maakt een schokkende beweging, net toen hij de lepel in zijn mond wilde steken. Hij morste wat dal op zijn overhemd, en een paar druppels bleven aan de uiteinden van zijn snor hangen. 'Niet helemaal... bijna... niet echt,' hakkelde hij.

'Heeft ze haar rekening wel of niet betaald? Dat is het enige wat ik wil weten.'

'Nou-ou...' Mijn oom leek met de minuut kleiner te worden.

'Wil je soms dat we failliet gaan? Ze is ons nog 157 franc en vijftig centime schuldig. Wie betaalt dat als jij haar er niet toe dwingt?'

'Maar ze is de vrouw van mijn baas.'

'Je voormalige baas, hij is nu dood. Nu ben jij de baas, dus gedraag je er dan ook naar.'

'Het is haar schuld niet dat hij dood is,' kaatste hij terug. 'Het is nog maar dertien maanden geleden, Latha, ze is nog steeds gek van verdriet. De geest van haar man is nog steeds in de winkel. Wacht tot hij weg is, dan zal ik haar vertellen dat ze moet betalen of kan vertrekken.'

'O, jullie domme kerels!' zei mijn tante venijnig. 'Er is geen geest. Ze is heel slim en weet dat je een lafaard bent.'

'Ze is gek. Het arme mens,' antwoordde mijn oom.

'Huh, gek. Ze is niet gek.'

Daarna aten we in stilte verder. Mijn oom en tante aten onafgebroken, heel veel eten verstouwend: vijftien of twintig puri's, vier porties van de pilav die naar kardemom rook, en enorme hoeveelheden kip en groenten.

Ten slotte wendden ze zich weer tot elkaar. 'Ik heb de nieuwe meegenomen,' zei mijn oom tegen mijn tante.

'Hoe heet die?' vroeg ze.

'*Tum Mere Ho*,' zei hij.

'Wie zitten erin?'

'Aamir en Juhi,' antwoordde hij.

Ik begreep niet waar ze het over hadden, maar besloot om er niet naar te vragen.

Mijn oom liep de kamer uit en kwam terug met een videoband. Hij gaf me de doos. 'Ik heb deze speciaal voor jou meegenomen, zodat je geen heimwee krijgt,' zei hij. 'Je moet thuis met je moeder vaak naar Indiase films hebben gekeken. Ze was er altijd dol op.'

Ik antwoordde niet. Mijn vader wilde ze nooit in huis hebben. 'Het is troep,' zei hij altijd, 'kijk liever naar natuurfilms. Die leren je veel meer over mensen.' Wanneer hij er niet was, smokkelde mijn moeder ze stiekem het huis in. Maar ik bleef altijd loyaal aan mijn vader en weigerde te kijken.

Mijn oom opende een kast die tegen de muur stond en deed

trots een stap achteruit, zodat ik de tv met het grote beeldscherm kon zien. 'Deze video en de tv, ze zijn nieuw. Ik heb ze pas twee maanden geleden gekocht.'

'En je hebt ze nog niet afbetaald,' zei mijn tante droogjes.

'De kleuren zijn zo mooi, het is alsof je in de bioscoop zit,' pochte hij, haar opmerking negerend.

Ik verstijfde, omdat ik verwachtte dat ze weer zou uithalen. Maar in plaats daarvan glimlachte ze.

'Gaat u hier ook naar de bioscoop, oom?' vroeg ik. In Nairobi spijbelden we op zaterdag soms van school en gingen naar Blackstone om de nieuwste film uit Amerika te zien.

'O nee. Dat heeft geen zin,' antwoordde mijn oom. 'Alles is hier toch in het Frans.'

'O,' antwoordde ik. Ik kreeg het gevoel dat de kamer weer kleiner werd.

Ik keek een tijdje naar de film, maar die was net zo vreemd voor me als alle andere dingen. Dus ik verontschuldigde mezelf en mompelde dat ik erg moe was. Niemand keek op toen ik welterusten zei. Op mijn tenen liep ik de kamer uit. Bij de deur bleef ik even staan en keek om. Hun ogen waren onafgebroken op de tv gericht. Ik stond daar even naar hen te kijken: de man die op mijn vader leek maar hem niet was, zijn dikke vrouw en de dienstmeid met een gezicht als een lappendeken. Mijn nieuwe familie.

Vijf

Toen ik de volgende morgen wakker werd, was het stil in huis. Amma had de kamer al verlaten. Haar matras lag keurig opgerold tegen de muur. Het raam dat we gisteravond open hadden gelaten, was dicht en de zware rode gordijnen waren gesloten. De kamer was bloedheet en alles baadde in een vreemd rood licht. 's Nachts had ik mijn deken van me afgetrapt en mijn nachtpon zat in een knoop rond mijn borst. Hoewel ik zweette, voelde het matras onder me vochtig aan. Door het licht leek mijn lichaam vanaf mijn middel naar beneden donkerrood gevlekt. Ik trok mijn nachtpon naar beneden en rolde me op tot een strakke kleine bal. Waar was mijn moeder nu? Ze had beloofd dat ze zou bellen zodra ze in Engeland was aangekomen. Ik kon amper wachten en voerde in gedachten al een gesprek.

Maa, ik kan het niet. Ik kan hier niet blijven.

Waarom niet, *beti*? Hij is de broer van je vader.

Omdat ze te veel van ons verschillen. Ze zijn niet zoals wij.

Hoe bedoel je, verschillen?

Ze... zij is dik. En... en ze eten vlees en kip... en ze kijken elke avond naar Indiase films... en ze gaat nooit naar buiten... en mijn oom heeft vreemde verhitte ogen.

Ik vroeg me af waar de telefoon was. Ik dacht dat ik er gisteravond een in de woonkamer had zien staan, maar ik wist het niet zeker. Ineens bedacht ik dat ik, als ik ernaast zou gaan zitten wachten, degene zou zijn die opnam als Maa belde en dat ik haar dan kon vertellen hoe ik me voelde, voordat mijn oom en tante er zouden zijn. Voordat ze het konden horen. Snel stond ik op en rolde mijn matras tegen de muur, net zoals Amma had gedaan. Voorzichtig liep ik de donkere gang in. Ik hoorde in de kamer naast me Indiase filmmuziek die uit blikkerig klinkende luidsprekers kwam. In de keuken was iemand al bezig met het middageten.

Snel liep ik door de gang. De deur van de kamer van mijn tante stond op een kier. Net toen ik erlangs wilde lopen, hoorde ik haar stem: 'Leela.'

Ik bleef staan. Wanhopig keek ik om me heen. Kon ik net doen alsof ik haar niet had gehoord? 'Leela,' riep ze weer. 'Kom hier.' Ik kon haar enorme vorm op het bed net onderscheiden.

Met tegenzin duwde ik de deur iets verder open en liep haar slaapkamer in. De kamer was een kleine doos, net als de mijne, maar had over de hele breedte van de muur kamerhoge ramen. Voor die ramen hingen zware rode gordijnen, net als in mijn kamer, en alles baadde in het vreemde licht. Een reusachtig tweepersoonsbed overheerste het geheel. In een hoekje voor het raam stond een lage fauteuil met een tv erbovenop.

'Kom binnen, Leela,' fluisterde de berg op het bed. 'Heb je goed geslapen?'

'Heel goed, dank u,' antwoordde ik beleefd.

'Kom eens hier zitten, kindje. Ik kan je bijna niet zien. Je bent zo klein en mager.' Een enorme arm kwam onder de dekens vandaan en wenkte me.

Langzaam liep ik naar voren en ging op de rand van het bed zitten. 'Hier ben ik, tante.'

Maar mijn tante keek niet meer naar me. Haar ogen waren op het kleine tv-scherm gericht en keken weer naar een of andere Hindi-film. Ik staarde zwijgend naar het scherm, waar kleine figuurtjes heen en weer dansten.

Ineens verscheen er een reclamespot in beeld. Een jong Indiaas paar, de vrouw in een sari en de man in een pak, stond midden tussen een groepje dansende Masai met speren. De Masai waren beschilderd in oorlogskleuren, hun gezichten waren besmeurd met oker en hun lange haar was doorweven met modder in dezelfde kleur. Ze dansten en stampvoetten verre van overtuigend rond het onverstoorde paartje dat liefdevol naar elkaar glimlachte. Vol walging kneep ik mijn lippen opeen. De Masai waren niet meer dan rekwisieten in deze mooie nieuwe wereld der commercie. Hun oorlogen, hun affiniteit met de dieren waartussen ze leefden, en hun roofdierblik op de wereld, dat alles bestond niet voor het paar dat verblind naar hun eigen weerspiegelingen in elkaars ogen keek. Het deed er allemaal niet toe, bedacht ik wrang, totdat een van de Masai, die er genoeg van had dat niemand hem zag, naar voren zou komen en het hoofd van de Aziaat zou afhakken. Dan zou de vrouw in huilen uitbarsten en naar Engeland vluchten.

Maar mijn vader was anders geweest. Hij had echt van Kenia gehouden. Hij had met heel zijn hart in Kenyatta en de vrijheidsbeweging geloofd. Mijn opa ook – hij had zelfs een van de medestanders van Kenyatta in ons huis verborgen. Vanwege zijn liefde voor het land had mijn vader begrepen dat je van de Afrikanen moest houden om Afrikaan te kunnen zijn, en liefde kon volgens mijn vader alleen bestaan als er begrip was. Maar de Afrikanen hadden dat niet begrepen. Met een ruk wendde ik me van de tv af toen er ineens tranen in mijn ogen verschenen die mijn blik vertroebelden.

Toen mijn vader stierf, was ook het Afrika dat we kenden en waarvan we hadden gehouden gestorven. Nadat mijn moeder alles wat we in het leven hadden vergaard had verkocht en we op een koper voor ons huis wachtten, verruilden we het twee verdiepingen tellende luxueuze huis in Parklands voor een kamer met maar één bed en afzichtelijk gele muren in het Herald Court Hotel. Dit stond voornamelijk bekend om zijn uitgaansleven en herbergde een van de wildste kroegen in Nairobi, die hardwerkende secretaresses, winkelmeisjes en kindermeisjes aantrok die er losse zeden op na hielden en hier een avond geld kwamen verdienen voor een nieuwe jurk die ze per se wilden hebben. Onze kamer bevond zich in dezelfde vleugel als de kroeg, en het was een ongekende marteling om 's avonds de kamer te bereiken. Toen ik tussen de wellustig kijkende, halfdronken klanten door moest stappen en op zaterdagavond wakker lag, doodsbang door de kreten en vloeken van de prostituees wier klanten niet wilden betalen, door het gegrom en de vuistslagen en het gekreun van pijn dat erop volgde, leerde ik dat er in Nairobi altijd al twee Afrika's hadden bestaan. We waren nu gewoon de grens tussen die twee overgestoken.

Ik zat daar op de rand van mijn tantes bed en keek naar de rode wanden van de kamer om me heen. Ze waren nog naargeestiger dan die van het Herald Court Hotel. Waar ben ik beland, vroeg ik me somber af.

Ineens kwam de reusachtige arm onder de dekens vandaan en klopte me op mijn hoofd. 'Arm ding,' fluisterde ze zacht, 'om zo je vader door toedoen van die zwarte wilden te verliezen.'

Ze liet theatraal haar stem zakken en keek even over haar schouder. 'Ik moet je de waarheid vertellen... Die kan ik niet voor je verborgen houden. Ze zijn zelfs hier, ja, in de flat. Heel, heel veel...'

Ik begreep er niets van. 'Wie, tante? Over wie hebt u het?'

'Zij. Afrikanen.'

Mijn hart werd kil. 'Zijn ze hier?' vroeg ik ongelovig.

Ze knikte heftig. 'Het is vreselijk, het zijn net ratten, overal.'

'Wilt u zeggen dat u hier in Frankrijk ook ratten hebt?' vroeg ik, verbaasd en voor even afgeleid.

'Ja, natuurlijk,' zei ze ongeduldig.

'Maar ik dacht dat ratten alleen in arme landen woonden.'

Ze begon te lachen en haar hele lichaam schudde. 'O, je bent een grappig meisje,' zei ze ten slotte. 'Ratten hebben geen eigen land.'

Haar gezicht werd weer ernstig. 'Je moet hier heel voorzichtig zijn. Ze zijn hier in de flat – heel veel. Ze hebben geen deugden, geen regels. Het zijn net beesten, beesten.'

'Maar hoe zit het met de Fransen, tante? Waarom woont u niet bij hen?' vroeg ik.

Ze wendde haar blik af. 'Nou...' Ze zweeg even. 'Dat zouden we wel willen, maar dat heeft geen zin. Ze zijn overal.'

Ik huiverde.

'Je moet hier heel voorzichtig zijn.' Ze keek me voor mijn gevoel heel lang erg streng aan. Uiteindelijk sloeg ik mijn ogen neer. Toen zei ze op de toon van een bekentenis: 'Amma heeft me verteld wat je hebt gedaan.'

Ik keek verbaasd naar haar op. 'Wat heb ik dan gedaan?'

Ze keek verstoord. 'Hoe bedoel je? Weet je niet wat je hebt gedaan?'

Ik sloeg mijn ogen weer neer en voelde me om een onverklaarbare reden schuldig.

'Je hebt gisteravond toch het raam opengedaan?' zei ze eindelijk.

Verbaasd keek ik op, maar toen wendde ik snel mijn blik af en beet op mijn lip.

'Dat was heel stom van je. Heel gevaarlijk. We hadden wel beroofd kunnen worden, of vermoord. Ik weet niet of je in jouw land zulke dingen deed, maar hier kan het niet.'

'Maar tante, het was zo warm,' zei ik in een poging mezelf te verdedigen, 'en niemand kan langs deze muren vijf verdiepingen naar boven klimmen.'

'Je kent deze mensen niet,' antwoordde ze. 'Ze zijn heel slim. Ze weten gewoon hoe ze moeten aanvallen.'

'Beroven en stelen ze dan vaak? En moorden ze ook?' vroeg ik sceptisch. 'Ik heb gisteren helemaal niemand op straat gezien.'

'Dat komt omdat iedereen veel te bang is.'

'Echt? Maar waarom blijft u hier, tante? U moet het gevoel hebben dat u in een gevangenis zit.' Geen wonder dat ze zo dik is, dacht ik.

Ze slaakte een diepe zucht. 'Ik spaar elke cent, maar we hebben ook nog een hypotheek op de winkel. Dit is een hard land, vol buitenlanders zoals wij die vechten om te overleven. Wanneer je op je zwakst bent, word je door onheil getroffen. Kijk maar naar je vader. De arme man, hij had geen geluk.'

'Het was geen kwestie van geluk,' haastte ik me om mijn vader te verdedigen. 'Misschien wisten ze niet dat pappa nog binnen was. Hij was een goed mens. Hij zou nooit iemand kwaad doen.'

Ik sloeg mijn handen voor mijn gezicht en begon te huilen. Ze zei niets, maar bleef me over mijn haren strelen. Ze deed het op een ritmische manier, die me aan mijn moeder deed denken. 'Het zijn de herinneringen,' fluisterde ik haperend. 'Ik kan de dingen die hij zei niet vergeten, de manier waarop hij alles zo groot en tegelijkertijd zo veilig deed lijken. Zelfs in het nationale park van Nairobi, begrijpt u? Nu is dat allemaal voorbij, en ik heb het gevoel dat ik alles heb verloren: een familie, een land, een mooie toekomst die lag te wachten tot ik er gebruik van zou maken.'

Mijn tante zei niets. Ik keek op. Ze zat weer naar de tv te kijken. Ik deed mijn ogen dicht en probeerde de droge, frisse lucht van de savanne op te roepen, de scherpe geur van rode aarde vermengd met de zwaardere geuren van dieren; geuren die maakten dat ik mijn armen wilde uitstrekken en de hoge blauwe hemel wilde omhelzen en steeds maar door wilde rennen. Ik kneep mijn ogen stijf dicht in een poging het me te herinneren, maar ik kon die wijde open ruimten niet meer voelen, net zomin als de koepel van de hemel of de bewegingen van mijn voeten. Ik verborg mijn gezicht in haar schoot, op zoek naar een volslagen duisternis, bang voor het vreemde rode licht dat van de muren ketste en mijn herinneringen van hun kracht beroofde.

Eindelijk waren de tranen op. Ik was doodmoe. Ik bleef stil in haar schoot liggen en was me ineens bewust van de stank van warme urine die eruit opsteeg.

Ten slotte verbrak mijn tante de stilte. 'Wat moeten we nu met je beginnen?' vroeg ze kortaf.

Ik wist niet wat ik moest zeggen. Gisteren had ik eropuit willen gaan om Parijs te bekijken, de parken, de winkels. Maar vandaag kon ik niet meer aan zulke dingen denken. 'Wat wilt u dat ik doe, tante?' vroeg ik gehoorzaam.

Mijn vraag maakte mijn tante blij, maar ze probeerde het niet te laten merken. 'Nou, als je een gewone logee uit India was geweest, dan was ik met je gaan winkelen. Maar je hebt geen geld. En we kunnen ons geld niet zomaar uitgeven, nu Krishen de winkel heeft gekocht.'

'Ik wil uw geld niet, tante Latha,' antwoordde ik gekwetst.

Ze keek tevreden. 'Nou, dan hebben we geen reden om uit te gaan. Je oom neemt vandaag een film mee uit de winkel en daar kunnen we vanavond naar kijken.' Haar ogen gingen weer naar het scherm. Ik keek haar droevig aan. Ineens zei ze: 'Weet je, het was mijn idee om videobanden uit India te halen. Je oom durfde het niet. Maar ik heb gewoon een neef van me in Bombay geschreven en gevraagd of hij ons een dozijn kon sturen. En ze verkopen als warme broodjes. En alle Tamils en zelfs de Arabieren zijn jaloers.' Toen richtte ze haar blik weer op mij. 'Wat moeten we met jou beginnen? Misschien kun je Amma helpen met koken. Of als je wilt, dan mag jij vanavond het eten koken, goed? Meneer en mevrouw Ramdhune komen eten, met hun dochter.'

Ik keek naar de beddensprei en gaf geen antwoord. Ik kon niet koken. In Nairobi had mijn moeder altijd gekookt, of de bedienden. Ik vond het tijdverspilling. Toen mijn moeder het me wilde leren, ging ik naar mijn vader, die zoals altijd mijn kant had gekozen.

'Dat... dat kan ik niet,' antwoordde ik ongemakkelijk.

'Wat kun je niet?' vroeg mijn tante.

'Ik kan niet koken,' zei ik uitdagend. 'Mijn vader vond het niet nodig dat ik het leerde.'

Tante Latha keek me vol afschuw aan. Ten slotte zei ze: 'Nou, dan zullen we het je moeten leren. In Frankrijk hebben we geen bedienden en moet iedereen een steentje aan het huishouden bijdragen.'

Mijn oren gloeiden. Na een paar seconden antwoordde ik gedwee: 'Ik beloof u dat ik het zal leren, tante.'

'Ga Amma dan maar helpen. De gasten komen om zeven uur en er is een hoop te doen.'

Zes

De keuken was lang en smal, met aan één kant een groot raam. Het uitzicht was precies hetzelfde als vanuit de slaapkamers. Het gasfornuis was bedekt met kringen donkerbruin vet die glommen in het gele licht van het peertje dat erboven hing. Naast het fornuis was een gootsteen vol vuile borden in grijs, olieachtig water. Ik liep snel naar het raam. Eronder bevond zich een toonbeeld van orde. Op een tafeltje van geel geverfd hout stonden drie schalen met groente: paarse *brinjals*, rode tomaten en roomgele aardappelen.

Amma zat al enorme hoeveelheden aardappelen te schillen en in stukjes te snijden. Ik ging naast haar zitten en begon ook te schillen. De aardappelen waren glad en het mes glipte twee keer uit mijn handen. Ik besefte dat de aardappel niet de goedaardige groente was waarvoor ik hem had gehouden. Ze scheidden tijdens het schillen een wit, melkachtig vocht af dat langzaam in mijn handen begon te bijten. Na een tijdje begonnen mijn handen branderig aan te voelen en te beven. Ik wendde me tot Amma. 'Ik kan niet meer schillen. Mijn handen doen pijn.' Ze keek me niet-begrijpend aan. Ik stak mijn handen uit, zodat ze kon zien hoe rood ze waren. Langzaam tekende het begrip zich af op haar gezicht. Ze begon te lachen. 'Je handen doen na acht aardappelen al pijn. O Maa, hoe kun je ooit voor een gezin zorgen? Op jouw leeftijd was ik al moeder.'

Vol afkeer staarde ik naar haar gevlekte gezicht. Ineens was het niet langer het gezicht van een mens, maar dat van een doelloos noodlot. 'Mijn moeder heeft me leren lezen, niet koken,' snauwde ik. Maar hier moest ze nog veel harder om lachen. 'Nou, daar heb je hier niet veel aan,' zei ze, terwijl ze de tranen uit haar ogen wreef.

Daarna werkten we zwijgend verder. Amma sneed de aardappelen sneller in stukjes dan ik ze kon schillen, en terwijl ze wachtte tot ik klaar was, zong ze oude liedjes uit films. Wanneer ik haar een aardappel aangaf, hield ze even op met zingen. Daarna ging ze weer verder. Mijn vingers gloeiden, mijn polsen en nek begonnen pijn te doen, en ik schilde steeds langzamer. Ten slotte pakte Amma de rest van de aardappelen en zei dat ik mijn handen moest gaan wassen.

De gootsteen rook naar rottend voedsel en oude specerijen. Kleine bolletjes mosterd- en saffraangele olie dreven op het water. Ik wendde mijn blik af en draaide de kraan open. Het water stroomde eruit en kwam zo hard op het vuile afwaswater neer dat er wat op mijn borst en gezicht spatte.

'Amma,' barstte ik los, 'dit is de afwas van gisteren, hè?'

Ze antwoordde niet.

'Waarom heb je niet afgewassen?'

'Ik ben een oude vrouw,' antwoordde ze nukkig. 'Mijn vingers doen pijn in koud water.'

'Maar je kunt de gootsteen leeg laten lopen en hem met heet water vullen,' merkte ik op.

Ze wierp me een blik vol wrevel toe en mompelde iets in een taal die ik niet verstond.

'Wat zei je?' vroeg ik in het Gujarati.

'Ik zei: doe het zelf,' antwoordde ze. 'Je hebt gisteren mijn eten opgegeten. Dan kun je nu wel helpen met de afwas.'

Ik nam mijn toevlucht tot een laatste wanhopige tactiek. 'Ik weet niet hoe je af moet wassen.'

'Iedereen weet hoe je af moet wassen,' zei ze spottend. 'Kom op, schiet op. Omdat je niet eens aardappelen kunt schillen, moet ik die maar afmaken en ook de uien doen, terwijl jij afwast. Daarna kunnen we met koken beginnen.' Ze glimlachte me sluw toe. 'Snel, anders wordt je tante Latha boos.'

Ik wist dat ik had verloren. Met tegenzin liep ik naar de gootsteen, haalde diep adem en dompelde mijn handen in het vuile water. Stukjes halfopgelost voedsel schampten langs mijn handen en vielen toen uit elkaar. De stank was vreselijk. Het water had alle geuren en smaken van gisteravond in zich opgenomen, maar nu waren de onwelriekende geuren met elkaar vermengd geraakt, en ze leverden een hevige strijd om te overleven. Ik voelde dat ik begon te kokhalzen.

De borden waren glad. Ik haalde er een uit het water en bekeek het. Het was bedekt met gestold vet. Toen het warme water de viezigheid in de gootsteen verwarmde, begon het vet te smelten. Al snel waren mijn armen tot mijn ellebogen bedekt met een laagje roodbruin vet. De geur, die was ingebed in het vet, drong met gemak mijn verraderlijke poriën binnen. Ineens dacht ik aan het oude parfum uit Zanzibar dat mijn opa me had gegeven toen ik tien was. Het had naar wilde rozen en honing geroken, met een vleugje muskus, en had verpakt gezeten in een potje vet.

Ik vluchtte weg in die herinnering en deed de afwas zo snel als ik kon. Ik liet de gootsteen leeglopen, viste de doorweekte, onherkenbare stukjes eten eruit en schrobde de gootsteen geestdriftig met schoonmaakmiddel, terwijl ik de pijn van de chemicaliën die zich een weg door mijn geschaafde vingers beten probeerde te negeren. Ik voelde me vies en verlangde naar een bad, maar mijn tante blokkeerde de keukendeur.

'Ik ga me even wassen. Ik heb net de afwas van gisteravond gedaan.' Ik keek nadrukkelijk naar Amma.

Mijn tante negeerde mijn opmerking. 'Ik ben blij dat je jezelf nuttig maakt. Voordat je leert hoe je moet koken, moet je leren hoe je moet schoonmaken.' Ze keek naar Amma, en de twee vrouwen glimlachten naar elkaar.

Ik zag hen glimlachen, en woede vlamde in me op. 'Pardon, tante,' zei ik zo kil als ik kon, 'ik moet me gaan wassen.'

Ze verroerde geen vin. 'Dat kun je later doen, als je klaar bent. Nu zal ik je leren koken.'

'Maar ik stink.' Ik keek haar opstandig aan.

'Dat geeft niet,' antwoordde ze.

Amma was klaar met het snijden van de groenten. Ze lagen op de tafel onder de vensterbank. Tante Latha haalde een witte stenen schaal die was bedekt met een stukje kaasdoek uit de koelkast. 'Het eerste wat je moet leren, is hoe je de specerijen gebruikt. Je kunt ze tot een fijne pasta vermalen of ze in hun geheel bakken. Wanneer je ze maalt, is er niets aan de hand; dan kun je ze gebruiken zoals je maar wilt.' Ze trok de doek opzij en keek in de schaal. 'Of anders kun je eerst de specerijen in olie bakken en de geur door de hitte laten vrijkomen.' Ze gaf me de schaal aan en pakte iets uit het keukenkastje. Ik keek naar de schaal. Er lagen fijngesneden stukjes gember in en hele, traanvormige teentjes knoflook, die al gepeld waren. De schaal viel bijna uit mijn ineens gevoelloze vingers.

'Tante Latha, eet u... eet u knoflook?' vroeg ik voorzichtig, nog steeds niet in staat om te geloven dat ik echt knoflook in mijn handen hield.

Haar rug verstijfde, en ze draaide zich om. 'In koude landen moet je zoveel mogelijk knoflook eten om warm te blijven. Wij bakken het tenminste. Die barbaren,' ze keek uit het raam, 'eten het rauw.' Ze drukte de schaal tegen mijn buik. 'En nu fijnmalen,' beval ze, en ze keerde haar rug weer naar me toe.

Ik had niet de moed om tegen haar in te gaan. Alles was anders. Mijn leven was zo snel veranderd: wat maakte het uit dat mijn tante, of ik, knoflook at? Ik kon me herinneren dat mijn vader me had verteld dat eten in drie groepen te verdelen was: *satvik*, dat onthechting en bezinning stimuleerde; *rajasik*, dat kon aanzetten tot daadkracht en handelen, en *tamasik*, dat kon leiden tot warmte en hartstocht. Voor hartstocht moest je het meeste op je hoede zijn, want dat gevoel kon leiden tot woede en lust. Families waren eraan ten onder gegaan. Knoflook, vertelde mijn vader ons altijd, was de personificatie van *tamas*. Daarom wilde hij, net als andere Gujarati's, niet dat we het aten. Maar ineens had ik het gevoel dat zijn afkeuring me niet kon raken. Mijn vader was dood. Ik had geen familie meer. Dus natuurlijk kon ik knoflook eten!

Ik keek de keuken rond, op zoek naar iets waarmee ik kon malen. Toen ik niets kon vinden, besloot ik het handvat van een groot, zwaar mes te gebruiken.

'Hé,' schreeuwde Amma toen ze zag wat ik aan het doen was.

'Dom kind,' zei mijn tante. 'Amma, laat haar eens zien waar de vijzel staat.'

Amma liep naar de grote inpandige kast, rommelde in een hoek waar een grote stapel plastic tassen lag en haalde een grote steen te voorschijn, die in het midden een komvormige holte had. In die holte lag een zware stamper die van dezelfde steensoort was gemaakt. Ze trok de schaal met gember en knoflook uit mijn handen en gooide een beetje ervan in de holte. Toen pakte ze de stamper en begon met het dikke uiteinde de specerijen te pletten. Nog geen minuut later vulde de ruimte zich met de hete, zware lucht van knoflook en gember, die als een fluwelen deken mijn zintuigen bedekte en me het gevoel gaf dat mijn lichaam zwaar en krachteloos was. Ik zag dat Amma's lichaam trilde toen ze aan het malen was. Ik wilde het zelf doen, ik wilde het ritme voelen van de stamper die door mijn handen in die gladde holte neerkwam en de doordringende geur van de gember en de knoflook losmaakte. Verdwaasd nam ik de steen van haar over en begon zelf te malen. De geur van het mengsel maakte me tegelijkertijd hongerig en tevreden.

In de keuken was mijn tante een ander mens. Haar bewegingen waren kordaat, vervuld van een plotselinge energie. Ik keek geboeid toe hoe haar handen zich als bloemen om de uien sloten. Geen enkel stukje viel. Ze snuffelde aan het gladde mengsel dat ik haar aanreikte en schudde haar hoofd. 'Niet zout genoeg,' zei ze. Zonder op te kijken, stak ze haar hand uit. Haar vingers sloten zich om een plastic potje met zout. Ze nam een snufje tussen twee enorme vingers en strooide het over het mengsel. Toen voegde ze er een paar groene chilipepers en sesamzaad aan toe. Ze pakte de stamper en maalde het mengsel nog iets fijner; niet door te stampen, maar door de stamper langzaam door de holte heen en weer te bewegen. De geur van de specerijen werd bijna onmerkbaar scherper en er leek iets van een vleugje citroen in te zitten. Terwijl ze de specerijen bewerkte, vertelde tante Latha me: 'Weet je, Leela, elke specerij en elk kruid heeft zijn eigen geur. De uitdaging is om al die geuren een goed huwelijk te laten sluiten. Net als in het echte leven zijn sommige huwelijken goed, zoals dat van je oom en mij. We passen goed bij elkaar. Andere paren zijn minder fortuinlijk. Mijn zus heeft een vreselijke man. Hij luistert nooit naar haar.' Ze glimlachte en zag er ineens verlegen uit. 'Hij lijkt helemaal niet op mijn Krishenbhai, die man van haar.' Ze haalde haar schouders op, en haar vlees deinde op en neer.

De olie in de pan op het fornuis was heet. Tante Latha liep er snel naartoe en gooide de uien en het mengsel erin. De geur barstte om ons heen los. Ik stootte met mijn rug tegen het tafeltje bij het raam. Mijn tante keek ondertussen in de pan en roerde met heftige bewegingen. Haar onderkin werd vanonder door de blauw-gele vlammen verlicht. 'Kom eens hier, Leela, en roer eens,' riep ze.

Ik liep naar het fornuis en greep het platte, lepelachtige voorwerp dat ze gebruikte. 'Beweeg de uien heen en weer tot ze glazig zijn geworden,' beval ze, en ze zeilde weg naar de andere kant van het vertrek. Ik keek naar de damp die uit de pan opsteeg. De stoom bevochtigde mijn gezicht als een natte kus. Ik bewoog de witte blokjes voorzichtig heen en weer in de koekenpan. Ineens werd ik getroffen door een nieuwe lucht, een totaal andere: de nare stank van de dood. Ik sprong naar achteren, alsof ik een klap in mijn gezicht had gekregen. De lepel gleed uit mijn handen en kletterde op de vloer. Nog geen halve seconde later had mijn tante de twee meter tussen ons overbrugd en boog zich over me heen. 'Wat is er?' vroeg ze. 'Wat is er gebeurd? Kreeg je hete olie over je heen?'

'Nee. Nee, het is... het is alleen maar die lucht. Ik schrok ervan.' Nog voordat ik die woorden had uitgesproken, voelde ik me al belachelijk. Snel deed ik mijn mond dicht en keek zenuwachtig naar het gezicht van mijn tante.

Maar in plaats van boos te worden, glimlachte ze naar me, deze keer echt geamuseerd. De glimlach veranderde haar hele gezicht. 'Ik zie nu wel dat je moeder je nooit heeft leren koken. Ik dacht dat je loog.' Ze pakte een andere lepel en roerde snel door de uien. Ze maakten niet meer zulke sissende geluiden en kleurden langzaam bruin. 'Maar dat geeft niet. Je instinct was juist. Luister naar de geur, die vertelt je van alles,' zei ze, nog steeds roerend. 'Uien scheiden water uit, en dat heeft een bepaalde geur. Daarom gaan je ogen zo prikken en moet je huilen. We bakken ze om van het water af te komen.' Ze zweeg even en keek me aan.

'In het begin vechten de uien terug. Ze houden hun water vast, bang om te sterven. Ze zingen een lied, ze schreeuwen naar je en vervloeken je. En ze stinken vreselijk. Vervolgens krijgen het vuur en de olie hun zin en geven de uien het op. De lucht verlaat de uien zoals een laatste ademteug het lichaam verlaat, en gaat op in de rest van het eten.' Ze zweeg even theatraal. 'De geur van uien is de geur van de dood.'

Ik staarde haar verbaasd aan. Het gezicht van tante Latha had zich verzacht, en haar ogen glansden door de schaduw van haar glimlach. 'Je zult een goede kok worden, kindje,' zei ze.

We waren de hele dag bezig met koken en mijn tante vertelde aan één stuk door over de familie Ramdhune. Ze waren de enige vrienden die tante Latha in Frankrijk had. Elke zaterdag kwamen ze bij haar eten, en elke zondag liet Krishenbhai een Sri

Lankaanse jongen genaamd Arun op de winkel passen en bracht hij tante Latha naar de familie Ramdhune, bij wie ze 's middags bleef eten.

'Het is hier niet zoals in Engeland. Er zijn maar heel weinig goede Indiase gezinnen. Maar de Ramdhunes zijn goede mensen,' zei ze, terwijl ze de tomaten tot moes maalde, 'ook al komen ze niet uit Gujarat.'

Ze sprak hun naam uit als 'Ramdoen'. 'Ramdoen, dat is een gekke naam, hè tante?'

Ze lachte. 'In India zou het Ramdhun zijn. Maar ze wonen niet meer in India, al drie generaties niet.'

'Waar komen ze dan vandaan?' vroeg ik nieuwsgierig.

'Van een eiland ergens midden in zee. Ik ben de naam vergeten. Maar er wonen veel hindoes. Het was vroeger van Frankrijk.'

'O,' zei ik, me realiserend welk eiland ze bedoelde. 'Mauritius, tante? Dat ligt tussen India en Afrika.'

'Ja, Mauritius.' Ze schoof de schaal met tomaten opzij en keek me even kort aan. 'Maar daar wonen ze niet meer. Nu wonen ze hier in Parijs.' Mijn tante vertelde me dat meneer Ramdhune op het postkantoor werkte en Frans staatsburger was. Toen Mauritius onafhankelijk werd, had het gezin Ramdhune besloten om naar Frankrijk te verhuizen. Amper tien jaar na hun aankomst konden ze hun eigen half vrijstaande huis in Bobigny kopen.

'Meneer Ramdhune is een belangrijk man,' zei mijn tante.

'Ik begrijp het,' zei ik, maar ik begreep het helemaal niet. In Nairobi waren postbodes niet belangrijk.

Meneer en mevrouw Ramdhune hadden één kind, Clothilde Radha, dat ze Lotti noemden. Ze was in Frankrijk geboren en dus Frans, en geen immigrant zoals haar ouders – en zoals mijn tante en oom en zelfs mijn moeder. Ik was net als Lotti, bedacht ik, geboren in Kenia. Dat was mijn vader ook. Daarom zijn we anders, dacht ik trots. Ik verlangde ernaar om het gezin te leren kennen, en dan vooral Lotti.

Om zes uur 's avonds waren we klaar. Vijf soorten groenten, twee soorten dal, drie gerechten met vlees en kip, rijst, papadums en puri's stonden op het kleine tafeltje bij het raam te wachten tot ze zouden worden opgegeten. Er lagen ook drie soorten uitgepakte snoepjes. Gisteravond was er al veel eten geweest, maar dit was nog eens drie keer zoveel, bedacht ik wrang. Het huis was doordrongen van de geur van amandelen, gebakken vlees, ananasraita en andere heerlijkheden. Mijn neusvleugels, die door het koken gevoelig waren geworden, werden geteisterd door een overvloed aan nieuwe en zware geuren. 'Dat is goed,' zei tante Latha ten slotte toen ze ons werk bekeek. 'Ga je nu maar snel wassen en klaarmaken. De Ramdhunes kunnen elk moment voor de deur staan.'

Zeven

Om zeven uur ging de bel. Ze waren er. Snel trok ik de kleren aan die ik van mijn tante moest dragen: een afzichtelijke rode *salwar khamiz*, een welkom-in-Parijs-cadeautje dat ze voor me had gekocht. Maar hij was zeker twee maten te groot, en de *khamiz* was te lang en had een snit die me nogal bultig maakte. De kunstzijde van de *salwar* bleef aan mijn in kousen gehulde benen kleven, waardoor die net stokjes leken. Ik vroeg me af of ik iets anders aan moest trekken, maar ik durfde tante Latha niet te beledigen. De tevredenheid die ik tijdens de kookles had gevoeld, was verdwenen. Ik had geen zin meer om het gezin Ramdhune te ontmoeten.

'Leela.' De stem van mijn tante kwam als een zweepslag door de muren heen. 'Kom eens snel hier. Onze gasten zijn er.'

'Ik kom al, tante,' riep ik.

Toen ik met een ongelukkig gevoel door de grijze gang liep, kon ik hun stemmen met de verschillende accenten in Hindi, Gujarati en Engels horen.

'Wat moet het heerlijk voor je zijn, Latha, om je nichtje hier te hebben,' kwetterde een vrouwenstem. 'Eindelijk heb je een echt gezinnetje.'

'Ze is heel lieftallig,' zei mijn oom opeens.

'Onze Indiase meisjes zijn veel mooier dan Franse meisjes,' stemde een andere mannenstem in.

'Omdat onze meisjes puur en onschuldig zijn,' merkte mijn tante op, 'onbedorven.'

Ik kwam de hoek om en stond oog in oog met de legendarische meneer en mevrouw Ramdhune. Het gesprek viel stil en iedereen staarde me aan.

Meneer Ramdhune leek heel erg op mijn oom. Hij bewoog zich met dezelfde langzame gratie, maar hij had afgezien van een snor ook nog een klein sikje. Zijn haar was wit, wat zijn verder jeugdige gezicht de waardigheid van een ouder iemand gaf. Mevrouw Ramdhune was een zachtere, kortere versie van mijn tante. Haar hangende vlees was stijf in een sari van perzikroze en citroengele chiffon gewikkeld, zodat ze net een snoepje in een veelkleurig papiertje leek. Het verbaasde me dat ze allemaal zo donker waren. Vooral Lotti, wier huid de roodbruine tint van gepoetst koper had. Ze zag er helemaal niet Frans uit. Ze was nog geen één meter vijftig lang en had lang zwart haar dat tot haar knieën kwam. Haar grote bruine ogen gingen in de hoeken een tikje schuin omhoog. Haar lichaam was weelderig en vrouwelijk, gehuld in nauwsluitend zwart. Ze had een gaatje in haar neus en droeg in elk oor minstens vier oorbellen. Een gevoel van opwinding, van iets heel belangrijks wat niet werd uitgesproken, kleefde als een doorschijnend waas aan haar vast.

Lotti was de eerste die bewoog. Ze kwam onverschrokken op me af, pakte mijn handen vast en trok me hun kringetje binnen. '*Salut. Namaste*,' zei ze in een mengeling van Frans en Hindi met een Frans accent. Haar gestifte lippen weken door haar glimlach uiteen, en ze kuste me op beide wangen.

Onhandig groette ik in het Engels terug. 'Hallo, hoe maak je het?'

Haar lach werd breder. 'Je hebt zo'n grappig Engels accent,' zei ze, 'en je bent zo lang.' Ze was opgewekt en lieflijk. Ik wilde iets interessants zeggen, maar kon niets bedenken.

Haar moeder schoot me te hulp. '*Tiens*, Lotti. Waarom zeg je nu iets wat haar in verlegenheid kan brengen? Je weet dat ze net is aangekomen, ze is vast nog moe.' Ze sloot me in een zachte, geurige omhelzing. 'Arm kind, ik vind het zo erg van je vader.'

Ik deed abrupt een stap achteruit. Mijn keel werd dichtgeknepen door het verdriet dat ik voelde. Mevrouw Ramdhune probeerde het opnieuw. 'Wat vind je van Parijs? Is het geen chique stad?'

'Het enige wat ik tot nu toe heb gezien, is het vliegveld,' antwoordde ik.

'Dat is vreselijk. Daar moeten we meteen iets aan doen. De enige manier om je hier thuis te voelen, is ervoor te zorgen dat je houdt van alles wat Frans is, net als wij.'

'Vindt u het hier dan leuker dan op Mauritius?' flapte ik eruit.

Ze sperde haar ogen open, en iets van de opgewekte uitdrukking verdween van haar gezicht. Ze opende haar mond en sloot hem weer. Ze bleef me over mijn hoofd aaien, maar keek naar haar man. 'Cecil,' zei ze tegen hem, 'waarom maken we na het eten niet even een ritje in de auto?' Ze sprak het uit als 'rietje'.

'Waarom?' antwoordde hij. 'Ik wil vanavond naar de wedstrijd kijken.'

Ze keek hem ernstig aan. 'Moeten we dit arme meisje dan niet op zijn minst ons mooie Parijs bij avond laten zien, zodat ze haar problemen een beetje kan vergeten?' Toen wendde ze zich weer tot mij, en de opgewektheid was terug. 'Mijn arme weesje,' zei ze kirrend, me over mijn hoofd aaiend.

Ik staarde naar mijn voeten, vanbinnen woedend. Dat gekke mens deed alsof mijn moeder ook dood was. Voordat ik er iets van kon zeggen, kwam mijn tante tussenbeide.

'We wilden haar de stad laten zien, maar Leela wilde vandaag koken,' zei ze overdreven vriendelijk. 'Ze is namelijk een huiselijk meisje.'

Met een boze ruk hief ik mijn hoofd op, en ik opende mijn mond om haar van repliek te dienen. Maar toen kruiste mijn blik die van mijn tante.

'Leela kan erg goed koken,' zei ze rustig tegen mevrouw Ramdhune.

Ik keek naar het tapijt. Het was zachtpaars.

Het hele groepje liep naar de woonkamer en ging naar leeftijd gerangschikt op de steenharde banken zitten. 'O ja, de Indiase meisjes. Die kunnen zo goed koken. Maar ik weet zeker dat uw nichtje niet zo goed kan koken als u, mijn beste mevrouw Patel,' zei meneer Ramdhune beleefd. Hij trok aan zijn pijp en vervolgde: 'Mijn grootmoeder Sita, die mijn grootvader helemaal vanuit Bihar volgde en voor hem zorgde toen hij op Mauritius onze wegen en bruggen bouwde, kon geweldig goed koken. Maar die jonge meisjes van tegenwoordig!' Hij keek naar Lotti met een mengeling van spijt en trots. 'Helaas houdt Lotti alleen maar van kleren en van kunst. Dat is nu eenmaal zo wanneer je kind in Parijs is geboren.'

Mevrouw Ramdhune begon haar dochter onmiddellijk te verdedigen. 'Maar ze is de beste van de klas, op een heel goede school, waar ze alleen Frans spreken.'

De wangen van meneer Ramdhune bolden op. 'En ze spreekt geen woord van onze taal, Bhojpuri. Ze kan niet eens met haar eigen grootmoeder praten.'

'Ze hoeft niet met haar grootmoeder te praten wanneer ze met de hele wereld kan praten,' kaatste mevrouw Ramdhune terug.

Meneer Ramdhune leek net een doorgeprikte ballon. 'Ik weet niet zeker of het ene beter is dan het andere. Haar grootmoeder houdt in ieder geval van haar en zou haar nooit kwetsen,' mompelde hij.

Het werd stil in de kamer. Ik keek naar Lotti, die naast me zat en met haar idioot grote metalen armband zat te spelen, en toen naar mijn tante en oom, die een meelevend gezicht probeerden te trekken maar stiekem enorm van de onenigheid genoten.

Meneer Ramdhune vervolgde: 'Het komt door die malle school van haar, vol rijke mensen die haar het hoofd op hol brengen.'

Mevrouw Ramdhune wendde zich ineens tot ons. 'Mijn man maakt zich zorgen omdat Lotti plotseling zoveel belangstelling voor Franse kunst heeft,' legde ze uit. Toen haar ogen zich op Lotti richtten, kregen ze een tedere uitdrukking. 'Maar mijn dochter is een braaf meisje, dat weet ik. Wanneer ze ouder wordt, komt er vanzelf wel een einde aan al die gekkigheid.'

De beide ouders keken vol verwachting naar hun dochter. Lotti deed net alsof ze niets had gehoord. Meneer Ramdhune zag er geërgerd uit. 'Die vrouwelijke minister van Onderwijs zit vol vreemde ideeën, ze wil de *banlieusards* het museum in hebben in plaats van aan het werk.'

Mijn oom lachte ruw en klapte in zijn handen. 'Wat u zegt, wat u zegt, meneer Ramdhune.'

Meneer Ramdhune keek een tikje verbaasd, zelfs een beetje geërgerd. Even staarde hij mijn oom kil aan, maar toen glimlachte hij hem ineens verzoenend toe en vervolgde: 'Meneer Bestiole van *la poste*, dat is pas een goede minister. Weet u, toen hij op het postkantoor was...'

Zijn vrouw zuchtte. 'Daar gaat hij weer, over zijn *Monsieur le Ministre*.' Ze begon de plooien van haar sari te schikken.

Alsof dat een aanwijzing was, zei tante Latha dwepend: 'Wat hebt u een mooie sari, mevrouw Ramdhune! Waar hebt u die vandaan?'

Mevrouw Ramdhune glimlachte. 'Het is Franse chiffon, weet u, heel duur. Maar ik heb hem in Lyon gekocht, voor de helft van wat je hier in Parijs betaalt. Volgende keer moet u maar met me meegaan, Lathaji.'

Het gezicht van mijn tante vertoonde een mengeling van afgunst en verlangen. 'Dat zou ik heerlijk vinden,' zei ze, 'maar ik moet mijn huishouden in goede banen leiden, en we hebben ook nog de winkel. U weet hoe slecht Krishenbhai in boekhouden is.'

'Wat jammer,' zei mevrouw Ramdhune. 'Ze hebben er zo'n uitgebreide keuze.'

'Parijs is gewoon te duur geworden,' merkte mijn tante zuchtend op.

'Ja, daarom zijn we naar Bobigny verhuisd. Daar kunnen we alles voor de helft van de prijs krijgen,' voegde mevrouw Ramdhune eraan toe.

Ik onderdrukte een glimlach. Ik begreep waarom mevrouw Ramdhune en mijn tante zo goed met elkaar konden opschieten. 'Weet je, ze zijn dikke vriendinnen omdat ze allebei zo van geld houden,' fluisterde Lotti zachtjes tegen me. De glimlach die ik zo hevig probeerde te onderdrukken, kwam te voorschijn.

'Kom, laten we ergens heen gaan waar we kunnen praten,' zei Lotti, die ook glimlachte. Ze pakte me bij mijn arm en voerde me mee naar het piepkleine balkon.

'Zo, dat is beter. Het is binnen zo benauwd.' Ze hief haar gezicht op naar de wind. Het was koud op het balkon. Ik huiverde. 'Je hebt het koud,' zei ze snel. 'Ik was vergeten dat je nog niet aan ons weer gewend bent. Zullen we weer naar binnen gaan?'

'Nee, nee, alsjeblieft niet,' zei ik vlug. 'Ik vind het hier fijn, het is de eerste keer dat ik buiten ben sinds ik hier ben.'

'Wat?' Haar wenkbrauwen schoten tot halverwege haar voorhoofd omhoog.

Ik lachte berouwvol. 'Volgens mijn tante is het veel te gevaarlijk buiten, zelfs op het balkon.'

Ze keek nog ongeloviger. 'Tante Latha kijkt vast te veel tv,' zei ze hoofdschuddend. 'Hier zijn geen problemen. De echt slechte *banlieues* liggen verder naar het zuiden en het westen. We zitten hier bijna in Parijs.'

Ik voelde een golf van opluchting na haar woorden, en daarna begon ik te trillen van opwinding. Dus Parijs was toch niet zo ver weg. Langzaam draaide ik mijn gezicht naar de ijskoude wind. Daardoor ging mijn huid tintelen en werd de geur van voedsel die eraan kleefde weggeblazen. 'Ah, nu heb ik het gevoel dat ik in Frankrijk ben.'

Lotti hield haar warme gezicht vlak bij het mijne en pakte stevig mijn hand beet. 'Natuurlijk ben je dat.'

Acht

Tijdens mijn eerste maand in Parijs zat ik de hele tijd te wachten tot mijn moeder zou bellen. Ik wachtte met een doelbewustheid die zelfs niet door de claustrofobische sfeer van de flat kon worden aangetast. Soms kreeg ik hoofdpijn omdat ik voortdurend liep te luisteren of de telefoon soms ging. Ik sliep moeilijk. Wanneer ze me 's morgens wekten voor het ontbijt, had ik rode ogen en was ik sloom. De muffe, droevige geur van de woning bleef aan me kleven en maakte mijn gevoel van eenzaamheid compleet.

Toen ging op een avond tijdens het eten de telefoon. Met een ruk hief ik mijn hoofd op.

Mijn tante keek me fronsend aan. 'Waarschijnlijk zijn het de Ramdhunes. Laat je oom maar opnemen.'

Mijn oom stond gehoorzaam op en liep uiterst rustig naar de telefoon. Toen die voor de zesde keer overging, nam hij op. 'Hallo?'

'Ja, dat ben ik.' Hij keek onzeker, alsof de beller iemand was die hij niet kende. Ineens veranderde zijn stem. 'Ja, ja,' zei hij opgewonden.

Ik wachtte niet tot ik werd geroepen. Ik wist dat zij het was. Ik rende naar de gang en wachtte ongeduldig terwijl hij haar begroette en haar de gebruikelijke vragen stelde. Hij was ook opgewonden. De hand die de hoorn vasthield trilde. Eindelijk gaf hij de hoorn aan mij.

'Leela?' Haar stem klonk zo dichtbij.

Mijn keel werd droog. Ik wilde iets zeggen, maar er kwam geen geluid uit.

'Zeg iets.' Krishenbhai prikte me tussen mijn schouderbladen. 'Ze betaalt geen vermogen om jou te horen zwijgen.'

Ik staarde naar het praattoestel in mijn hand. Er was zoveel wat ik haar wilde vertellen.

'Leela, ben je daar?' De stem van mijn moeder klonk gespannen. Ik vervloekte mezelf. Het moment werd zuur, even onvermijdelijk als melk die te lang in de zon heeft gestaan.

'Maa, hier ben ik,' wist ik ten slotte uit te brengen.

'Ja, ik weet dat je daar bent,' zei ze geïrriteerd. 'Vind je Parijs leuk?'

'Ja, Maa. Alles is... in orde.' Dat was wat ze wilde horen. En mijn oom en tante zaten ingespannen te luisteren. 'Hoe... hoe gaat het met u?'

'Met mij gaat het goed. Het huis is wel erg klein. En het is koud en het regent de hele tijd. We hebben al een maand geen zon gezien.' Ze lachte een tikje beverig. 'Nu weet ik waarom de Engelsen zo zijn als ze zijn. Ze krijgen de kilte maar niet uit hun botten.'

Ik lachte ook, maar in gedachten stelde ik een vraag. Wanneer kom je me halen, Maa?

'En wat zijn je plannen, Leela? Ga je weer naar school? Je moet wel blijven leren, anders gaat je verstand achteruit.'

'Hier?' Ik was stomverbaasd. 'Maar hoe dan? Alles is in het Frans.'

'Er zijn vast wel lessen in het Engels, niet iedereen spreekt Frans. Vraag maar of Krishenbhai dat voor je uitzoekt. Het verbaast me dat hij dat nog niet heeft gedaan. Geef hem maar even.'

'Maar Maa, waarom zou ik? Wanneer ik bij jou ben, kan ik in Engeland gaan studeren. Dan heb ik maar een jaar gemist, en ik kan de boeken thuis met jou lezen.' Ik was trots op mijn eigen slimheid. Wat had ik mijn moeder een mooie gelegenheid gegeven om me te vertellen dat ze me zou komen halen. Ik haalde diep adem.

Aan de andere kant van de lijn bleef het lang stil. Toen ze weer sprak, klonk haar stem anders, ver weg. 'Leela,' zei ze, de 'e' lang aanhoudend, net als mijn vader altijd deed wanneer hij slecht nieuws voor me had, 'je... je kunt dit jaar niet komen... Het huis van Atul is te klein. Sunil en Anil zijn zo moeilijk in de hand te houden. Er zijn geen bedienden, ik moet alles zelf voor ze doen. Sheilabehn heeft er niets over gezegd, maar ik heb steeds het gevoel dat we haar tot last zijn. Ik wil graag verhuizen, ik wil graag een eigen woning hebben, maar Londen is zo duur. Veel duurder dan ik ooit had kunnen denken...' Haar stem stierf weg.

Ik kon geen woord uitbrengen. Ik was zo teleurgesteld dat ik het gevoel had dat ik stikte. Ik greep de telefoon vast alsof die de laatste schakel met mijn familie was.

'Leela.' De stem van mijn moeder stokte. 'Je oom en tante vinden het heerlijk dat je er bent. Ik kom je snel opzoeken, zodra ik kan.'

Ik zei niets.

'Leela? Ben je er nog?'

Ik maakte een gesmoord geluidje.

'Geef me je oom even, Leela,' beval ze.

Zonder iets te zeggen gaf ik de hoorn aan mijn oom en rende naar mijn kamer.

Daar lag ik, niet in staat om te slapen, keer op keer in gedachten hetzelfde gesprek herhalend. Was ze boos op me? Had Krishenbhai over me geklaagd voordat ik met haar had gesproken? Ik staarde met droge ogen het donker in. Ik had hetzelfde gevoel als bij de crematie, alsof ik het einde van de tijd had bereikt en alles in me tot stilstand kwam.

Toen hoorde ik voetstappen in de gang die voor mijn deur halt hielden. 'Leela?' fluisterde mijn oom. Ik sloot mijn ogen en deed alsof ik sliep. 'Leela.' Hij opende de deur een klein stukje. Hij stond me een tijdje aan te kijken en deed toen de deur weer dicht. Ik hield mijn ogen stijf dicht en moet in slaap gevallen zijn, want een tijdje later werd ik wakker van luide stemmen in het donker. Tante Latha en Krishenbhai maakten ruzie met elkaar.

'Ssst... niet zo hard, anders hoort ze je,' zei Krishenbhai op een luide fluistertoon.

'Dat kan me niet schelen,' antwoordde tante Latha met haar gewone, hoge stem. 'Laat ze het maar horen. Ik lieg toch niet? Je weet niet hoe lui ze is – ze slaapt lang uit, drentelt door het huis, zegt geen stom woord, kijkt op ons neer. Ik heb er genoeg van, ik kan er niet meer tegen.'

'We sturen haar naar school. Ze zal snel genoeg Frans leren, we sturen haar eerst wel naar Franse les. Haar moeder heeft me dat gevraagd.'

Tante Latha legde hem het zwijgen op met een geluid dat het midden hield tussen een gil en gesis. 'Naar school? En waar halen we het geld vandaan?'

'De openbare universiteit is niet zo duur,' zei Krishenbhai aarzelend.

'Onzin, alles kost hier geld, en we hebben een hypotheek en moeten aan onze toekomst denken. Hebben we trouwens nog niet genoeg voor haar gedaan? We geven haar onderdak, eten en kleren. Als ze wil studeren, dan moet haar moeder dat maar betalen.'

'Heb je geen hart? Ze is de dochter van mijn broer. Wat wil je dan dat ik met haar doe?' De stem van Krishenbhai overstemde die van mijn tante. Ze stonden nu allebei te schreeuwen.

'Neem haar dan met je mee, als ze het kind van *jouw* broer is. Ik wil niet dat ze de hele dag in mijn huis rondhangt,' riep tante Latha terug.

'Goed, dan doe ik dat,' hoorde ik Krishenbhai zachtjes zeggen. 'Morgen neem ik haar mee naar de winkel.'

Ik hoorde de deur van hun slaapkamer dichtslaan, en toen was het weer stil.

De volgende ochtend schudde Amma me wakker. 'Opstaan. Ze hebben je nodig,' zei ze, en ze ging weg.

Ik kleedde me snel aan en liep door de gang naar de woonkamer. Ze zaten stijfjes naast elkaar op de bank op me te wachten.

Mijn oom nam als eerste het woord. 'We hebben besloten, je tante en ik, dat het het beste voor je is wanneer je in de winkel komt werken. Je zit te veel binnen, dat is niet gezond.' Hij sprak op vriendelijke toon, maar keek me niet aan.

Ik knikte, terwijl ik net deed alsof ik de vorige avond niets had gehoord. Ineens ging er een golf van opluchting door me heen. Ik hoefde niet langer Amma te zien en naar de Indiase filmmuziek van tante Latha te luisteren terwijl ik in de keuken stond te zwoegen. Ik hoefde niet opgesloten te zitten in de bloedrode woning met zijn vastgespijkerde blinden; ik hoefde niet te koken en te koken en te koken tot mijn nagels geel waren en mijn haar, zelfs mijn zweet, naar specerijen rook.

Toen voelde ik een steek van angst. 'Maar stel dat Maa belt en ik ben er niet?'

'Dat is hoogst onwaarschijnlijk,' verzekerde hij me. 'Ze werkt toch de hele dag in de winkel van haar broer?'

'Ja.' Ik knikte langzaam.

'En 's avonds ben je alweer terug voordat ze kan bellen.'

Ik keek niet-begrijpend.

'Vergeet niet dat het hier een uur later is dan in Londen,' legde hij uit.

'Maar... maar stel dat ze me op komt halen en ons belt om dat te vertellen?' zei ik wanhopig.

Ze keken elkaar aan, en mijn ongemakkelijke gevoel werd sterker.

Toen pakte mijn tante me bij mijn schouders en omhelsde me. 'Als dat gebeurt, dan bel ik naar de winkel en dan kun je haar meteen terugbellen.'

‘U bedoelt dat ik haar in Engeland kan bellen?’

‘Natuurlijk.’ Ze knikten.

‘Dank u, dank u.’ Mijn stem piepte van opluchting.

Ze keken me aan, met iets van mijn opluchting op hun gezichten weerspiegeld.

Ik bracht het onderwerp nooit meer ter sprake. Ik kon het me niet veroorloven om hen te geloven.

Negen

Het leven met Krishenbhai en tante Latha volgde al snel een vast patroon. De dagen veranderden van een reeks betekenisloze indrukken tegen een eindeloze achtergrond van verwachting in iets bekends en voorspelbaars. Door de week werkte ik bij mijn oom in de winkel en de weekends bracht ik met de familie Ramdhune door. Het onveranderlijke patroon gaf me een gevoel van zekerheid en vastigheid. Het gevoel dat me sinds mijn vertrek uit Nairobi niet meer had losgelaten, het gevoel dat ik op eierschalen liep, begon langzaam weg te ebben. Zelfs mijn uiteindelijke vertrek naar Engeland raakte op de achtergrond en leek akelig onwerkelijk. Ik miste mijn moeder en mijn broertjes nog steeds. In de koude vreemde wereld die ik nu bewoonde, klampte ik me vast aan mijn herinneringen aan hen. Ze waren mijn familie – van mij – op een manier zoals mijn tante en zelfs Krishenbhai dat nooit zouden worden. Maar de pijn van het verlangen maakte langzaam plaats voor een doffe aanvaarding van de scheiding. Mijn familie, ons huis in Parklands, zelfs mijn vader, trokken zich langzaam terug in mijn dromen.

Mijn dagen beginnen om zes uur 's morgens. Zodra ik het gebouw dat nu mijn thuis is heb verlaten, adem ik diep in. De donkere leegte van de ochtend is rustgevend en vraagt niets van me. Ik voel een kalmte over me neerdalen en loop naar het metrostation. Om deze tijd bewegen mensen zich in kleine groepjes in dezelfde richting. De cafés en de boulangeries baden in een warm gouden licht. De heerlijke geur van vers brood achtervolgt me wanneer ik langsloop.

Tegen de tijd dat ik bij de metro aankom, is de hemel in het oosten vaak al lichtgrijs. Het breekbare licht maakt de omtrekken minder scherp en verzacht de lelijkheid van de gebouwen. Ik loop de trap af naar de ingewanden van de aarde en word weer overvallen door de geuren van de nacht. De trein van kwart voor zeven naar Nation zit altijd redelijk vol mensen: de nachtploegen die van hun werk komen en de telefonistes, politieagenten, loodgieters en bouwvakkers die vroeg moeten beginnen.

De mensen die 's nachts hebben gewerkt, zitten in vreemde houdingen, vol ingehouden spanning. In hun lichamen levert de vermoeidheid van de slaap strijd met de energie van het werk. De mensen die overdag werken, zijn heel anders. Ze zien er leeg uit. De make-up van de vrouwen is vlekkerig, alsof die is opgebracht met handen die nog moe waren van de slaap. Ze zijn als lappenpoppen op de bankjes neergevallen.

Vanaf Nation klim ik omhoog naar de bovengrondse lijn, een van de oudste van de stad, die me naar La Chapelle zal brengen. Ik hou van het doorzichtige, maar krachtige metalen raamwerk dat de trein draagt.

Op een dag, hartje winter, zie ik een vrouw de duiven onder de balken voeren en liefdevol tegen ze praten. Ze is in een grote zwarte winterjas gewikkeld die van haar lichaam een groot, onregelmatig vierkant maakt. Op haar hoofd draagt ze een hoed van tweed met een lint van groen fluweel. Er steken slordige plukken grijs haar onderuit. Haar liefde voor de vogels raakt me. Ze lijkt een eenzame oude excentriekeling die niemand heeft om mee te praten. Dan zie ik de tas naast haar en realiseer me dat ze arm is, en een jageres. Ik wil het uitschreeuwen en de vogels waarschuwen, maar dat doet de trein al voor me. Die komt piepend boven mijn hoofd tot stilstand en jaagt alle duiven weg. De vrouw kijkt op, haar gezicht rood van woede, en schreeuwt iets naar de trein. Haar opgeheven gezicht is beangstigend. Haar trekken zijn in elkaar overgelopen, alsof iemand ze met een krachtig oplosmiddel heeft weggepoetst. Haar mond lijkt een onbeschermde wond. Ze ziet dat ik haar aanstaar en bekogelt me met broodkruimels, met de snelheid van een jonge vrouw. Ik deins terug en loop snel weg, achtervolgd door vloeken die ik niet versta.

Om kwart over zeven kom ik bij de winkel aan. De omringende straten worden langzaam wakker. De Sri Lankaanse Tamils en de Arabieren praten zacht met elkaar in hun eigen taal terwijl ze het trottoir voor hun winkels vegen en de kratten met groenten uitladen. Voor de cafés zetten de obers tafels op het trottoir en klappen de stoelen uit met een gemak dat oefening verraadt. Soms fluit een van hen naar me of zegt iets in het Frans wat ik niet begrijp.

Ik veeg de winkel, draag de kratten met groenten naar buiten en zet ze netjes neer, en stof de etalage af. Wanneer ik al deze taken heb volbracht, steek ik een paar wierookstokjes aan en zet ze voor de felgekleurde beelden van Vishnu, Lakshmi en Ganesh met de olifantenkop neer. Dat is een idee van tante Latha. Van haar moet ik dat elke dag doen. Ik hou niet van de geur van wierook. Ik heb het gevoel dat die me verstikt. Het is inmiddels rond half negen, tijd voor het spitsuur. En dus neem ik mijn plekje bij de deur in.

Ik zie ze langslopen. Mannen in pakken en lange jassen, vrouwen met hoge hakken en elegante handtasjes en aktetassen. Niemand zegt iets. Ze lopen gewoon snel voorbij, hoofden gebogen, voeten in de pas, heen en weer bewegend tussen de wereld van de nacht en die van de dag. Twintig, dertig minuten lang stromen ze onophoudelijk voorbij. Dan droogt de stroom mensen op, tot het er ten slotte nog maar een paar zijn – vaak de huisvrouwen en de werklozen.

Ik vind het leuk om het kantoorpersoneel voorbij te zien komen. Ik sta in de deuropening en zuig de lucht van hun werelden naar binnen: de droge, metalige geur van de airconditioning, de zilte lucht van opgedroogd zweet, koffie, sigaretten, en dan iets wat ik niet herken. De geur strijkt bijna onmerkbaar langs mijn neusgaten en is zo ijl en verfijnd dat hij moeilijk te benoemen is. De mensen zien niet dat mijn neusvleugels trillen, en als dat wel zo is, kan het hen niet schelen.

Ik wil dolgraag bij hen horen, mezelf in hun eigendunk wikkelen, in de pas met hen lopen. In mijn ogen zijn ze net goden. En ik wil dolgraag onkwetsbaar zijn, net als zij.

Aan het einde van deze stroom mensen loopt mijn oom. Het is dan een uur of negen. Zijn lange zwarte jas hangt zonder kreukels om zijn schouders. Zijn hoed staat een tikje scheef, in precies de juiste hoek. Hij ziet eruit als een klant. Zelfs zijn adem ruikt Frans, naar bittere zwarte koffie.

'Goedemorgen, mijn kleine schoonheid.' Hij kust me op mijn gezicht. Zijn lippen voelen altijd nat aan. Ik wend me af en probeer de afdruk van zijn lippen af te vegen. Maar hij ziet het, en elke dag wacht hij op dat gebaar. Een niet te benoemen emotie glijdt over zijn gezicht en daardoor springen de spiertjes in zijn wangen als zilvervisjes omhoog. Hij draait zich om en kijkt naar de straat. Dat doen we allebei. Wanneer hij zich omdraait, staat zijn gezicht onbewogen. 'Heb je alles al gedaan?' vraagt hij kortaf, zich van me verwijderend. 'Heb je de *agarbattis* aangestoken?' Zijn ogen glijden over de beeldjes op de houten plank die aan de muur is vastgespijkerd. 'Je weet dat je tante Latha...'

'Ja, alles is gedaan,' val ik hem snel in de rede.

Mijn oom gaat achter de toonbank met videobanden zitten en haalt zijn krant te voorschijn. 'Aan het werk nu, liefje, we hebben vandaag een hoop te doen.' Dat is het teken dat ik me in de achterkamer moet terugtrekken.

Maar ik blijf weifelend voor hem staan, omdat ik de tijd die ik buiten dat vertrek doorbreng nog even wil rekken. 'Wat staat er in de krant, oom? Iets over thuis? Nog meer rellen?'

Hij doet net alsof hij snel de krant doorkijkt. Dan kijkt hij langzaam op. 'Nee, kleintje. Niets over Kenia. Vandaag is er helemaal geen nieuws over Afrika.'

Samen wachten mijn oom en ik tot de klanten binnendruppelen.

De weduwe van de vorige eigenaar, mevrouw Gunashekharan, die mijn oom de winkel heeft verkocht, komt elke morgen als een koningin binnen. Ze verwacht nog steeds dat mijn oom haar alle boodschappen voor niets geeft, net zoals hij na de dood van haar man een half jaar lang deed.

Nu betaalt ze. Ze haalt haar neus op voor de prijzen en zegt dat alles duurder is dan toen haar man de eigenaar was. Ik denk dat ze het leuker vindt dat ze ons nu kan beledigen omdat ze betaalt. Toen ze alles nog voor niets kreeg, moest ze wel aardig tegen ons doen.

Ik ben altijd degene die haar moet helpen wanneer ze komt. Ik probeer haar onder het voorwendsel dat ik haar verse specerijen uit Sri Lanka wil laten zien de achterkamer in te lokken, zodat haar luide opmerkingen over de prijzen de andere klanten niet zullen afschrikken.

Na haar komen de Bengaalse mannen van de Sitar, het Indiase restaurant. Ze spreken Hindi tegen mijn oom. Mijn oom antwoordt in het Frans.

Dat doet hij om hen te ontmoedigen, zodat ze niet te familiair doen. Hij is bang dat ze hem om gunsten gaan vragen als hij in het Hindi met ze praat, en hij vindt het vreselijk om nee te zeggen op een rechtstreekse vraag. Ze komen elke dag, maar kopen alleen maar kleine dingen bij ons: specerijen, papadums, tafelzuur. Vlees, rijst en groenten kopen ze bij de groothandels, dezelfde die aan ons leveren.

Ik zie dat ze tijdens het boodschappen doen om het hoekje naar me gluren. Ik bedenk dat ze misschien naar de winkel komen om mij te kunnen zien, maar die gedachte schud ik van me af. Het is aannemelijker dat ze de videobanden komen bekijken en er stilletjes een voor vanavond komen huren. Ze wonen met zijn achten op één kamer, in een eenkamerwoning bij Montmartre, vertelt een van hen me. En hun huisbaas vraagt er bijna drieduizend franc voor, terwijl er niet eens warm water is, of een aangrenzende badkamer.

De Tamil-huisvrouwen komen rond een uur of elf, nadat ze hun mannen naar hun werk en hun kinderen naar school hebben gestuurd. Ze dragen sari's van nylon, en hun zwarte haar is geolied en hangt in vlechten op hun rug of is in kleine knotjes strak naar achteren getrokken. Ze hangen in de winkel rond, ruiken aan de massala's en prikken in de rijst en de bananen die we voor veel geld uit hun land importeren.

Soms valt de komst van de huisvrouwen samen met die van 'de geliefden', een vreemd stel dat in de buurt woont. Ze komen elke dag wel twee of drie keer in de winkel. De eerste keer is 's morgens rond een uur of half twaalf, om bier, sigaretten en mineraalwater te kopen. 's Middags komen ze voor eten, doorgaans klant-en-klare spullen in blik, en condooms. Die laatste geeft mijn oom aan de man met het slechte gebit, terwijl hij nadrukkelijk naar de navel van de vrouw kijkt, die te zien is tussen haar spijkerbroek en de sari-blouses die ze als hemdje draagt. Ze kleven altijd aan elkaar vast, of het nu bij hun armen, benen of lippen is. De huisvrouwen staren naar hen en doen geen moeite om hun walging te verbergen. Maar het kan de geliefden niet schelen. Met hun handen in elkaars zakken lopen ze de winkel uit.

Ik raak aan mijn nieuwe wereld gewend. De ene voorspelbare dag volgt op de andere, en het is bijna alsof ik weer in Nairobi op school zit. Alleen volg ik nu geen lessen, maar werk ik in de winkel van Krishenbhai. Ik voel me nooit zo thuis in de straten van Parijs als Lotti doet. Net als mijn oom en tante ben ik hier een vreemdeling, een straatschoffie dat naar een door kaarslicht beschenen familie-etentje kijkt. Mijn wereld blijft beperkt tot de flat met zijn bloedrode gordijnen en de winkel.

Tien

Naarmate ik Lotti beter leerde kennen, ging ik haar steeds meer bewonderen. Ze was beeldschoon en intelligent. Mevrouw Ramdhune had niet overdreven toen ze zei dat Lotti de beste van haar klas was. En ze sprak prachtig Frans. Ik kon maar moeilijk geloven dat ze mij als haar vriendin had uitgekozen. Op een dag vroeg ik haar wat ze in me zag. Lotti lachte. Ze lachte graag. Toen keek ze me goedkeurend aan, zoals een man zou doen. 'Nou, om te beginnen vullen we elkaar aan,' zei ze. 'Ik ben klein en rond. Jij hebt een lichte huid, je bent lang en alles aan je is verfijnd en elegant, zoals bij een Indiaas beeld.'

'Een Indiaas beeld? Waar heb je die dan gezien?' Ontzet sperde ik mijn ogen open. 'Je bedoelt toch niet een van de beeldjes van tante Latha?'

Ze lachte. 'Nee, nee. Dat zijn geen echte Indiase beelden. Ik bedoel die in het Guimet.'

'Giemee? Wat is dat?'

'Het Musée Guimet? Het is het mooiste museum van Parijs.'

'Maar hoe komt het dat ze echte Indiase beelden hebben?'

'Omdat iemand er een verzameling van heeft aangelegd, samen met andere dingen uit China, Thailand, Japan, uit heel Azië eigenlijk,' antwoordde Lotti. 'En alles bevindt zich in een prachtig château midden in een tuin die net de hemel in het voorjaar is. Het is echt het allermooiste museum dat er is. Je moet tante Latha en Krishenbhai eens vragen of ze je er mee naartoe nemen.'

Ik dacht aan Krishenbhai en tante Latha en wist dat zoiets onmogelijk was. Tijdens al die weken dat ik bij hen was, had ik hen niet één keer over een restaurant horen praten, laat staan over een museum. Ik deed mijn uiterste best om zo onverschillig mogelijk te vragen: 'Waarom zouden ze überhaupt beelden uit India willen hebben?'

'Omdat die beeldschoon zijn,' zei ze. Haar ogen begonnen te glanzen. 'In deze stad heeft men bewondering voor schoonheid, waar die ook vandaan komt.'

Ik zuchtte. 'Ik wou dat ik ze kon zien.'

'Natuurlijk kun je dat. Iedereen kan naar een museum gaan.' Ze haalde een boek te voorschijn en begon erin te bladeren. 'Ik zal je op de kaart aanwijzen waar het is.'

Ze duwde de opengeslagen bladzijde onder mijn neus. 'Kijk, hier, in het zestiende arrondissement.'

Ik keek fronsend naar de kleine roze vierkantjes op het papier. Toen wendde ik mijn blik af.

'Wat is er?' vroeg ze.

'Niets,' mompelde ik vol schaamte.

'Nee, zeg het maar. Wat is er?' Ze draaide me om, zodat ik haar wel moest aankijken.

Met tegenzin zei ik tegen haar: 'Ik spreek geen Frans. Ik durf nergens heen te gaan.'

Een minuut lang keek ze me verbijsterd aan. Toen begon ze te lachen. 'Natuurlijk, wat dom van me. Ik kan uitleggen hoe je er moet komen. Ik kan zelfs een plattegrond voor je tekenen, als je wilt.'

'Nee, laat maar zitten, Lotti. Ik... ik heb het te druk om te gaan,' mompelde ik.

'Hoezo? Waarom ga je niet op zondag?' drong ze aan.

'Laat maar zitten,' zei ik geërgerd. 'Ik ga toch niet.'

Een minuut lang bleef ze zwijgen. Zie je wel, dacht ik verdrietig, ik heb mijn enige vriendin verloren.

Toen ik haar ten slotte weer aankeek, keek ze me met lachende ogen aan.

Opgelucht glimlachte ik.

'Maak je geen zorgen,' zei ze. 'Ik weet precies wat je nodig hebt.'

Lotti ging uiterst listig te werk. Eerst overtuigde ze haar ouders ervan dat het noodzakelijk was dat ik Frans leerde. 'Het is niet erg dat oom en tante geen Frans spreken, pappa. Maar hoe zit het met Leela? Moet ze haar hele leven onwetend blijven en als een slaaf in dat miezerige winkeltje van ze ploeteren?'

'Ik weet zeker dat dat niet de bedoeling is, Lotti,' antwoordde meneer Ramdhune. 'Op een dag zal ze vast een goed huwelijk sluiten, net als je lieve grootmoeder die met je grootvader trouwde.'

Lotti gaf het bij hem op, maar probeerde het vervolgens bij haar moeder. '*Maman*, kun je tante Latha niet vragen of Leela naar Franse les bij de Alliance mag? Dat arme meisje spreekt haar talen niet.'

'Maar dat kost geld, schat,' luidde het verstandige antwoord van haar moeder, 'en wie let er op de winkel en maakt het eten klaar als zij er niet is?'

'Hm.' Tegen de logica van Lotti's moeder was niets in te brengen. 'Ik kan het haar leren, maman... op zondag? En dan kan ze ook de klanten in de winkel beter helpen, toch?'

Deze keer had mevrouw Ramdhune niets tegen de logica van haar dochter in te brengen. 'Ik begrijp wat je bedoelt, mijn kind,' zei ze, 'maar ik wil niet dat je je iets op de hals haalt wat veel te ingewikkeld voor je is. Over bijna anderhalf jaar moet je je *baccalauréat* doen, dat weet je. Ik wil niet dat je schoolwerk eronder lijdt.'

'Hoe kan mijn werk er nu onder lijden, maman?' zei Lotti ongeduldig. 'Van pappa mag ik toch al nooit op zondag werken. Terwijl ik het haar leer, neem ik zelf door wat ik al heb geleerd. Je leert nergens zoveel van als van iets aan een ander uitleggen. En dit is de beste manier om me voor te bereiden op het toelatingsexamen voor de lerarenopleiding. Je wilt toch dat ik lerares word, of niet soms?'

Het gezicht van mevrouw Ramdhune lichtte op. Ze wilde heel graag dat Lotti lerares zou worden en volgend jaar toelatingsexamen voor de lerarenopleiding zou doen. Een lerares in Frankrijk! Dat was zelfs beter dan een baan bij de post. Mevrouw Ramdhune sloot haar ogen en genoot van het beeld van haar dochter die kleine Franse kindertjes lesgaf.

Lotti glimlachte triomfantelijk.

'Weet u, mijn beste mevrouw Latha, onze Clothilde is zo dol op uw Leela,' begon mevrouw Ramdhune.

Mijn tante knikte. 'Ja, ik ben blij dat Leela zulke goede manieren heeft. Ik was bang dat ze een kleine wilde zou zijn, zonder enige opvoeding.'

Mevrouw Ramdhune vervolgde: 'Het is zo'n opluchting voor me dat ze zo goed met elkaar overweg kunnen. Lotti heeft nog nooit Indiase vriendinnen gehad. Maar Leela heeft zo'n goede invloed op haar, ze leert haar wat Indiase waarden zijn.' Ze wendde zich tot haar man. 'Dat is toch zo, Shiva?' zei ze, hem met zijn echte naam in plaats van als Cecil aansprekend.

Meneer Ramdhune mompelde instemmend en concentreerde zich weer op het schoonmaken van zijn pijp. Ik hield mijn ogen onafgebroken op het tapijt gericht.

'Wat aardig van u, mevrouw Ramdhune,' zei mijn tante. Ik keek snel naar het gezicht van mijn tante. Iets van de spanning was verdwenen, en het leek bijna alsof ze zou gaan glimlachen. Ik sloeg mijn ogen weer neer.

Mevrouw Ramdhune ging op lieflijke toon verder: 'Zeg, onze Lotti had een prachtig idee. Ze kan Leela wel een beetje Frans leren. In plaats van hun tijd op zondag aan gekke dingen te besteden, jongens en kleren en weet ik wat, kan Lotti Leela Franse les geven.'

Het gezicht van mijn tante verstrakte onmiddellijk. 'O nee,

nee. We willen u niet tot last zijn. Lotti's huiswerk...'

'U bent ons helemaal niet tot last.' Mevrouw Ramdhune leunde voorover en klopte mijn tante geruststellend op haar hand. 'Lotti wil volgend jaar toelatingsexamen voor de lerarenopleiding doen. Het is een goede oefening voor haar.'

Mijn tante en oom waren er nog niet zeker van. 'Maar dan maken we gebruik van uw goedheid, we hebben geen geld...' zei mijn oom.

'We willen niemand tot last zijn,' viel mijn tante hem in de rede.

'Nee, nee. U bent niemand tot last,' stelde mevrouw Ramdhune haar gerust. 'Het is ook heel leerzaam voor onze Lotti. Trouwens, ze wil het voor uw lieve Leela doen.'

Meneer Ramdhune mengde zich plotseling in het gesprek. 'Weet u, het is belangrijk dat Leela Frans leert spreken. De tijden zijn veranderd. De regering laat geen immigranten meer toe die de taal niet spreken, die willen ze het land uitzetten.'

'Maar we betalen belasting,' merkte mijn oom boos op.

'Ja, ja. Maar die gekke Franse nationalisten krijgen steeds meer macht. We moeten met onze tijd meegaan, ons aanpassen,' legde hij uit.

'En het kost u geen cent. Gratis.' Mevrouw Ramdhune had betere argumenten.

'En het zal goed van pas komen met de klanten in de winkel,' voegde Lotti eraan toe.

Mijn tante gaf toe. 'Daar hebt u natuurlijk gelijk in,' zei ze, terwijl ze mevrouw Ramdhune met tranen in haar ogen aankeek. 'Wat boffen we toch met vrienden zoals u!'

'Je mag je gelukkig prijzen,' zei mijn tante die avond tegen me. Ze kwam mijn kamer in toen ik mijn nachtpon aantrok. 'Ik hoop dat je je oom en mij erg dankbaar bent voor wat we voor je hebben gedaan.'

Het kon me niet echt schelen of ik nu Frans zou leren of niet. 'Natuurlijk, tante,' antwoordde ik nederig.

Haar gezicht verzachtte. Ze gaf me een klopje op mijn schouders. Haar blik viel op mijn benen en haar mond verstrakte. 'Heb je geen nachtponnen die minder onbeschaamd zijn?' riep ze uit.

'Maar ik hoef er alleen maar in te slapen, tante Latha,' verdedigde ik mezelf.

'Nou en? Slechte gewoonten beginnen 's nachts, wanneer de geest onoplettend is,' zei ze met een boze blik op mij gericht.

Ik liet mijn hoofd hangen.

'Zorg ervoor dat je alleen de Franse taal leert, en niet de Franse gewoonten. Denk eraan, ik wil geen stout meisje in huis hebben.'

'Natuurlijk niet, tante. Ik zal een goede leerlinge zijn,' antwoordde ik.

Daarna sleepte Lotti me bij elke ontmoeting tussen de gezinnen weg voor een Franse les. Aanvankelijk zag ik het niet zo zitten. Mijn moeder kon me immers elk moment komen ophalen, en wat had ik dan aan die lessen? Maar Lotti was zo enthousiast dat ik amper kon weigeren. Al snel kreeg ik plezier in de lessen en ik keek er de hele week naar uit. Lotti was namelijk een geweldige lerares. En ze leerde me niet alleen Frans uit een boek, ze leerde me ook nog heel veel andere dingen, van heel gewone – hoe je bij de slager bij haar om de hoek vis en vlees voor de halve prijs kon krijgen, in ruil voor wat gefriemel, een kneepje in een borst of bil – tot heel bijzondere – zoals die keer toen ze me meenam naar het Musée Guimet, zodat ik de Aziatische beelden kon zien waar ik volgens haar sprekend op leek.

'Kijk eens hoe die kleine hoge borsten schuin omhoog wijzen, net als de jouwe,' fluisterde ze toen we voor een beeld van Yashodhara stonden.

Ik staarde aandachtig naar het prachtige beeld. Lotti had gelijk, mijn borsten leken op de hare. Ik huiverde van opwinding – volgens het bordje was Yashodhara in de derde eeuw na Christus vervaardigd. 'Wat zijn borsten in het Frans, Lotti?'

'*Sein*,' zei Lotti zo luid dat haar stem op een vreemde manier door de ruimte echode.

De suppoost hief met een ruk zijn hoofd op. 'Ssst,' zei ik geschrokken, terwijl ik mijn handen voor mijn mond sloeg.

'Doe niet zo gek. Als hij ze kon zien, zou hij waarschijnlijk hetzelfde zeggen,' zei ze. 'Alle mannen zijn net zo als Alain de slager, moet je weten.'

Toen het weer beter werd, liet Lotti me steeds meer van Parijs zien. De stad was haar oester. Ze voedde haar en bracht haar een liefde voor uitbundigheid en schoonheid bij.

Lotti probeerde haar Parijs met me te delen. Ze nam me mee door de overdekte steegjes bij de Place des Vosges, door de kronkelstraatjes van de Marais, naar de reusachtige kille pracht van La Défense, langs de langzame rivier vol bootjes met zijn vele bruggen, allemaal verschillend, en de kaden met de minnaars en eenzame mannen. We paradeerden over de brede boulevards, luisterden in de Virgin Megastore naar vreemde Amerikaanse muziek, verdwaalden bijna in de kleine straatjes van het vijftiende en zestiende arrondissement en bekeken de grafstenen op Père Lachaise, de begraafplaats. We aten in de Chinese wijk Chinees en een paar straten verder Vietnamees, in Les Halles aten we crêpes die waren bedolven onder chocoladesaus met noten, en bij Barbès gekruide merguez en couscous. En we staarden naar binnen bij de Franse restaurants en cafés en keken naar de etende mensen. Ze deden net alsof ze ons niet zagen, en we lachten hen uit en trokken gezichten, totdat de gerant of een ober ons wegjoeg.

We zaten op bankjes in de bushaltes in het zestiende arrondissement, waar oude vrouwtjes en hun honden ons argwanend bekeken. We namen de metro en speelden gekke kijkspelletjes met de mannen. Lotti ging soms weleens te ver, en het slachtoffer van haar donkere ogen kwam dan bij ons zitten en vroeg of ze iets met hem wilde drinken. Ze zei altijd ja en sprak een bepaalde datum af. Daar lachten we dan de hele weg naar huis om. Ik was echter nooit zo stoutmoedig als zij. Ik kon het gevoel dat ik hier niet hoorde maar niet van me afschudden. De straten waren zo mooi dat ze geen ruimte konden maken voor wat ik in me meedroeg. Zelfs tijdens mijn eerste tochtje naar de stad, toen Krishenbhai op weg naar de familie Ramdhune een kleine omweg maakte om me Parijs te laten zien, waren het niet de gebouwen die mijn bewondering afdwongen, maar de mensen op straat. Ze liepen rond met een zelfbewuste sierlijkheid die leek te zeggen: boffen we niet dat we in Parijs wonen? Alle gezichten, hoe verschillend ze ook waren, leken hetzelfde gedeelde vertrouwen in de toekomst uit te stralen. Ik hoorde niet bij hen en kon ook niet bij hen horen, omdat mij een toekomst in een ander land wachtte, in een land waar ik nog nooit was geweest.

Het leukste vond ik het om me in een vol metrostel te persen, net voordat de deuren dichtgingen. Ik vond het heerlijk om tegen die vreemde Franse mensen aan gedrukt te worden en de krommingen van hun armen en ruggen te voelen, en de harde randen van hun aktetassen die in mijn vlees sneden. De zoute, aan spek herinnerende geur van hun zweet drong in mijn neusgaten. Dan voelde ik dat ik deel van hen uitmaakte, net zoals ik deel had uitgemaakt van de menigten in Nairobi. Ik hield van de overweldigende geur van de metro, met zijn samengeperste lucht van mensen die overal vandaan kwamen.

Toen de dagen langer werden en de lente plaatsmaakte voor de zomer, was de metro echter niet langer plezierig. De kenmerkende sterke lucht van kleren, zweet en vlees was niet langer aangenaam maar werd verstikkend. Lotti en ik verruilden onze ondergrondse spelletjes voor de Jardin du Luxembourg.

Dat park fascineerde me. Ik had nog nooit eerder een geometrisch aangelegd Frans park gezien, en ik verbaasde me over de symmetrie van de bomen met hun strakke lijnen en hoekige vormen – zo zou een kind een boom tekenen, dacht ik – en de rechte lanen. De naakte rondingen van de standbeelden leken het plotselinge ontspannen gevoel te weerspiegelen dat je voelde wanneer je na de strakke geometrie van de lanen ineens weer water zag.

'Lotti,' vroeg ik toen we op een dag bij een vijver in het park zaten, 'wat wil je later worden?'

'*Quoi*?' vroeg Lotti slaperig. Ze deed een oog open en keek me aan. Ze lag op haar buik, met haar slaperige gezicht op een open boek.

'Wat wil je worden wanneer je groot bent? Later, bedoel ik,' voegde ik er snel aan toe toen ik zag dat Lotti begon te lachen.

'O, dat weet ik niet,' antwoordde ze toen ze was opgehouden met lachen. Ze steunde op haar ellebogen en keek naar het water. 'Misschien word ik wel lerares, zoals maman wil, en dan trouw ik met Jacques. Dat zou haar ook blij maken, denk ik – maar pappa niet. Of misschien...'

'Zou het jou blij maken?' viel ik haar in de rede. 'Hoe zit het met kunstgeschiedenis? Wat wil je daarmee doen?'

'O, dat weet ik niet. Dat is een droom. Ik denk niet dat het haalbaar is.'

'Maar waarom niet?' vroeg ik. 'Je haalt zulke goede cijfers, je kunt best naar de universiteit.'

'Ja, maar daar gaat het niet om. Het is zwaar, je moet heel hard werken, na school zeker nog zeven jaar. En dan ben ik een oude vrouw, wie wil er dan nog met me trouwen?'

'Maar je zou toch graag in het Musée Guimet willen werken? Ik weet hoe dol je bent op die oude beelden en spullen,' zei ik.

'O, goed. Natuurlijk ga ik kunstgeschiedenis studeren. Maar het is wel een hele kluif – voordat ik aan Aziatische kunst mag beginnen, moet ik eerst de hele westerse kunstgeschiedenis doen. Ik moet de namen van al die kunstenaars die ik niet eens mooi vind uit mijn hoofd leren. En waarom? Voor een paar gouden beelden die drieduizend jaar geleden zijn gemaakt? Moet ik mijn leven daarvoor opgeven, ook al lijkt eentje op jou?' zei ze schertsend, maar haar gezicht bleef ernstig.

Zwijgend staarden we elkaar aan. Lotti, die altijd zo vrij, zo vol zelfvertrouwen leek, leek ineens erg klein... bijna saai. Ik kon haar voor me zien, niet zoals ze nu was, maar op de leeftijd van haar moeder, mollig en voorspelbaar. Het maakte me verdrietig.

'En hoe zit het met jou?' vroeg Lotti, de rollen omdraaiend. 'Wat wil jij worden?'

Met een ruk ging ik rechtop zitten. 'Ik?'

'Ja, jij. Kijk niet zo verbaasd,' zei ze lachend, 'jij hebt ook een toekomst.'

'Ha,' zei ik met een bitter lachje, 'wat voor toekomst heb ik dan, afgezien van de winkel? Ik zal mijn hele leven een kruideniersmeisje – wat is dat in het Frans, een *épicerette*? – blijven.'

'*Épicerette*?' zei ze lachend. 'Dat woord bestaat niet, gekkie. Maar het klinkt leuk. Je hebt een nieuw woord uitgevonden.' Toen werd ze weer ernstig. 'Maar... afgezien daarvan, wat zou je graag willen worden?'

'Nou, ik denk...' Ik zweeg even en dacht aan mijn vader en zijn plannen voor mijn toekomst. Hij zou het nooit goed hebben gevonden dat ik niet verder leerde. Ik keek om me heen, naar de mensen die in stoelen rond de vijver zaten. Ze hadden allemaal erg weinig aan en genoten van het zonnetje. 'Ik zou graag onzichtbaar willen zijn,' zei ik ten slotte.

'Wat?' Lotti was zo verbaasd dat ze rechtop ging zitten. 'Hoe bedoel je, onzichtbaar?'

'Gewoon, onzichtbaar. Zodat ik gewoon tussen die mensen door kan lopen alsof ik een van hen ben, zonder dat ik me voor mijn kleren hoef te schamen of bang hoef te zijn dat ik opval.'

'Dat is niet onzichtbaar, dat heet net zoals zij worden,' riep Lotti uit. Ze trok smalend haar lip op. 'En zo zul je nooit worden omdat ze je nooit zullen accepteren, dus hoop maar niet op het onmogelijke.'

'Dat weet ik, dat weet ik,' zei ik verdedigend. 'Maar ik zou het wel leuk vinden als ik me onder hen kon mengen, als ik zo erg op hen zou kunnen lijken dat ze niet eens zouden merken dat ik er was.'

'Waarom?' vroeg Lotti. 'Waarom wil je zoiets? Het ergst denkbare lot is dat niemand je ziet.'

'Dat heb je mis, Lotti. Anders zijn is het ergste lot dat er is,' zei ik, denkend aan mijn vader.

Lotti begreep wat ik bedoelde en gaf me een kneepje in mijn arm. 'Maak je geen zorgen,' zei ze praktisch, 'pijn blijft niet altijd vers. Na een tijdje merk je het niet meer.'

Ik keek haar niet aan, maar staarde nietsziend naar een kussend stel aan de andere kant van de vijver.

Mijn gedachten dwaalden af naar de laatste brief van mijn moeder. Ze klonk veel vrolijker. Ze had twee kamers voor haarzelf en de jongens gevonden, boven een kruidenierswinkel die eigendom was van ene meneer Patel, die toevallig net zo heette als wij. Hij was een weduwnaar uit het volgende dorp. Ze zou de leiding over de winkel krijgen. Toch was er ondanks het goede nieuws iets aan de brief wat me niet beviel.

Ik dacht terug aan haar eerdere brieven. De eerste was kort nadat ik haar had gesproken gekomen. Hij was kort en vol affectie, maar repte met geen woord over toekomstplannen of mijn komst naar Engeland. En hoewel ze het nooit onomwonden schreef, wist ik dat ze problemen had met de vrouw van haar broer. De tweede brief, die een maand later kwam, was nog matter. Ze was ziek geweest, meldde ze, omdat ze in de regen had gelopen toen ze op zoek was naar een baantje. Waarom zocht ze naar een baan, vroeg ik me af. Ze had het over het weer, over de kou die nooit helemaal leek te verdwijnen. 'Alles hier is grijs,' schreef ze, en ik wist dat ze het over haar hart had. Ik voelde het ook. Het was alsof de grauwheid van buiten onze harten was binnengesijpeld en langzaam alle gevoelens doodde. Ik schreef haar terug en vertelde dat ik bij mijn oom in de winkel werkte. Op die manier kon ik haar te zijner tijd de kosten voor een vliegticket naar Engeland besparen, was mijn onopvallende toespeling. In haar volgende brief gaf ze me een standje omdat ik niet meer studeerde, maar ze zei niet dat ik in Frankrijk naar school moest gaan. Ik nam aan dat dat een stilzwijgende verwijzing was naar het feit dat ik weer verder kon gaan met mijn opleiding wanneer ik bij haar in Engeland woonde.

En zo gingen de brieven heen en weer over het Kanaal. Het waren heel vaak droevige brieven, maar ook dappere, omdat we allebei probeerden om elkaar met interessante verhalen over ons nieuwe leven op te beuren. Toen was gisteren die brief gekomen, en die leek te mooi om waar te zijn. Hoe kon alles zo snel veranderen? En als alles veranderd was, waarom had ze dan met geen woord over mijn komst naar Engeland gerept? Dat was hetgene wat ontbrak, besefte ik ineens.

'Waarom ben je zo stil, Leela?' hoorde ik Lotti vragen.

'O, niets,' antwoordde ik. 'Ik vroeg me gewoon af hoe het in Engeland is.'

'Saai,' zei Lotti, 'het regent er altijd. En het eten is vreselijk.'

Elf

Toen Lotti vakantie kreeg, gingen we vaker Parijs in. Op een zondag aan het einde van augustus, toen de wereld baadde in het zonlicht, gingen we naar het Parc Monceau, om – zo zei ze met een ondeugende glans in haar ogen – te kijken naar de fanfare, de burgerlijke dames met hun hondjes, de kinderen met hun verveelde au pairs en de vieze oude mannetjes die vanachter hun kranten naar de jonge meisjes en jongens gluurden. Nadat we onder een boom waren gaan zitten en een tijdje met mijn hakkelende Frans hadden geworsteld, ging Lotti ineens in het gras liggen en draaide haar gezicht naar me toe. 'Vertel me eens wat je in de winkel van je oom doet.'

'Hoe bedoel je, wat ik doe? Ik verkoop gewoon dingen en praat Frans in mezelf.'

'Nee, gekkie! Dat weet ik. Ik bedoel, gebeurt er nooit iets bijzonders? Iets opwindends?'

Ik denk aan die lange middagen en vraag me af of ik Lotti over Krishenbhai durf te vertellen; of ik haar de geheimen van mijn oom kan toevertrouwen. Ineens lijkt dat allemaal niet zo belangrijk meer.

'Het is 's middags rustig in de winkel,' steek ik van wal. 'Maar mijn oom ruikt naar parfum. Zijn haar is net geolied. Tussen de middag hebben we gekruide groenten, rijst, puri's en een snoepje uit het koelvak gegeten, en hij zorgt ervoor dat hij daarna zijn tanden poetst. Hij is heel erg onrustig en heeft allang geen oog meer voor de krant. Hij staart vanuit de volle etalage naar de straat. Ze komt heel stilletjes binnen en kijkt over haar schouder wanneer ze de deur openduwt.'

'Wie is ze?' vraagt Lotti ongeduldig.

'Wacht,' draag ik haar op, 'ik zal je zo meer over haar vertellen. Haar grote middelbare lijf is in een grijze jas gewikkeld. Ze heeft een rond bruin hoedje op haar bruine hoofd, en grijze handschoenen aan haar kleine handen. Wanneer ze je met haar grote bruine ogen aankijkt, spert ze die helemaal open en houdt ze haar gezicht op amper tien centimeter van het jouwe. Maar dat doet ze met een glimlach, en daarom ben je niet bang en denk je niet dat ze gek is. Ze gaat rechtstreeks naar het rek met kant-en-klare spullen. Daar blijft ze besluiteloos staan, met haar rug naar mijn oom toe. Hij slaat luidruchtig de klep van de toonbank met videobanden omhoog, loopt naar haar toe en schraapt zijn keel. Ze draait zich om, met een verbaasde glimlach om haar lippen. Maar ze kan niet goed toneelspelen, want de glimlach verdwijnt zodra ze hem ziet en maakt plaats voor een heel andere gezichtsuitdrukking. Een paar minuten later komen mijn oom en mevrouw Meunier, zoals haar naam later bleek te zijn, de achterkamer in waar ik zit. "*Voilà, c'est là qu'on garde l'essence de l'Inde,*" zegt mijn oom, wijzend op de rijst, dal en garam massala.'

Lotti giechelt maar zegt niets.

'"Wat kan ik u laten zien?" zegt mijn oom in het Engels, met een knipoog naar mij. Dan gaat hij in het Frans verder en somt met geoefend gemak de namen van de specerijen op. "Basmatirijst, de beste rijst ter wereld, kardemom, kaneel, een paar parels, een afrodisiacum?" Ze antwoordt: "Wat specerijen, ja. Ik ben dol op specerijen – komijn en garam massala – maar hebt u niet iets speciaals, met een geheel eigen smaak en aroma, iets bijzonders?" "Ik denk dat ik nog wel iets in mijn kantoor heb," zegt mijn oom geheimzinnig. Hij duwt de zware gordijnen opzij en leidt haar naar binnen. Tijdens dat hele toneelstukje blijf ik met mijn neus in de boekhouding zitten.'

'Weet je hoe je moet boekhouden?' vraagt Lotti.

'Ja, dat is gemakkelijk,' antwoord ik.

'Ik kan me niet voorstellen dat je dat mag doen van tante Latha.'

'O, dat mag ik ook niet. Een week nadat ik in de winkel ben gaan werken, ging mijn tante vreselijk tekeer tegen mijn oom omdat hij een puinhoop van het kasboek had gemaakt. Hij neemt het elke avond mee naar huis, zodat ze het kan controleren. Hij lijkt dan meer op een schooljongen dan op haar man; hij blijft braaf voor haar staan terwijl zij het controleert. Toen ze hem die avond zo van katoen gaf, zag hij er ellendiger en schuldiger uit dan ik ooit voor mogelijk had gehouden. Ik had medelijden met hem, en daarom zei ik de volgende dag: "Laat mij het maar doen, oom. Ik heb op school leren boekhouden en deed het ook altijd voor pappa." Zijn gezicht lichtte helemaal op. Sindsdien doe ik de boekhouding. Tante Latha heeft nooit meer geklaagd. Ik denk dat ze iets vermoedt. De eerste paar weken controleerde ze elke regel in het boek, waarbij haar kraaloogjes af en toe naar links dwaalden, waar ik in de keuken stond te koken. Na een paar maanden controleerde ze nog maar af en toe. Nu controleert ze helemaal niet meer.'

'Geweldig,' zegt Lotti.

'Maar er zijn er meer,' zeg ik op geheimzinnige toon.

'Meer wat?' vraagt Lotti.

'Meer vrouwen, natuurlijk,' zeg ik lachend.

Lotti rolt met haar ogen. 'Ik had nooit kunnen denken dat hij zo interessant is. Ik dacht dat hij even saai was als mijn vader.'

'Ik vind mevrouw Meunier het aardigst, maar helaas, die arme ziel is niet de enige die het kantoor van mijn oom bezoekt. Er komen andere vrouwen voor hem. Hij neemt ze allemaal mee naar de achterkamer. En daar blijven ze dan, tussen de zakken garam massala en kokosnoot en mosterdolie. Ik kan de verschillende soorten graan tegen elkaar horen schuren. Ze maken luide fluistergeluiden, net castagnetten. Wanneer de vrouwen weer te voorschijn komen, valt hun haar netjes over hun schouders en zijn hun rokken zonder een enkele rimpel over hun heupen getrokken. Maar ze ruiken naar garam massala en gedroogde rode pepers. En naar een andere geur, die schuilgaat onder de gebruikelijke geuren van de winkel, een geur die botst met de andere omdat hij zo anders is – een tikje warm, ziltig en ongewassen. Mijn oom doet hen hoffelijk uitgeleide. Daarna gaat hij buiten een sigaret staan roken. Het hulpje van de Arabische kruidenier, een Mauritiaanse jongen, Sankar, roept in het Hindi naar hem: “En, heb je vandaag weer een vis gevangen? Een lekkere vis?” Mijn oom doet net alsof hij het niet hoort, maar aan de manier waarop hij zijn rug recht, kan ik zien dat het hem plezier doet. “Wanneer je werkt en sterft in een vreemd land moet je je aan het plaatselijke natuurschoon aanpassen,” spuwt hij uit. “Ze zijn niet zo sappig als onze hindoevrouwen.”’

‘Ja, zijn hindoevrouwen,’ zegt Lotti schaterlachend. ‘Als die Sankar kon zien hoe tante Latha tegen Krishenbhai tekeergaat, dan zou hij wel weten hoe sappig hun huwelijk is.’

‘Ik weet dat ik geschokt zou moeten zijn, maar ik voel me alleen maar opgelucht als ze komen.’

‘Waarom?’ vraagt Lotti nieuwsgierig.

‘Omdat hij dan niet zoveel aandacht voor mij heeft. En wanneer hij bij hen is, mag ik voor in de winkel zitten en kan ik naar de straat kijken.’

‘Je overdrijft. Zo erg kan het niet zijn.’

‘Maar je hebt de achterkamer niet gezien, Lotti. Het is er donker en de lucht is verstikkend. Er zijn geen ramen, je kunt niets zien. Het is net een gevangenis.’

‘Maar hoe zit het dan met andere mensen? Er komen ’s avonds toch wel interessante mensen?’ Lotti ziet er ongemakkelijk uit.

Ik schud mijn hoofd. ‘Dan komen de werkende mensen die

op weg zijn naar huis. Mannen en vrouwen die zich afvragen wat ze moeten eten, die op zoek zijn naar iets wat hun avond kleur moet geven, of die alleen maar een fles water of sigaretten kopen. Om kwart voor zeven sluit mijn oom de winkel en dan loop ik naar de metro.' Ik lach bitter. 'Mijn oom laat me eerder weggaan, zodat tante Latha niet op haar eten hoeft te wachten.'

'Arm kind,' roept Lotti uit, 'moet je ook nog voor hen koken?'

Haar uitroep geeft me een ongemakkelijk gevoel, alsof ik de grens tussen trouweloosheid en verraad heb overschreden. 'Soms komt de gekke professor, net wanneer ik wegga,' zeg ik snel, wetend dat dat Lotti zal afleiden.

'Een professor?' Lotti's aandacht is gewekt. 'Hoe is hij? Is hij jong, oud, knap?'

Ik lach. 'Lotti, je denkt maar aan één ding. Laat maar. Hij is oud, en zijn haar is grijs en danst rond zijn hoofd en krult over zijn oren als bij een meisje. Hij heeft diepe rimpels rond zijn mond en onder zijn ogen.'

Lotti ziet er teleurgesteld uit. 'Maar professoren zijn sexy, hoor. Nadenken is hun enige vorm van lichaamsbeweging.'

Ik probeer geschrokken te kijken, maar het lukt me niet. 'Nou ja, hij heeft mooie ogen, blauw, heel helder,' geef ik verlegen toe.

'Zie je wel. Er is nog hoop voor je. Praat met hem. Flirt met hem.'

'Hoe dan? Hij spreekt Sanskriet of zoiets. Zelfs Krishenbhai kan zijn Hindi niet verstaan.'

'Wauw,' zegt Lotti met grote ogen. 'Is hij een Indiase professor?'

'Nee. Hij is Frans,' zeg ik plagend, 'maar hij geeft les over India.'

Uit wraak kietelt ze me. Wanneer ik eindelijk weer een beetje op adem kom, ga ik verder. 'Ik ga met de metro naar huis. Ik heb een bijzondere vriend die ik elke avond zie.'

Lotti gaat rechtop zitten, precies zoals ik al had verwacht. 'Jij hebt een *copain* en hebt me er niets over verteld? Wat ben jij een rat.'

'Nee, dat is hij,' zeg ik met een stalen gezicht.

'*Quoi*?' piept ze.

'Mijn vriend is een rat,' zeg ik blij. 'Hij is ook heel mooi. Erg elegant.'

'Je vriend is een rat,' herhaalt ze ongelovig. 'Je bedoelt zoals die ratten die rondrennen langs het spoor? Jakkes.'

'Ja. Een echte rat. En hij rent niet rond langs het spoor. Daar woont hij,' verbeter ik haar.

Langzaam schudt ze haar hoofd. '*Incroyable*!' Ze kijkt me onderzoekend aan. 'Waarom noem je hem je vriend?'

Ik denk na. 'Toen ik hem die eerste dag zag, was ik helemaal alleen op dat volle perron en kon ik geen woord zeggen. Ik voelde me vreemd. Het werd al donker, en alleen de Sacré Coeur scheen als een licht aan de hemel. Toen zag ik hem. Hij vond het helemaal niet erg om alleen te zijn. De mensen op het perron deden hem niets. Hij had ze niet nodig. En toen ik naar hem keek, wenste ik dat ik net zoals hij kon zijn.' Ik haal mijn schouders op. 'Ik snap het zelf ook niet. Maar elke dag lijkt hij te weten dat ik kom, en dan is hij er. Ik hoef alleen maar te kijken.'

Lotti ziet er nog steeds verbaasd uit, en ik voel dat er een enorme kloof tussen ons begint te gapen.

'O, *arrête de faire intéressante*,' zegt ze scherp, het opgevend.

'Wat?' vraag ik, aangedaan. 'Kun je alsjeblieft Engels spreken?'

'Dat betekent dat je je niet zo aan moet stellen.'

Ik begrijp niet echt wat ze bedoelt, maar ik besluit het niet te vragen. Ik ga verder met mijn verhaal.

'De avond is nog steeds het naarste gedeelte van mijn dag. Ik kom om acht uur thuis. Mijn voetstappen worden steeds zwaarder naarmate het gebouw dichterbij komt. Ik heb al mijn kracht nodig om de bekraste deuren van de lift open te krijgen.

Mijn tante heeft erg scherpe oren. Zodra ik de gang binnenkom, hoor ik haar schrille stem al roepen: "Ik heb honger. Schiet op en ga koken, *beti*."'

'Ik kan het haar niet kwalijk nemen. Als ik alleen nog maar aan jouw eten denk, krijg ik al honger.'

'Maar ik heb een hekel aan koken, Lotti,' zeg ik bars. 'De geuren achtervolgen me, ze praten met me, vertellen me wat ze leuk vinden, waar ze een hekel aan hebben, dat ze behoefte hebben aan warmte en gezelschap, dat ze bang zijn om te sterven. Ik kan hun gevoelens niet uit mijn hoofd bannen.'

Lotti staart me verbaasd en een tikje angstig aan. Ik kan mezelf niet tegenhouden, ik moet ervoor zorgen dat ze me begrijpt. 'Elke keer wanneer ik uit die kooklucht kom, haat ik mezelf. Ik kan mezelf er niet tegen beschermen. De geuren dringen tot alles door, zelfs tot mijn plas. 's Nachts word ik zwetend wakker, in die veel te warme flat, en dan ruikt mijn zweet naar diezelfde droevige geur.'

Aan de manier waarop Lotti zit te luisteren, kan ik merken dat ze me nu begrijpt. Ik ontspan me en ga op kalmere toon verder: 'Elke avond zweer ik dat ik tegen haar ga zeggen dat ik het niet meer wil doen. Maar weet je, Lotti, ik ben een lafaard.'

'Nee, dat ben je niet. Je bent erg dapper,' zegt Lotti op warme toon. 'Een ander zou allang zijn weggelopen.'

'Maar op dat punt heb je het juist mis, Lotti. Er is moed voor nodig om weg te lopen. Ik ben bang.'

Toen de herfst in een natte novembermaand overging, werd de wereld van Lotti en mij weer beperkt tot het huis. Na onze heerlijke zomer was binnenblijven, zo dicht bij onze hoeders, nog veel moeilijker dan het vroeger was geweest.

Twaalf

Er ging een jaar voorbij. Ik verzoende me bijna geheel met mijn nieuwe leven. Tante Latha maakte me niet langer bang, en nu ik deelgenoot van Krishenbhais geheimen was, werd hij steeds meer een vriend. Lotti was als de zus die ik nooit had gehad. De nare geur in de flat viel me bijna niet meer op. Maar ik bleef naar mijn eigen familie verlangen. Ik droomde over de dag waarop we weer bij elkaar zouden zijn, weer een compleet gezin zouden vormen. Dan zou mijn leven, dat net als een film waarvan de spoelen moesten worden verwisseld was gestopt, weer verdergaan.

'O ja, er is een brief voor je,' zei tante Latha op een dag tijdens het avondeten op achteloze toon.

'Een brief?' Ik hield op met eten.

'Uit Engeland,' zei tante Latha. 'Van je moeder, denk ik.'

De lepel viel uit mijn hand. De laatste brief van mijn moeder had ik nog maar tien dagen geleden ontvangen.

'Mag... mag ik hem lezen?' vroeg ik gretig.

'Niet nu,' antwoordde ze met haar mond vol. 'Na het eten.'

'Alstublieft, tante Latha, het kan belangrijk zijn,' zei ik smekend.

'Ga die brief maar halen, Latha,' kwam Krishenbhai tussenbeide. 'Je ziet dat ze anders toch geen hap door haar keel krijgt.'

Binnensmonds mompelend stond tante Latha op en ging hem halen.

'Ik hoop dat het geen slecht nieuws is,' zei ze toen ze me de brief gaf.

'Zeg dat nu niet!' zei mijn oom geërgerd. 'Waarom denk je altijd het ergste?'

Ik zei niets. Met trillende handen maakte ik de brief open en begon te lezen. Ik draaide me om in mijn stoel, zodat mijn tante alleen mijn profiel kon zien.

Lieve Leela,
Hoe gaat het met je? Ik heb van je oom en tante gehoord dat je je plekje aardig hebt gevonden. Ze zijn vol lof over je – je bent zo goed opgevoed en gehoorzaam, zo behulpzaam. Ik voel me zo trots wanneer ze zulke geweldige dingen over je zeggen. Daardoor zijn de zorgen die me zo plagen iets beter te verdragen, omdat ik in ieder geval weet dat je gelukkig bent en dat er goed voor je wordt gezorgd.

'Wanneer heeft ze gebeld?' vroeg ik op beschuldigende toon. 'Waarom hebt u me dat niet verteld?'

'Ze zei dat ze terug zou bellen,' antwoordde tante Latha snel. 'We wilden de verrassing niet bederven.'

'Welke verrassing?' Mijn hart begon sneller te kloppen.

'Lees je brief maar,' zei Krishenbhai snel. 'Ze zei dat ze je al had geschreven.'

Je broertjes zitten nog steeds hier op school, maar ik ben er niet blij mee. Veel kinderen daar zijn wrede pestkoppen. Ik ben op zoek naar een particuliere school waar de jongens wat zachtzinniger zijn. Maar particuliere scholen zijn hier zo duur, en na de dood van je arme vader weet ik niet hoe ik dat voor elkaar moet krijgen. Maar laat ik je niet met die zorgen opzadelen. Godzijdank maak jij het niet mee. Over een paar jaar ben je getrouwd en heb je zelf een man en een eigen huis.

De winkel in Nairobi is verkocht. We hebben er niet veel voor gekregen. Maar van de opbrengst ervan heb ik een klein winkeltje in een dorpje ten zuiden van Londen gekocht. Het heet South Oxney. Je oom Atul zegt dat het een goede investering is omdat Londen blijft groeien. Meneer Patel heeft me geholpen de winkel te kopen. Over een maand gaan we trouwen.

Ik stopte met lezen. Hoe kon ze gaan trouwen? Hoe zat het met ons? Waar moesten we heen? Ik keek op. Ze staarden me aan, allebei, met bezorgde gezichten. Krishenbhai keek zelfs een tikje schuldig.

'Wat is er aan de hand?' vroeg hij.

'Doe niet alsof u dat niet weet. U weet wat er aan de hand is,' snauwde ik. 'Ze heeft het verteld toen ze belde, hè?'

Krishenbhai wendde zijn blik af. Zelfs mijn tante zweeg.

Ik stond op en duwde mijn stoel heftig naar achteren. 'U had me kunnen waarschuwen,' zei ik huilend.

Ik rende naar de badkamer en deed de deur op slot. Ik ging op de wc zitten en las verder.

We trouwen in stilte, een burgerlijk huwelijk voor een Engelse rechter. Daarna zal ik de jongens naar een particuliere school kunnen sturen, en op den duur kun je ons misschien weleens komen opzoeken en even blijven logeren. Misschien kunnen we zelfs een keer in Frankrijk op vakantie gaan. Volgens Patelji is het een erg mooi land. Misschien kunnen we jou en je oom en tante in Parijs dan komen opzoeken. Niet te lang, natuurlijk, want ik heb gehoord dat hun huis klein is. Misschien een weekendje.

Ik ben zo blij voor je, beti, en voor ons allemaal, want God is ons goed gezind geweest en heeft ervoor gezorgd dat we goed terecht zijn gekomen.

Je liefhebbende Maa

Ik draaide de brief om, omdat ik dacht dat er misschien nog iets op de achterkant stond. Maar het vel was leeg. Ik las de brief nog een keer, hopend dat ik een belangrijke zin had gemist. Langzaam verfrommelde ik de brief in mijn vuist en dwong mezelf om de waarheid onder ogen te zien: mijn moeder had me in de steek gelaten. Ik voelde een brandend gevoel in mijn keel dat zich langzaam naar mijn borst uitbreidde. Mijn maag draaide zich om en ik boog me snel over de wasbak.

Ik staarde naar mezelf in de badkamerspiegel. Het gezicht dat terugstaarde, leek zoveel op het hare. Maar dat had ze niet gezien. Ze was nooit van plan geweest om me mee naar Engeland te nemen. Mijn oom en tante moeten dat hebben geweten. Krishenbhai en Latha, mijn mond vertrok zich bitter. Ik was hun kind. Iedereen wist het, alleen ik niet. Niemand had de moeite genomen om het me te vertellen. Ik werd verondersteld om te aanvaarden wat als het lot tot me kwam.

In de dagen daarna had ik Lotti heel hard nodig. Maar ook Lotti was me ontnomen, zo leek het. Ze was op vakantie op Mauritius. Ik had me nog nooit zo alleen gevoeld. Ik ging niet meer naar de winkel en lag de hele dag in bed, of keek samen met mijn tante naar films. Ik zocht mijn toevlucht in de keuken waar ik enorme maaltijden bereidde waarvan ik zelden iets proefde.

Toen Lotti terugkwam, boordevol verhalen over haar nichten en tantes en hun verschillende toekomstige echtgenoten, lachte ik hardop. Mijn mond bewoog, en uit mijn keel kwamen zware uitbarstingen van geluid. Maar ik lachte uit een soort plichtsgevoel. Lotti en haar leven leken ver weg en hadden op de een of andere manier weinig met mij te maken. Lotti keek me bevreemd aan.

Haar vader zei: 'Ze zijn daar zo dol op haar, ze willen dat ze trouwt en daar komt wonen. Het kostte ons de grootste moeite om haar mee terug te krijgen.'

Toen lachte ik nog veel harder.

'Het is goed om haar te horen lachen, hè Latha?' zei mijn oom nerveus. Hij wendde zich tot meneer en mevrouw Ramdhune en legde uit: 'Ze is de laatste tijd erg stilletjes geweest.'

Lotti staarde me doordringend aan. Ik bleef haar blik ontwijken.

'Hoezo, wat is er gebeurd?' vroeg mevrouw Ramdhune aan tante Latha.

'Haar moeder is hertrouwd,' fluisterde tante Latha.

'O,' fluisterde mevrouw Ramdhune terug. 'Het arme kind. In ieder geval heeft ze jullie nog.'

Later trok Lotti me mee het balkon op. Ze zei niets, maar er stonden tranen in haar ogen toen ze mijn gezicht tussen haar handen nam.

Daarna werden de dingen weer normaal, of zo leek het tenminste. Ik ging weer in de winkel werken, maar het was niet langer hetzelfde. Nu ik mijn dagen hier niet meer tot een einde zag komen, begon de tijd in de winkel zich onbeperkt uit te strekken. De dagen liepen naadloos in elkaar over. Ik begon kleine bedragen uit de kassa te stelen, verduisterde elke dag een franc of vijf in de boekhouding. Ik weet echt niet hoe het begon. Misschien was het de eerste keer echt wel een vergissing. Maar het werd al snel een gewoonte, een manier om de monotonie van de dag te doorbreken. Een onbeduidende manier om te bepalen wat de waarde van een dag was in een leven dat weer op drift begon te raken.

Dertien

Op een middag, rond een uur of half zes, ging de telefoon. Ik had net met een klant sigaretten afgerekend. Ik hield het geld in mijn vuist geklemd en wachtte tot ik het bij de rest van mijn buit kon verstoppen.

Mijn oom was in de achterkamer bezig. Hij had een nieuwe vrouw bij zich. Ze was jong en erg bleek en had rood haar. En ze kauwde kauwgom. Hij was een kopje koffie met haar gaan drinken in het café even verderop en had openlijk met haar op het terras gezeten. Ze droeg een minirok, hoewel ze dik was. Bij het lopen deinden haar dijen heen en weer en streken langs elkaar, zodat haar kousen een schurend geluid maakten.

De telefoon bleef rinkelen. Ik keek er geschrokken naar, ervan overtuigd dat het tante Latha was. Ik liet hem ongeveer twintig keer overgaan. Toen hield het rinkelen op. Twee minuten later begon het weer. Ik nam de hoorn van de haak en zei heel aarzelend 'Ja'.

Het was de professor. Ik herkende zijn kraakstem en zijn geheel eigen mengeling van Sanskriet en Hindi. Hij wilde dat we onmiddellijk zijn boodschappen kwamen bezorgen. Hij had specerijen nodig. 'Een momentje, alstublieft,' zei ik tegen hem, en ik rende naar de achterkamer. Vanachter het gordijn hoorde ik het geritsel van de granen en het gekreun van een vrouw. Ik schreeuwde in het Gujarati: 'De oude professor wil dat er nu meteen een paar boodschappen worden bezorgd.'

Mijn oom antwoordde niet, maar de stilte achter het gordijn was voelbaar. Ik kon zijn tweestrijd voelen: moest hij zijn jonge minnares in de steek laten en zelf de boodschappen gaan brengen, of moest hij mij naar de professor sturen en daarmee de woede van tante Latha riskeren? De zakken met rijst en linzen kraakten en de zaden schuurden langs elkaar. Uiteindelijk koos hij voor de gemakkelijkste weg, zoals ik al had verwacht. 'Breng jij ze maar naar hem toe, liefje,' riep hij naar me in het Gujarati, 'maar zorg ervoor dat je meteen terugkomt. Ik wil niet dat je in het donker over straat loopt.'

Buiten was de hemel stralend blauw. De straat baadde in het gouden avondlicht. Opgewekt stopte ik de spullen die de professor wilde hebben in een tas. Ik liep de winkel uit en ademde met volle teugen de lichte frisse lucht in.

De professor woonde aan de rand van het achttiende arrondissement, halverwege de heuvel van Montmartre. Het was een chique buurt, vol prachtige winkels met fraaie etalages vol voedsel, wijn en kaas.

Op de Rue d'Abbesses nummer 19, het gebouw waar de professor woonde, keken twee stenen waterspuwers met ontblote tanden me aan. Ik toetste de toegangscode in, en de enorme, drie meter hoge houten deur sprong open. Ik kwam op een groot binnenhof dat werd omzoomd door bloempotten waarin de lente zich al in vuurrood en geel en paars aandiende. De hal was klein, maar overgoten met zonlicht. In het midden bevond zich een lange gebogen trap. Boven aan het trappenhuis was een grote witte koepel van melkglas. Langs de rand waren druiven en kleine ronde engelengezichtjes uitgesneden. Op elke verdieping lieten grote ruitvormige ramen, als in een kerk, nog meer licht binnen. Ik dacht aan de donkere trappenhuizen in de flat van mijn oom. Ik vroeg me af wat voor soort mensen de moeite nam om een trappenhuis dat buiten hun eigen woning lag, dat van niemand was, te versieren. Op elke stille verdieping bleef ik staan en keek ingespannen naar de gesloten deuren om me heen. Wat voor mensen woonden daarachter? Hoe zagen hun huizen eruit, hoe zagen zij eruit?

Toen ik op de vierde verdieping aankwam, waar de professor woonde, zag ik meteen welke deur van hem was. Hij stond wijd open. Er kwam vreemde muziek uit de woning. Boven de deur hing een kleine rode Ganesh van aardewerk. Voorzichtig drukte ik op de bel. 'Kom binnen,' bulderde zijn stem boven de muziek uit. 'De keuken is achterin. Je kunt de spullen op het aanrecht leggen.' Ik haalde diep adem. Mijn keel voelde droog aan. Alle waarschuwingen van tante Latha over vreemde Franse mannen kwamen weer boven. Voorzichtig stapte ik over de drempel.

Ik kwam terecht in een lange gang met een laag plafond en wanden die met boeken waren bedekt. De vloer was van hout en vertoonde glanzende strepen in bruin, goud en rood. Witte planken, die bijna bezweken onder de boeken, hingen aan de wand. Hongerig staarde ik ernaar. Zelfs in Nairobi had ik nog nooit zoveel boeken buiten een bibliotheek gezien. Ineens besefte ik dat ik boeken vreselijk miste. Mijn oom las alleen kranten. Tijdens mijn lange dagen in de winkel en elke avond in bed las en herlas ik de paar boeken die ik had. De verhalen gaven mijn dagen betekenis. En nu zag ik hier meer boeken dan ik in mijn hele leven zou kunnen lezen. Ik voelde me duizelig van geluk.

De gang maakte een scherpe bocht naar rechts en eindigde plotseling. Links en rechts van me kwamen er drie witte deuren op uit. Een was dicht, en erachter kon ik de muziek en het getik van een schrijfmachine horen. De twee andere deuren stonden open. Witte muren en hoge ramen, vloeren bedekt met kleden in warme diepe kleuren – rood, geel, kastanjebruin, oker. Het licht sprong van het ene oppervlak op het andere en stierf weg in de gang. De kleuren deden me nog meer beseffen dat ik een heel andere wereld had betreden. Ik had nog nooit zulke vriendelijke heldere kleuren gezien. Alles in het huis van mijn oom, en trouwens ook in dat van Lotti, was donker en had de kleur van modder, of was juist weer zo fel dat het pijn deed aan je ogen. Ik huiverde van genot en wenste dat ik een boek of een zonnestraal kon worden en voor altijd in het huis van de professor kon blijven.

De keukenvloer bestond uit grote groene en blauwe tegels die in een geometrisch patroon waren gelegd. De muren waren lichtblauw en groen geschilderd, maar die kleuren waren koeler en rustiger. Een van de erkerramen had een vensterbank waar je in kon zitten, en voor het andere, dat uitzicht bood op straat, stond een klein houten tafeltje met twee stoelen. De geluiden van de straat kwamen door de open ramen naar binnen, en op het fornuis stond een pan te pruttelen.

Ik zette mijn tas op de tafel. Toen hapte ik naar adem. Want door de hele ruimte hingen ansichtkaarten van over de hele wereld. Ze waren met punaises of plakband op de kasten en op elk beschikbaar houten oppervlak bevestigd. Ruiters die door een pastelkleurige woestijn galoppeerden, witte zeilboten op een zilveren zee, fruit in de vorm van granaten en vrouwen met geheimzinnige blikken in rode sari's, en peperkoekhuizen met koepels in de vorm van uien. Als betoverd staarde ik naar de kaarten.

'Dus je vindt mijn ansichten mooi, *hein*?' zei de professor, die achter me was komen staan. Ik keek hem zenuwachtig aan. In zijn eigen huis leek hij groter en massiever dan in de winkel.

'Hou je van reizen?' vroeg hij glimlachend.

'Ik heb nooit echt gereisd,' antwoordde ik stijfjes, 'behalve dan in Kenia.'

'Kenia?'

'Daar ben ik geboren.'

Zijn ogen glansden van nieuwsgierigheid. 'Echt? Daar heb ik altijd al eens naartoe gewild. Ik heb gehoord dat het een erg mooi land is. Heel veel dieren.'

'Het is het beste land ter wereld,' antwoordde ik trots, maar zelfs toen ik dat zei, wist ik dat ik deed alsof. Het was niet het beste land ter wereld. Het was gewoon het enige land dat ik kende.

'Ben je dan niet Indiaas? Je hebt de schoonheid van een Indiase.'

'Ik ben half Gujarati,' antwoordde ik snel. 'Mijn moeder komt daarvandaan.'

'Je hebt nooit in India gewoond? Maar je familie komt uit India?'

Ik kon geen antwoord bedenken, het was te ingewikkeld om uit te leggen.

Hij lachte. 'Het maakt niet uit. Laten we ons niet druk maken om wie je bent. Hou je van koken?'

'Ja,' antwoordde ik aarzelend.

'Laten we dan eens kijken wat je van mijn kookkunsten vindt.' Hij pakte mijn elleboog vast, leidde me naar het fornuis en tilde de deksel van een grote koperen pan. Verbijsterd trok ik met een ruk mijn hoofd terug. In de pan werd een bittere strijd tussen de specerijen en de kip uitgevochten, omdat niemand de moeite had genomen om ze een huwelijk met elkaar te laten sluiten. Voorzichtig deed ik een stap naar voren. De gelederen werden overheerst door een overvloed aan koriander en gember. De specerijen waren van tevoren niet door elkaar gemalen. Mijn maag draaide zich om toen ik de puinhoop rook die het resultaat was.

'Toe maar, proef maar.' De professor doopte een lepel in de pan en hield die verwachtingsvol voor mijn lippen.

Ik kon mezelf er niet toe brengen om te proeven. De geuren hadden me het hele verhaal al verteld. Bedroefd wendde ik me tot hem. 'Dit is vreselijk. U hebt...' Ik zweeg, bang dat hij me onbeleefd zou vinden.

'Wat heb ik? Heb ik het verpest?' vroeg hij met een bezorgd gezicht. Hij leek nu minder beangstigend.

'Volgens mij hebt u iets meer knoflook nodig, en wat kurkuma... en zout,' vertelde ik hem vriendelijk.

'Maar dat heb ik er al ingedaan.'

'Mag... mag ik het voor u doen?' vroeg ik ineens, terwijl mijn eigen moed me de adem benam.

Hij sperde zijn ogen open. Toen lachte hij. 'Dus je houdt echt van koken, *hein*? Dan kun je het ook vast goed.' Hij keek me aan en kreeg plotseling een sluwe uitdrukking op zijn gezicht. Nerveus likte ik mijn lippen af. 'Alsjeblieft,' zei hij, wijzend naar de keukenkastjes. 'Ga je gang.'

Snel stapte ik opzij en begon aan mijn taak. Ik pakte een stenen kommetje, deed er wat gepelde knoflook in en gooide er wat kurkuma en Spaanse pepers bij. Toen maalde ik die allemaal door elkaar en knarsetandde toen de geur van hun versmelting me trof.

In mijn ogen welden tranen op, maar ik knipperde ze weg. Ik keek weer naar de professor. Hij sloeg me aandachtig gade. De keuken vulde zich langzaam met schaduwen toen de avond door de open ramen naar binnen kwam. Naarmate het donkerder in de keuken werd, werd ik me er steeds meer van bewust dat hij me zwijgend stond aan te kijken, en op de een of andere manier gaf me dat een trots gevoel. Toen herinnerde ik me wat tante Latha over Fransen had gezegd. Ik richtte mijn aandacht op het eten op het fornuis, niet in staat hem aan te kijken.

Ik deed de specerijen in de pan, roerde snel en deed de deksel erop. 'Hebt u yoghurt?' vroeg ik zonder hem aan te kijken. 'En wat suiker?'

Zwijgend gaf hij me beide aan. Ik roerde de yoghurt erdoor. Langzaam verdween de bittere vijandigheid in de pan. Ik draaide het gas lager.

'Tien minuten laten staan en dan het gas uitdoen,' zei ik.

Hij liep naar het fornuis. 'Mag ik proeven?'

Ik knikte. Hij pakte een lepel en doopte hem in de pan. Toen hij proefde, keek hij me aandachtig aan. Toen werd zijn gezicht ineens ontspannen van pure verrukking.

Hij glimlachte en pakte mijn hand vast. Instinctief rolde ik mijn hand op tot een bal. Voorzichtig boog hij mijn vingers terug en kuste ze een voor een. Ik rukte mijn hand weg en balde hem weer tot een vuist.

Hij lachte. 'Dank je, *ma princesse Indienne*,' zei hij.

Ik voelde me vreselijk opgetogen. Nog nooit had iemand me een prinses genoemd. Ik glimlachte verlegen naar hem.

Toen zei hij zachtjes: 'Jammer dat je nog zo jong bent.' Hij wendde zich van me af en liep naar het witte tafeltje bij het raam waar mijn jas lag. Toen draaide hij zich weer naar me om. 'We willen je oom toch niet beledigen, hè?' zei hij lachend, en hij hield mijn jas voor me omhoog. Ik stak mijn hand uit om hem te pakken, maar hij liet hem niet los. 'Nee, nee.' Hij schudde zijn hoofd. 'In Frankrijk doen we het zo.' Hij hield de jas weer omhoog, zodat ik mijn armen in de mouwen kon steken. Mijn gezicht werd vuurrood.

Hij begeleidde me heel plechtig naar de gang, alsof ik een voorname gast was. Bij de deur draaide ik me om om nog een keer naar de woning van de professor te kijken, maar in plaats daarvan keek ik hem in zijn gezicht. In een flits boog het zich naar het mijne en zoog zijn mond aan mijn lippen. Ik voelde me misselijk en probeerde hem van me af te duwen. 'Alstublieft. Ik... ik moet weg. Ik ben te... te laat,' stamelde ik. Zijn lichaam voelde zacht en zwaar, een beetje als een kussen. Toen liet hij me los. Hij drukte een paar biljetten in mijn handen. 'Voor het koken. *Au revoir*.'

Mijn hand balde zich tot een vuist. Ik stopte hem in mijn jaszak. '*Merci, et au... au revoir*.'

Langzaam stak ik het oude binnenhof over. Overal om me heen doemden witte gebouwen op, en daarboven was de hemel. Het was heel stil in het hof. Ik stond daar en voelde eindelijk dat ik, al was het maar een heel klein beetje, deel uitmaakte van de schoonheid van Parijs. Ik voelde dat er iets in me tot rust kwam, wat me een gewicht en standvastigheid gaf die er eerst niet waren geweest.

Toen ik bij de winkel aankwam, was het donker en waren de rolluiken al voor driekwart naar beneden. Ik wurmde me eronderdoor. Binnen liep mijn oom in het halfdonker te ijsberen. 'Waar zat je?' schreeuwde hij toen ik binnenkwam. Hij pakte me bij mijn schouders. 'Waar zat je al die tijd? Je tante heeft twee keer gebeld. Ik dacht dat je al eeuwen geleden meteen naar huis was gegaan.'

'Oom, ik heb alleen maar...' begon ik schuldbewust.

'Geef gewoon antwoord.' Hij schudde me door elkaar alsof ik een zak rijst was. 'Wat heb je met die man gedaan?'

'Niets, oom,' stamelde ik.

Hij kneep zijn ogen tot spleetjes. 'Niets?' zei hij snerend. 'Je hebt twee uur lang níéts gedaan?'

'Alstublieft, luister naar me. Ik kan het uitleggen.'

Hij wendde zijn gezicht af. 'Ik wil je leugens niet horen.'

'Oom, alstublieft...' begon ik snikkend. 'Ik heb niets verkeerd gedaan.'

'Niets verkeerd gedaan? Jij ondankbaar kreng.' Hij schudde me weer door elkaar. Zijn vingers drongen in mijn schouderbladen. 'Je hebt ons vertrouwen beschaamd.'

'Dat is niet waar,' schreeuwde ik. 'Hij vroeg me of ik naar zijn kip curry wilde kijken, en die was vreselijk. Dus heb ik voor hem gekookt.'

Daar moest hij om lachen, terwijl het ongeloof van zijn mond droop.

Ik staarde hem woest aan en voelde dat mijn gezicht rood en gevoelloos werd. 'Ik zweer het, het is de waarheid.'

'Natuurlijk heb je alleen maar zijn kip klaargemaakt, leugenaar!' Zijn mond vertrok zich minachtend, en hij sloeg me in mijn gezicht. Ik viel achterover tegen het vak met kant-en-klaarmaaltijden en bleef stil liggen, met mijn ogen dicht. Misschien is dit een droom, dacht ik.

'Leela.' De stem van mijn oom klonk ongerust.

Voorzichtig opende ik mijn ogen.

'Je had niet zomaar weg moeten gaan,' zei hij.

'Maar oom, u zei dat ik moest gaan. Ik heb alleen maar gekookt, ik zweer het op mijn moeder.'

Zijn gezicht veranderde. 'Laat je moeder hierbuiten. Als ze hier vandaag was geweest, was ze gestorven van schaamte.'

Ik staarde Krishenbhai aan en zag ineens alle dingen die zijn gezicht zo anders dan dat van mijn vader maakten. Ik voelde me ontzettend eenzaam.

Krishenbhai begon weer te praten. Zijn stem leek van ver te komen. 'Ik weet namelijk alles over je.' Hij opende zijn rechtervuist en gooide iets naar me toe. Instinctief hief ik mijn handen op om mijn gezicht te beschermen. Ik werd geraakt door iets kouds en hards, en daarna dwarrelde het papiergeld om me heen op de grond. Het was het geld dat ik uit de kassa had gestolen en op mijn geheime plek had verstopt. Ik voelde dat ik misselijk werd, maar op de een of andere manier wist ik het gevoel weg te slikken.

Snel pakte ik de biljetten en stond op. 'Oom, het spijt me. Ik had het geld in de la van de kassa willen doen. Ik ben het vergeten,' zei ik, terwijl ik hem het geld aan wilde geven.

Hij raakte het niet aan. 'Zeg maar niets. Ik wil niet nog meer leugens horen.'

'Alstublieft... Ik... Oom, u bent niet eerlijk,' zei ik smekend.

Hij viel me in de rede: 'Hou je mond over eerlijkheid. Jij bent degene die niet eerlijk is geweest. En dat na alles wat we voor je hebben gedaan... We hebben je van dat godvergeten continent gered, we hebben je een thuis gegeven, we vertrouwden je...'

Mijn woede was sterker dan de angst die mijn gedachten benevelde. Ik werd ineens heel rustig. 'Ik heb uw vertrouwen niet beschaamd. Bel de professor maar en vraag of hij iets van het eten voor u bewaart.'

Mijn oom keek me onzeker aan, en zijn trekken verzachtten zich enigszins. 'Nou, misschien doe ik dat wel, of misschien ook wel niet,' zei hij. Toen keek hij op zijn horloge en vervolgde: 'Je kunt maar beter gaan. Je tante zit vol smart op je te wachten.'

Opgelucht stond ik op. 'Dank u, oom,' zei ik. Hij zei niets, maar keek nog steeds bezorgd. Ik draaide me om en liep naar de deur.

'Leela.' De klank van zijn stem hield me tegen. 'Er is iets wat je moet weten voordat je naar haar toe gaat. Toen je tante belde,' zei hij zonder emotie, 'was ze zo bezorgd dat ik dacht dat ze een aanval zou krijgen. Ik werd boos en... zei dat...' Hij zweeg. Angst en spijt waren op zijn gezicht te lezen.

'Wat?' Ik werd nerveus. 'Wat hebt u tegen haar gezegd?'

'Dat je er in je eentje op uit bent gegaan. Dat het jouw beslissing was,' zei hij uiteindelijk.

Ik verstijfde. 'Wat? Wat laf, u hebt gezegd dat het mijn beslissing was?' siste ik woedend. 'Hoe hebt u dat kunnen doen?'

Hij wendde zijn blik af. Hulpeloos haalde hij zijn schouders op en zei: 'Ik kon er niets aan doen.'

Ik vroeg hulpeloos: 'Wat moet ik tegen haar zeggen?'

Hij keek me verdrietig aan. 'Je bedenkt wel iets. Ga nu maar.' Hij gaf me een klopje op mijn rug. 'Ik sluit de boel af en kom later.'

'Ik... ik wil wel wachten,' bood ik aarzelend aan. 'Dan gaan we samen.'

Hij bleef mijn blik ontwijken. 'Nee. Dat is niet nodig. Ik heb nog wel wat tijd nodig. Ga jij maar, je moet nog eten koken. Tante Latha zit vast te wachten.'

Daar had ik niets tegen in te brengen, en ik vertrok.

Ik rende naar de metro. In de trein en tijdens de lange wandeling naar huis probeerde ik te bedenken wat ik tegen haar moest zeggen. Voordat ik het wist, liep ik alweer langs de hoge, op bijenkorven lijkende gebouwen waar we woonden.

De flat was stil en donker. Ik bleef weifelend in de gang staan. De deur naar de slaapkamer van mijn tante stond half open, en erachter was duisternis. Ik deed een stap in die richting. De stilte leek te ademen en zich ineens te verplaatsen. Ik voelde dat ze op me zat te wachten.

Op mijn tenen liep ik door de gang. Toen ik langs haar kamer liep, riep ze me. 'Leela.'

'Tante Latha?' antwoordde ik aarzelend. 'Bent u wakker?'

'Ja. Kom binnen,' antwoordde ze.

Ik deed de deur verder open, maar bleef in de gang staan. Er was genoeg licht om de contouren van de meubels en de kolossale gestalte van mijn tante op het bed te kunnen zien.

Toen ik binnenkwam, richtte ze zich een stukje op. 'Kom binnen, kindje. Blijf daar niet zo staan.'

Ik liep naar het midden van de kamer. Ze klonk rustig. Het was zo donker dat ik haar gezichtsuitdrukking niet kon zien. Weifelend begon ik: 'Tante, ik...'

'Je bent te laat,' viel ze me kalm in de rede, 'en ik lig hier maar op je te wachten en val bijna flauw van de honger.'

'Ja, het spijt me, maar...'

Ze onderbrak me weer: 'Terwijl jij er met een of andere Fransman vandoor was.'

'Alstublieft, geeft u me de kans om het uit te leggen.' Ik probeerde rustig te blijven.

'Nee!' riep ze. 'Ik wil niet nog meer leugens horen. Ik weet waar je bent geweest en wat je hebt gedaan.'

'U weet helemaal niets, tante. Ik ben de enige die u kan vertellen wat er is gebeurd. Kunt u niet gewoon naar me luisteren?' barstte ik los.

Mijn tante zweeg verbaasd. Ik had nog nooit eerder mijn stem tegen haar verheven.

Ik ging snel verder, voordat de verbazing zou verdwijnen: 'Ik heb de boodschappen bezorgd omdat oom...' Ik zweeg, omdat ik het haar niet kon vertellen. '... het te druk had.'

'Lieg niet,' zei ze. 'Je bent gewoon zonder een woord te zeggen de winkel uitgelopen terwijl je oom achter iemand hielp.'

'Dat is niet waar!' schreeuwde ik.

Ze schreeuwde terug: 'Ja, dat is het wel. Je bent ervandoor gegaan omdat je maar al te graag voor een of andere vieze buitenlander je kleren uit wilde trekken.'

'Ik lieg niet,' zei ik smekend. 'Heb ik ooit eerder zoiets gedaan? En stel dat ik schuldig zou zijn, dan zou ik toch niet terug zijn gekomen?'

'Misschien niet,' zei ze iets kalmer, 'maar je hebt wel van me gestolen.'

Even werd alles rood voor mijn ogen. Toen zag ik door die rode waas heen het gezicht van Krishenbhai. Ik zag zijn weke mond en gretige zuigende ogen. Mijn stem was niet meer dan een zacht gesis. 'U durft me vies te noemen, u zegt dat ik met andere mannen slaap, terwijl uw eigen man...' Terwijl ik de woorden uitsprak, begon ik te trillen. 'Uw eigen onbedorven man heeft in het afgelopen jaar niet met één, maar wel met drie Franse vrouwen geslapen.'

'Je liegt!' krijste mijn tante. 'Vuile hoer, dief!'

Ik stond doodstil en liet haar woorden over me heen komen.

Ten slotte sprak ik op zachte toon, kil, als een wetenschapper. 'Ja, ja. Misschien ben ik dat wel, en nog wel meer. Maar waarom komt u zelf niet eens op een middag een kijkje in de winkel nemen, in de achterkamer? Waarom kijkt u zelf niet wie er altijd maar liegt?'

Mijn tante zette zich af tegen de kussens. Haar mond ging open en dicht, als bij een vis op het droge.

'Of misschien weet u het allang...' zei ik treiterend.

In haar woede kwam tante Latha half van het bed overeind. 'Ga weg!' schreeuwde ze. 'Ga weg.'

Ik staarde haar aan, ineens bang, terwijl het ijs rondom mijn hart begon te breken. Ik draaide me om, liep de kamer uit en deed de deur zachtjes achter me dicht.

Deel twee

Een

Ik stond in de gang, me afvragend wat ik moest doen. Achter me hoorde ik tante Latha kreunen en de veren van het bed kraken omdat ze zo smartelijk zat te snikken. Het geluid sneed door me heen en ketste in de smalle gang heen en weer. Ik deinsde ervoor terug. De rust in de gang werd niet verstoord. Mijn blik gleed door de ruimte, mijn zintuigen legden de opgeruimde orde vast. De gang was in duisternis gehuld, op een dun streepje licht na dat onder de voordeur door viel.

Ik weet niet hoe lang ik daar stil in het donker heb gestaan. Ineens werd ik me ervan bewust dat er iemand bij de deur stond. Ik keek op, en het bloed trok uit mijn gezicht weg. Tante Latha zag er vreselijk uit. Haar wangen en oogleden waren opgezwollen en haar ogen waren niet meer dan spleetjes.

Ik voelde onmiddellijk berouw. 'Tante, het... het spijt me zo.'

'Waarom?' Ze lachte bitter. 'Denk je dat "Het spijt me" iets goed kan maken wat kapot is? Wat is het toch een heerlijke wereld, hè? Je maakt iemand dood en zegt dan dat het je spijt.'

'Tante, alstublieft, ik meende het niet.'

'Je meende het niet? Loog je?'

'Nee, maar... Het spijt me, ik was kwaad... Ik...'

'Zeg dat niet nog een keer,' riep ze. 'Ik vind het vreselijk om te horen. Ik vind jou ook vreselijk.'

'Nee, alstublieft.' Ik begon te snikken.

'Je hebt me kapotgemaakt. Jij met je egoïstische woede.' De

stem van tante Latha brak, en het was vreselijk om haar woede te zien. Toen ze de woorden uitspuwde, leek het alsof haar gezicht zou gaan breken. 'Je hebt mijn leven, onze levens, ons huis, tot een hel gemaakt. Ga weg. Verdwijn.'

Ik kon niets anders doen. Langzaam liep ik naar de door tl-buizen verlichte hal en deed de deur zachtjes achter me dicht.

Buiten was de straat leeg, op het afval na dat zich overal in de hoeken en deuropeningen had verzameld. De wind die door de stegen blies, maakte een onaards sissend geluid, als stoom uit een stoompan. Niets bewoog, behalve de dingen die door de wind werden meegevoerd. Ik sloeg de hoek van het gebouw om en werd door de wind gegrepen. Ik liet me als een stuk krant naar het einde van de straat voeren, voortgeblazen, dakloos, en op een vreemde manier vrij. Ik voelde me licht, bijna gewichtloos. Zwijgende gebouwen torenden boven me uit, met pokdalige gezichten. Ik lachte omdat ze daar zo stevig stonden en niet in staat waren om me bij te houden, totdat ik de tranen op mijn wangen voelde. Toen was ik ze voorbij en bevond ik me in de open ruimte. De wind blies me verder door de straat.

Ineens vingen mijn oren een nieuw geluid op dat uit de duisternis kwam: voetstappen, die zich half rennend, half glijdend over het plaveisel voortbewogen. Ik ging sneller lopen. De voetstappen achter me leken ook sneller te gaan. Mijn tempo versnelde zich tot een looppas. De donkere ruimten tussen de ene straatlantaarn en de andere werden steeds groter. Ik kon het geluid van de voetstappen niet langer van het bonzen van mijn hart onderscheiden. Ik sloeg een hoek om, en ineens liet de wind me in de steek en blies me in het gezicht toen ik rende. Mijn longen deden pijn en ik snakte naar adem. Ik was zo bang dat ik me amper kon herinneren hoe ik adem moest halen. Mijn energie ebde weg en mijn passen gingen langzamer. Ik probeerde te schreeuwen, maar er kwam geen geluid. De straten waren volkomen verlaten en in stilte gehuld.

Ik bleef rennen tot de ingang van de tunnel onder de snelweg in zicht kwam. De tunnel barstte van de geluiden. Ik voelde dat spookachtige vingers van alle kanten naar me grepen. Ik rende nietsziend verder, totdat de lichten van de buitenwijk voor me opdoemden. Toen vertraagde ik mijn pas. De wijk zag er verlaten uit. In de stilte echoden mijn voetstappen luid. In een steegje achter me kwam een motorfiets tot leven. Ik sprong opzij, naar de schaduw van een portiek, en struikelde over iets zachts en protesterends dat in vodden was gehuld.

Uiteindelijk kwam ik bij de metro aan en daalde dankbaar de trap af. Het station was bijna geheel verlaten. Ik stond aan de rand van het perron. Aan de andere kant stonden een paar mannen te roken en te praten. Ze keken me met de koude ogen van roofdieren aan. Ik staarde naar de rails.

Ten slotte kwam de trein aangereden.

Voor mijn gevoel zat ik urenlang in de metro. Door de geluiden van de trein hoefde ik niet na te denken. De andere passagiers bleven op veilige afstand.

Uiteindelijk begon mijn maag op zichzelf te kauwen. De spieren spanden en ontspanden zich telkens weer in een poging de honger te stillen. Ik doorzocht de bijna lege treinstellen, op zoek naar eten. Ten slotte vond ik een halfleeg pakje suikerpinda's. Ik propte ze in mijn mond en nam amper de moeite om te kauwen. De pijn in mijn maag zwakte af. Om één uur stapte ik bij het eindpunt uit de metro. Overal waren politieagenten met honden bezig de daklozen de treinstellen uit te gooien. Ze keken me glazig aan. Ik ontweek hun blikken en liep achter de mensenmassa aan de trap op naar de uitgang.

Buiten werd ik verwelkomd door een onbekende wereld. De mensen die op straat liepen, leken haast te hebben. Ze waren niet meer dan schaduwen, totdat ze werden vastgenageld door de koplampen van een snel passerende auto; mannen met een soepele, panterachtige tred, tegelijkertijd zelfverzekerd en bedreigend. Hun blikken sneden door me heen, koud als de winterwind, ijzig bekend, me inschattend. Net de grote jagers van de Afrikaanse savanne, die hun prooi maar al te goed kennen.

Instinctief koos ik ervoor om de andere kant op te gaan en verborg me in de schaduwen totdat de straat verlaten was. Het trottoir was bezaaid met dode bladeren, die in donkere hopen onder de kale bomen lagen. Ze waren nat en kleefden aan mijn enkels toen ik langsliep. Laat ons hier niet in de kou sterven, leken ze te zeggen. Ik veegde ze woest weg, met handen die gevoelloos en ijskoud waren.

Ik propte mijn handen in de zakken van mijn rok en voelde papier tussen mijn vingers kraken. Zonder al te veel belangstelling haalde ik het papier uit mijn zak, en zag dat ik geld tussen mijn vingers geklemd hield. Ineens voelde ik me veel beter. Ik kon de nacht in een hotel doorbrengen, en morgen, of misschien wel overmorgen, wanneer Krishenbhai en tante Latha heel erg bezorgd zouden zijn, pas teruggaan.

Ten slotte vond ik een hotel in een klein straatje bij de Avenue de la Republique. Naast de deur was een bel. Ik drukte erop.

De portier kwam achter de balie vandaan. Hij bekeek me van top tot teen. Voordat hij iets kon zeggen, vroeg ik met luide stem om een eenpersoonskamer.

Hij bleef me aanstaren. 'We zitten vol,' zei hij.

'Maar buiten hangt een bordje waarop staat dat u kamers hebt.'

Hij opende zijn mond en wilde iets onbeleefds zeggen, maar ik zei snel: 'Het is alleen maar voor vannacht.'

'Vannacht. Dat zeggen ze allemaal.' Hij had de raarste tanden die ik ooit had gezien. Ze wezen allemaal in een hoek van zestig graden naar binnen toe. Ik staarde hem aan en vroeg me af hoe hij at. Hij deed zijn mond dicht.

'Ik heb alleen een tweepersoonskamer,' mompelde hij met tegenzin, 'en die kost vierhonderd franc.'

'Wat!' riep ik uit. 'Buiten staat dat tweepersoonskamers maar driehonderd kosten.'

'Nou, het is alles wat ik heb. Wees blij dat ik je niet op straat gooi.'

Ik zei kortaf: 'Laat de kamer eens zien.'

Knorrig schoof hij een lijst naar me toe. 'Hier tekenen. En ik moet je paspoort of *carte d'identité* zien.'

Ik verstijfde. Ik had geen legitimatie op zak. Na mijn aankomst had mijn oom mijn paspoort afgepakt. Ik haalde diep adem en haalde mijn laatste honderd franc te voorschijn. 'Mijn paspoort ligt thuis. Ik heb het niet meegenomen. Ik was niet van plan om vannacht weg te blijven, maar ik heb de laatste metro gemist,' zei ik zo waardig als ik maar kon. 'Biedt dit genoeg zekerheid?' En ik duwde het bankbiljet in zijn handen.

Twee

De volgende ochtend zag Parijs er anders uit. De winkels waren open en de etalages waren verlicht. De geluiden van het verkeer, het getoeter van claxons en het gebrul van motoren was tegelijkertijd oorverdovend en geruststellend. De straten en cafés waren vol mensen. Niemand keek me vreemd aan, of schonk enige aandacht aan me.

Ik zocht een telefoon en belde Lotti op school.

'Waar zit je?' vroeg ze. 'Ik was zo bezorgd. Je tante belde gisteravond om te vragen of je bij mij was...'

'In een hotel.'

'Was je het dan van plan, om weg te lopen? Wat dapper!' riep ze uit.

'Nee, het gebeurde gewoon. Mijn oom... Laat maar zitten, het is een lang verhaal.'

'Waar bel je vandaan, uit het hotel?'

'Nee. Ik weet niet zeker waar ik ben, ergens in de buurt van Nation, denk ik. In een *tabac*.'

'Ik kom je ophalen. We gaan samen naar ze toe.'

'Lotti,' zei ik langzaam, 'ik denk niet dat ze me terug willen hebben. Mijn tante...'

'Waarom niet? Wat is er gebeurd?' vroeg Lotti ongeduldig.

'Ik heb haar verteld wat Krishenbhai 's middags doet.'

Ineens begon ze te lachen. 'Dat verklaart veel.'

'Hoe bedoel je?'

'Ik hoorde je tante gisteren door de telefoon tegen mijn moeder zeggen dat ze een adder aan hun boezem hadden gekoesterd. Ze zeiden dat je geen fatsoen kende en een dief was.'

'Wat? Ik ben geen dief. Ze laten me werken zonder me te betalen,' zei ik boos.

'Ik weet het, ik weet het,' zei Lotti op kalmerende toon. 'Dat zeiden ze waarschijnlijk omdat ze zo kwaad waren. Hoewel,' voegde ze er bijna onwillekeurig aan toe, 'tante Latha klonk heel rustig, ze was niet eens buiten adem.'

We zwegen allebei.

'Luister Leela,' zei Lotti ten slotte, 'ik moet ophangen, anders gaan mijn leraren zich afvragen wat er mis is. Hoe heet die *tabac*?'

'Le Scorpion.'

'In welke straat is dat?'

'Naast de ingang van de metro, op de hoek van de Rue du Rendezvous en de Boulevard de Picpus.'

'Ik kom je over een uur terughalen.'

'Goed.' Ik was zo opgelucht dat ik haar vergat te zeggen dat terughalen in het Engels iets anders dan ophalen betekende.

Toen Lotti aankwam, klampte ik me aan haar vast. We bestelden koffie en croissants. Lotti betaalde. 'Hou jij je geld maar. Je zult elke cent nodig hebben,' zei ze. 'Ik denk niet dat tante Latha je snel terug wil hebben. Ze belde me op school, vlak nadat jij had opgehangen.'

'Wat!' Ik was stomverbaasd.

'Ja. Ze zei dat ik tegen je moest zeggen dat je niet terug hoefde te komen.'

Ik sloot huiverend mijn ogen en dacht terug aan de gebeurtenissen van gisteravond. Toen ik mijn ogen weer opendeed, was ik vastbesloten. Ik keek naar Lotti, die me vol verwachting aankeek. 'Lotti, ik ga nooit meer terug. Ik speel nog liever de hoer.'

Lotti begon te lachen. '*Quel mélodrame. Tu n'est qu'un bébé.*' Haar gezicht werd weer ernstig. 'Vertel me alles,' beval ze.

Ik vertelde haar alles, vanaf het telefoontje van de professor tot en met mijn overnachting in het hotel. Toen ik klaar was met mijn verhaal, bleef ze zwijgen.

'Ik heb iets meegenomen wat van jou is,' zei ze ten slotte en gaf me een plastic tas. De vuurrode zijde binnenin glansde toen het licht erop viel. Het was de sari waarin mijn moeder was getrouwd.

'Waar heb je die gevonden, Lotti?' vroeg ik.

'Die lag bij ons thuis. Je hebt hem vorig weekend meegenomen, om me te laten zien hoe je hem draagt.'

'Ik ben er heel blij mee. Dank je. Dat is het enige wat ik niet achter had willen laten.' Ik drukte de tas tegen me aan en gaf Lotti een knuffel.

Ze trok weer een ernstig gezicht. 'Hoe zit het met je moeder?' vroeg ze. 'Moet je het haar niet vertellen?'

'Mijn moeder leidt een nieuw leven,' zei ik bitter. 'En ik heb haar telefoonnummer trouwens niet eens.'

'Je moet haar schrijven,' zei Lotti uiteindelijk.

Mijn hart zonk me in de schoenen. 'Het kan wel weken duren voordat ze komt.'

'Dat weet ik. Maar ik denk dat ik iemand ken die kan helpen.'

'Wie?' vroeg ik nieuwsgierig.

'Weet je nog dat ik je over een meisje heb verteld dat ik in een Indiase *épicerie* heb leren kennen?'

'Dat meisje dat model is?' Ik keek haar niet-begrijpend aan. 'Wat moet een model met mij beginnen?'

'Gekkie, Maeve woont al sinds haar vijftiende op zichzelf. Je zou bij haar kunnen logeren.'

Voordat ik een bezwaar kon bedenken, was ze al op weg naar de telefoon. Ze heupwiegde uitdagend toen ze langs de mannen aan de bar liep.

Vijf minuten later kwam ze met een opgewekt gezicht weer

terug. 'Het is geregeld,' zei ze vrolijk. 'Maeve zei dat we direct bij haar langs konden komen.'

'M-maar Lotti, wat moet ik zeggen? Ze... Ik heb nog nooit eerder bij een Française gewoond. Dan moet ik de hele tijd Frans praten. Ik... ik weet niet of ik dat wel kan.'

'Natuurlijk kun je dat,' zei Lotti bemoedigend, 'je hebt al zo vaak Frans gepraat.' Ineens werd ze boos. 'Je wilde ontsnappen, weet je nog? Welkom in Frankrijk.'

'Ik heb nooit in Frankrijk willen wonen,' antwoordde ik verhit. 'Het was mijn moeders idee.'

We daalden af naar de ondergrondse en pakten de metro naar de Place d'Italie. Dit deel van Parijs was nieuw voor me. Het was een vreemde mengeling van oude en nieuwe gebouwen en brede straten. Op een hoek was een McDonald's, en door de plastic meubels en de felle kunstmatige kleurtjes leek alles onwerkelijk, als iets uit een stripverhaal. Op een andere hoek was een oude brasserie met buiten enorme blokken ijs waarop schaaldieren lagen. We staken de straat over naar de McDonald's. Een oude vrouw met wit haar en dikke benen stond met een bordje in haar hand te bedelen. Ik huiverde toen ik me voorstelde dat ik op haar plaats zou staan.

We liepen de stille straat in waar Maeve woonde. Haar woning bevond zich in een smal, vijf verdiepingen tellend huis dat tussen twee dikke grijze gebouwen in was geperst. Ze verschilden niet zo heel veel van het gebouw waarin mijn tante woonde. Het enige verschil was dat hier nette auto's langs de stoeprand geparkeerd stonden, dat er geen graffiti op de muren was gekalkt en dat het betonnen plaveisel geen scheuren vertoonde.

Lotti toetste de toegangscode van de buitendeur in. We kwamen in een kleine, donkere hal terecht. Het plafond was erg laag en de hal was lang, net een gang. We klommen vijf wenteltrappen op en bereikten een gang waarop drie deuren uitkwamen. De deur aan de linkerkant ging open en een rijzige, in het zwart gehulde gestalte verscheen, omlijst door een rechthoek van licht.

Maeve was erg groot. Haar lichaam, dat door het grijze licht werd omgeven, was lang en welgevormd: lange benen, ronde heupen, een smalle taille, volle borsten. Ik bleef op de achtergrond en voelde me een indringer.

'*Salut, ma petite Lotti. Ça fait longtemps. Qu'est que tu deviens?*' Maeve kuste plechtig de lucht boven Lotti's wang en sloot haar toen tot mijn verbazing in een vlugge omhelzing. Haar blik gleed snel over mij heen. Wat ze zag, leek haar niet te bevallen, want ze negeerde me en richtte haar aandacht weer op Lotti.

'Wat leuk je weer te zien, Lotti. Waarom kom je niet wat vaker? Ik heb iemand nodig die me vertelt hoe ik de specerijen moet gebruiken die we toen samen hebben gekocht, weet je nog?' zei ze met lage, hese stem.

Lotti glimlachte en haalde sierlijk haar schouders op, terwijl ze Maeve nog steeds als betoverd aanstaarde. 'Dan heb ik precies de juiste persoon voor je meegenomen, Maeve,' zei ze lachend, en ze trok me naar voren. 'Dit is Leela. Ze kan geweldig goed koken en gewoon toveren met specerijen.'

'Echt?' Maeve keek me iets aandachtiger aan en glimlachte even. Ze deed de deur iets verder open en gebaarde dat we binnen konden komen. Zonder af te wachten of we haar zouden volgen, draaide ze zich om en liep naar binnen. We liepen achter haar aan naar binnen, Lotti als eerste en ik in de achterhoede.

Aanvankelijk verblindde het licht me. Toen mijn ogen waren gewend aan de felheid, besefte ik dat de kamer eigenlijk tamelijk klein was maar door de weinige meubels, de enorme ramen en de witte muren veel groter leek. Het rook er nieuw en onpersoonlijk, alsof de woning net was betrokken. De kamer had niets zachts. Alles was hoog en hoekig: hoge stalen krukken, een ranke tafel en een smalle zwarte bank. Aan de muren hingen drie schilderijen in schakeringen van zwart, grijs en wit – vreemde maanlandschappen. De verf was dik op het linnen aangebracht, waardoor de doeken een ruwe, gelaagde uitstraling kregen. Ik keek er aandachtig naar.

'Wat vind je ervan?' vroeg Maeve, die stilletjes achter me was komen staan. In dit kale, moderne decor zag ze er wonderlijk exotisch uit. Ze had donkerblond haar met de kleur van honing en een romige huid. Haar ogen en wenkbrauwen waren donker. Maar al die dingen vielen me later pas op. In het begin was ik gefascineerd door haar lippen. De huid was glimmend en bobbelig, als de buitenkant van een aardbei. De buitengewone rondheid werd nog eens benadrukt door de plooitjes en kloofjes. Een piepklein moedervlekje naast haar mondhoek deed die wonderbaarlijke mond nog beter uitkomen. De lippen van Maeve belichaamden een lichamelijke sensualiteit waarover mensen droomden, maar waarvan ze zich nooit duidelijk een voorstelling hadden kunnen maken. Totdat ze haar lippen zagen.

'Ze doen me denken aan de muren van de oude stad in Mombasa, waar heel veel lagen affiches lukraak over elkaar zijn geplakt en de regen de kleuren heeft weggevaagd,' antwoordde ik.

'Echt? Zoiets heeft nog nooit iemand gezegd.' Ze glimlachte, en voor het eerst bereikte de glimlach ook haar ogen. Het waren vreemde ogen – net modderige poelen die donkergrijze regenwolken weerspiegelden. Ze zagen er vlak en ondiep uit. Winterse ogen, dacht ik. Ze zagen er zelfs nog geheimzinniger uit omdat haar zware oogleden aan de randen een tikje naar beneden hingen. 'Maar ik denk dat je gelijk hebt. Het is een goede beschrijving,' zei ze.

Ik glimlachte terug, opgelucht en gefascineerd. Ze leek het niet erg te vinden dat ik haar zo openlijk aanstaarde. Haar glimlach verscheen weer. 'Ga zitten, dan kunnen we praten,' zei ze.

Lotti en ik liepen gehoorzaam naar de smalle zwarte bank die langs de muur tegenover de schilderijen stond.

'Heb je het makkelijk kunnen vinden?' vroeg Maeve beleefd.

'O ja,' antwoordde Lotti, 'je had het perfect uitgelegd.' Ik keek haar verbaasd aan, omdat ze doorgaans nooit zo vol lof was over zulke onbelangrijke dingen. Het klonk bijna overdreven. Maar ook Lotti was veranderd door de schoonheid van Maeve. In haar nabijheid leek ze anders, kleiner, gedrongen, donkerder – een fletse dwerg naast een lange sprookjesfee. 'Ik heb Leela naar jou gebracht,' hoorde ik haar zeggen, 'omdat jij op je vijftiende van je ouders in Straatsburg wegliep en naar Parijs ging.'

'Dat klopt niet helemaal,' zei Maeve droogjes, 'ik ben niet weggelopen. Ik heb mijn ouders verlaten, om vrij te kunnen zijn.'

Ik draaide me naar haar toe en wilde iets ter verdediging van Lotti zeggen, maar ik wist niet wat. Maeves wereld was volkomen vreemd voor me. Ik keek naar mijn voeten en voelde me even beschaamd als Lotti.

Maeve keek ons allebei aan en vroeg ineens in het Engels: 'Willen jullie soms koffie?' Haar accent was zwak, vermengd met iets Amerikaans. Ik wilde uit beleefdheid weigeren, maar Lotti keek me waarschuwend aan en gaf me een por. Toen Maeve zich omdraaide en naar de kleine keuken liep, siste Lotti: 'Je moet de eerste keer nooit koffie weigeren, anders leer je de Fransen nooit kennen. En vraag niet om melk. Dat heeft ze misschien niet in huis, en dan zou je haar alleen maar in verlegenheid brengen.'

'Hoe...' begon ik gepikeerd, kwaad omdat Lotti me het gevoel gaf dat ik dom was, maar ze legde haar vinger op haar lippen. Maeve kwam weer de kamer in, met een dienblad met drie kleine kopjes en een blauwe aardewerken pot met suikerklontjes. Ik stond op om haar te helpen, maar ze negeerde me en zette het blad met een vloeiend, gracieus gebaar op het glazen tafeltje voor ons. Toen liep ze weer naar de keuken om de koffie te halen. Ze is net een groene mamba, dacht ik, beeldschoon, sterk, alleen maar gehoorzamend aan haar eigen regels.

'Maak je geen zorgen. Wanneer je haar eenmaal kent, zul je merken dat ze erg aardig is,' zei Lotti.

Ik keek haar bedenkelijk aan.

'Goed, in haar eigen huis is ze een beetje anders,' gaf ze toe. 'Ik heb haar alleen maar buiten ontmoet.'

'Waar haalde je dan de moed vandaan om te vragen of ik hier kan blijven?' mompelde ik vol afschuw.

'Wie had ik het anders kunnen vragen?' antwoordde ze verbolgen.

'Maar stel dat ze nee had gezegd?'

'Maar ze zei geen nee, hè?' zei Lotti koeltjes.

Na de koffie werd Maeve meer ontspannen. 'Waarom ben je weggelopen?' vroeg ze. 'Is dat niet heel ongewoon voor een Indiaas meisje?'

'Ik wilde meer in het leven dan de kruidenierswinkel van mijn oom,' antwoordde ik.

Ze nam een slokje van haar koffie. 'Mijn ouders wonen in Straatsburg. Een vreselijke stad, klein, provinciaal. Iedereen kent elkaar. Ik wilde meer, dus ging ik naar Parijs.'

'Het is een geweldige stad,' zei ik, stijfjes herhalend wat mijn oom bij mijn aankomst tegen me had gezegd. Ineens miste ik die dagen. Ik was toen ongelukkig geweest, maar anders dan nu. Het was allemaal mijn schuld, zei een meedogenloze stem binnen in me. Ik dwong mezelf om me op Maeve te concentreren. 'Mits je natuurlijk de juiste mensen kent,' zei ze. 'Anders kan het hier vreselijk zijn. Dan word je onzichtbaar en verdwijn je door de scheuren in het wegdek.'

'Wie zijn die mensen?' vroeg ik nerveus.

'O, journalisten, kunstenaars, modellen, modeontwerpers, *hommes d'affaires*. Het soort mensen dat je op alle feestjes ziet, en in de bladen.'

'Ik snap het.' Ik voelde me overweldigd.

'Ik ken er heel veel,' zei Maeve trots.

Ik keek naar haar prachtige gezicht. 'Ze vinden het vast fijn om jou te kennen,' zei ik spontaan.

Haar gezicht verstrakte. Argwanend keek ze me aan. 'Hoe bedoel je?'

'Dat... Je bent zo mooi, het verbaast me niet dat je iedereen kent,' antwoordde ik verlegen.

Haar gezicht ontspande zich, en ze lachte. 'Ik vind het nu al leuk dat je er bent. Je mag zo lang blijven als je wilt.'

Ze stak een sigaret op, die net zo goudkleurig was als haar haar. 'Rook je?' vroeg ze me. De sigaret richtte de aandacht op haar prachtige handen. Ze had lange, elegante vingers.

'Nee,' antwoordde ik.

Ze haalde haar schouders op. De rook kringelde uit haar enigszins opengesperde neusgaten.

'Ik wil het graag leren,' zei ik, terwijl mijn blik de rook volgde.

Ze glimlachte. Haar donkere, grijsgroene ogen met hun bruine vlekjes vernauwden zich tot spleetjes. 'Niet doen. Het is een slechte gewoonte – tenzij je het sierlijker kunt dan alle andere rokers, mij inbegrepen.' Ze bracht de sigaret weer naar haar mond. Toen ze diep inhaleerde, kregen haar rode lippen de vorm van een bloemknop, en toen ze uitademde, openden ze zich weer.

Ik keek naar haar en wenste dat ik net zulke lippen als zij had. 'Dan zal ik nooit gaan roken,' zei ik.

Onze blikken kruisten elkaar, en Maeve glimlachte.

Drie

Ik bleef drie maanden bij Maeve logeren. Ik deed heel weinig en zat alleen maar op haar balkonnetje naar de ramen van de buren en de straat beneden te staren. De plotselinge vrijheid maakte me apathisch. Nu ik zelf in de stad woonde, leek die veel minder verleidelijk. De straten waren vol vijandige gezichten. Ik maakte van Maeves woning mijn gevangenis en keek vanuit de veiligheid van haar balkon naar Parijs.

Al snel kende ik de gewoonten van de buurtbewoners vanbuiten. Ik zag de auto's en de mensen erin komen aanrijden, wegrijden en weer komen aanrijden. Wanneer ze in hun auto's stapten, zakten hun lijven in elkaar en werden stippen zonder benen. Wanneer ze uitstapten, ontvouwden ze zich weer tot een menselijke vorm. Ik zag de jonge moeders rond een uur of elf naar buiten komen en met hun kinderen in de kinderwagens naar het park lopen. 's Middags zag ik de kleine meisjes van de École Maternelle naar buiten stromen, in de armen van hun ouders. Ik keek naar de wereld, net zoals het oude stel naast ons deed. Maar ik keek ook naar hen. Hij had een rode ochtendjas, en zij een met bloemen. Ze praatten nooit met elkaar en zaten niet samen op het balkon. Hij ging 's morgens buiten de krant zitten lezen. Zij kwam om elf uur en om twee uur naar buiten om naar de kleine kinderen en de baby's te kijken. Wanneer de ongelooflijke voorspelbaarheid van het tafereel me slaperig maakte, ging ik naar binnen om een dutje te doen.

Lotti belde één keer per week op of kwam langs. Soms nam ze geld mee, of had ze nieuws over tante Latha en Krishenbhai. Een week na mijn vertrek kwamen ze bij Lotti langs en zetten haar onder druk, in de hoop dat ze zou zeggen waar ik was. Ze dreigden met de politie. Toen kwamen de ouders van Lotti tussenbeide en zetten hen het huis uit. Daarna zagen de twee families elkaar niet meer. Toen ik dat hoorde, kreeg ik medelijden met tante Latha. Ik had haar haar sociale leven en het vertrouwen in haar echtgenoot ontnomen. Maar ik voelde me nog ellendiger toen Lotti me vertelde hoe haar vader had gereageerd toen ze hem vertelde dat ze me had verstopt. Hij zei dat ze me nooit meer mocht zien. Ik voelde me verschrikkelijk. Ik had niets verkeerd gedaan. Waarom wilden meneer en mevrouw Ramdhune me zo graag straffen? Lotti wist het niet. Daarna hadden we het niet meer over haar ouders. Ze kwam steeds minder vaak langs. Kwam ze wel, dan zat ze vol vrolijke, onbekommerde verhalen over haar buurt en klasgenootjes. Nu ergerde ik me echter aan haar verhalen. Ze deden me denken aan een wereld waarin niet langer plaats voor mij was. Alleen in de buurt van Maeve had ik het gevoel dat ik leefde. Parijs was haar stad, het leven leek om haar heen te vloeien, vol opwinding en beloften. Wanneer ik bij haar was, had ik het gevoel dat ik deel van dat alles uitmaakte.

Ik schreef mijn moeder en smeekte haar om me naar Engeland te laten komen. Ik beloofde dat ik hard zou werken en haar elke cent zou terugbetalen die ze voor me had uitgegeven. Maar haar enige raad was terugkeren naar mijn oom en tante, mijn verontschuldigingen aanbieden en ze smeken om me weer in huis te nemen. 'Je hebt me te schande gemaakt,' schreef ze. 'Hoe kun je zo ondankbaar zijn? Je tante en oom hebben je alles gegeven. Ga naar ze toe en smeek om vergiffenis. Krishenbhai heeft het je al vergeven. Je hebt tante Latha vreselijk gekwetst en je hebt geprobeerd om het kostbaarste wat ze heeft, haar thuis, te vernietigen. Maar je blijft familie, ze neemt je wel weer in huis.'

Ze repte met geen woord over Engeland. Ik heb mijn moeder nooit meer geschreven.

Na een maand ging ik op zoek naar een baantje. Ik deed wat karweitjes zoals strijken, kleren wassen en huizen schoonmaken. Maar dat soort baantjes was schaars, en er waren veel mensen die dat werk wilden doen. Ik vond het vreselijk om met drie, vier droevig uitziende vrouwen van middelbare leeftijd in de rij te moeten staan voor een baantje dat ik niet echt wilde hebben. Ik vroeg me af wat voor leven ze leidden. We praatten nooit met elkaar, ook al kwamen we elkaar vaker tegen wanneer we op hetzelfde baantje reageerden. Ten slotte kreeg ik een baantje in een bakkerij, maar dat duurde maar een week. Ik moest er elke ochtend om vijf uur zijn om de broden en de croissants uit de oven te halen en ze op een lang stalen rek te leggen waar ze konden afkoelen. Daarna moest ik ze op de planken leggen. Ik was dol op de geur van brood, en de jonge bakkers flirtten met me met hun blikken. En ik kon gratis brood mee naar huis nemen. Aan het einde van de week vroegen ze naar mijn papieren. 'Welke papieren?' vroeg ik, terwijl de moed me in de schoenen zonk. 'Je *carte d'identité*, natuurlijk. Die hebben we nodig voor de belastingen,' snauwde de vrouw. 'Die... die ligt nog thuis,' zei ik schuldbewust. Ze keek me argwanend aan. 'Dan betalen we je morgen, als je hem meeneemt,' zei ze. Ik ging niet terug. Ik wist niet wat ik moest doen. Ik wilde dolgraag met Lotti praten.

Op een dag belde ze. 'Ik ga naar Toulouse,' zei ze onverwacht.

'O. Waarom?'

'Vakantie.'

Ik voelde me opgelucht. 'Hoe... hoe lang blijf je weg?'

'Drie maanden.'

'Wat? Waarom?'

'Omdat... Nou... Ik heb iemand leren kennen, en ik wil bij hem zijn.'

'Komt hij dan uit Toulouse?' vroeg ik dom.

'Nee. Hij komt uit Parijs. Maar zijn opa heeft een boerderij daar in de buurt die hij later zal erven. Daar gaan we samen heen.'

En ik dan? Red ik het wel? 'En... en je ouders?' vroeg ik. 'Wat zeggen die ervan?'

'Ze weten het niet. Ze denken dat ik een speciale cursus ga volgen als voorbereiding op het toelatingsexamen van de lerarenopleiding.'

'O.' Ik wilde haar vragen om niet te gaan. Ik opende mijn mond en wilde haar over de bakkerij vertellen, maar ineens had ik het idee dat het haar niet zou kunnen schelen. Voor haar gold hetzelfde als voor mijn moeder; mijn problemen waren voor haar niet belangrijk.

Daarna ging ik niet meer op zoek naar een baan. Het kon Maeve niet schelen. Zelf leek ze ook niet vaak te werken. Doorgaans kwam ze pas tussen de middag haar slaapkamer uit. Meestal strompelde ze naar buiten, met haar haar in de war, de make-upsporen nog op haar gezicht en de geur van verschaalde sigarettenrook en ochtendadem om haar heen. Zonder me aan te kijken of ook maar goedemorgen te zeggen, stak ze haar hand uit naar de kop koffie die ik al voor haar in mijn handen hield. Ze dronk die in één keer op en ging dan weer naar haar kamer om zich aan te kleden. Ze lunchte altijd buiten de deur, met een van de vele mannen die haar op kwamen halen en die ze altijd minstens een half uur liet wachten, of anders met een groepje vriendinnen op een of ander trendy *terrasse de café*. Wanneer ze de deur uit was, maakte ik altijd het huis schoon en maakte haar bed op.

Maeve kwam meestal om een uur of vier weer thuis, bijna altijd met een tas van een of andere winkel. Dan dronken we koffie uit piepkleine kopjes en zaten te praten. Of eigenlijk zat Maeve te praten en luisterde ik naar haar. Ik kon goed luisteren, en Maeve leek een betoverend leven te leiden. Met open mond luisterde ik naar de verhalen over de mensen die ze had ontmoet en de feestjes waar ze was geweest. Ik vroeg me af wanneer ze haar geld verdiende. In mijn ogen was Parijs een reusachtige goot geworden die mijn laatste centen opslokte. Wanneer ik haar schuchter naar haar werk vroeg, deed ze meestal ontwijkend. 'Modellen verdienen heel goed, hoor. Jammer dat je niet wat langer bent.'

'Of beeldschoon, zoals jij,' voegde ik eraan toe. En haar gezicht straalde.

Na het kleine middagritueel van het koffiedrinken trok ze zich weer terug in haar kamer, totdat het tijd was om zich klaar te maken voor de avond. Ik ging dan weer op het balkon zitten of keek tv. 's Avonds ging ze met andere mannen op stap en kwam om twee of drie uur 's nachts weer thuis, of soms zelfs wanneer het zonlicht alweer de woning binnenviel. Dan liep ze zonder te groeten langs me heen naar de badkamer. Ik had op die momenten het gevoel dat ze het vreselijk vond dat ik er was. Maar wanneer ze weer uit de badkamer kwam, met nat haar en een onopgemaakt gezicht, dan glimlachte ze lief naar me, over de kop koffie heen die ik haar zonder iets te zeggen had gegeven, en vertelde me over haar opwindende nieuwe minnaar.

Op een ochtend werd ik wakker van de geur van koffie en het geluid van twee stemmen. Eén ervan was een onbekende mannenstem met een enigszins vlak, nasaal accent. Ik deed mijn ogen open en zag dat Maeve koffie aan het zetten was voor een vreemde man met een boxershort aan. Hij zat op een hoge kruk bij de klaptafel die aan de muur was vastgemaakt, naast de piepkleine keuken. Hij was veel ouder dan zij – zeker twintig jaar. Zijn buik stak heel ongegeneerd voor hem uit, en zijn grijzende haar begon dun te worden. Ik bekeek hen door mijn halfdichte ogen. Maeve liep naar de tafel en zette de dampende koffiepot voor hem neer. Hij trok haar tussen zijn benen, stak zijn hand in haar ochtendjas en begon met haar borst te spelen. Ik kneep mijn ogen stijf dicht en deed net alsof ik sliep. Even later gingen ze naar de slaapkamer. Ik kroop mijn bed uit, trok mijn kleren aan en ging naar buiten.

Toen ik die middag thuiskwam, was er niemand. Ik waste de vuile kopjes af en zette ze naast de gootsteen. Toen ging ik op het balkon naar de straat beneden zitten kijken. Het was bijna donker toen ik Maeve uit een knalrode sportauto zag stappen. De man reed. Achter in de auto lagen een paar tassen. Maeve boog zich voorover en kuste hem snel. Toen pakte ze haar tassen en liep zonder om te kijken naar binnen. Hij zag dat ze naar binnen ging en reed toen rustig weg.

Ik kwam erachter dat de man Jean-Jacques heette en een diamantair uit Antwerpen was. Bij elk bezoek nam hij bloemen en kleine juwelendoosjes, in doeken van Indiase zijde gewikkeld, voor Maeve mee. Het verbaasde me dat een mooie vrouw als Maeve vrienden kon worden met een dikke oude man. Maar ik was te verlegen om haar ernaar te vragen en we praatten er nooit over.

Ik raakte elk gevoel van tijd kwijt. Maeve verviel weer in haar oude gewoonte van lunchen en 's middags winkelen en ik in die van schoonmaken en op het balkon zitten. Elke maand kwam Jean-Jacques een paar dagen. Ook zijn bezoeken werden een gewoonte. Tot ik een paar maanden later op een ochtend wakker werd van het geluid van lepeltjes waarmee driftig in koffiekoppen werd geroerd.

'Hoe lang ben je nog van plan om haar hier te houden?' hoorde ik Jean-Jacques zeggen. Mijn hart stond even stil. Ik luisterde heel aandachtig.

'Hoezo?' antwoordde Maeve. 'Dat zijn jouw zaken toch niet?'

'Zijn dat mijn zaken niet?' Jean-Jacques verhief zijn stem en sloeg hard op de tafel. 'Dit is mijn huis. En ik bepaal wie hier woont.'

'O ja?' zei ze op kille toon. 'Ik neem aan dat mijn wensen er niet toe doen.'

'Natuurlijk wel, schatje,' zei hij, bijna met smekende stem, 'maar ik wil je voor mezelf hebben. Ik ben het zat om haar om twaalf uur nog in haar bed te zien liggen. Ze is zo saai en onopvallend. Hoe kun je haar verdragen?'

'Ik heb je toch verteld dat ze lekker kan koken.'

'Maar stel dat ik hier met je wil vrijen, op deze tafel,' zei hij jankerig.

'Die kan jouw gewicht niet houden,' zei ze.

Ik hield mijn adem in, wachtend op een uitbarsting. Maar die kwam niet. Ineens hoorde ik luid gesnik – het gesnik van een man. 'Je bent zo wreed, Maeve, vreselijk wreed. Ik kan niet wachten tot jij ook oud bent.'

Maeve zei niets. Ik hoorde dat ze opstond en naar de andere kamer liep. Een paar minuten later ging hij haar achterna. Ik stond heel stilletjes op en ging weg.

De volgende avond, nadat Jean-Jacques was vertrokken, begon Maeve voor het eerst over mijn toekomst. 'Je hebt geen papieren, dus je kunt niet legaal werken.'

Ik knikte nederig. 'Maar wat moet ik dan doen?' vroeg ik, me erg onbeduidend voelend. Ik wilde dat Lotti me kon helpen, maar ze was nog niet terug uit Toulouse. Hoopvol keek ik Maeve aan.

'Je kunt au pair worden. Dat is niet erg hip, maar meer kan ik op dit moment niet voor je regelen.'

'Wat is een au pair?' vroeg ik niet-begrijpend.

'Dan woon je bij een Frans gezin in en zorg je voor de kinderen.'

'Bij een gezin? Willen ze geen referenties en dat soort dingen, als ik voor hun kinderen moet zorgen?'

'Ik weet wel een gezin. Ze hebben erg goede connecties. De vrouw komt uit een van de oudste families van Frankrijk, van moederskant tenminste. Haar vader was juwelier. Haar man, die komt uit de bourgeoisie, maar hij is erg aardig. Hij weet alles van computers. Ik ben een tijd model voor hem geweest. Hij staat bij me in het krijt.'

'Maar willen ze me wel?'

'Ze zullen je nemen omdat ik zeg dat ze dat moeten doen. Ik ben je paspoort. Daarna moet je het zelf doen.'

'Wat moet ik zelf doen?' vroeg ik.

'Een nieuw paspoort vinden,' antwoordde ze.

Vier

Ik verhuisde naar de woning van meneer en mevrouw Baleine in de Rue Victor Masse nummer 20 en ging voor hun twee kinderen, Thérèse en Marie, zorgen. 'Het huis van de walvissen,' noemde ik het in gedachten, verrukt omdat ik sinds kort in staat was om met Franse woorden en hun betekenis te spelen. Ze namen zonder iets te vragen het levensverhaal dat ik hun vertelde voor waarheid aan, maar ze noemden me 'Lily'. 'Dat is eenvoudiger voor de kinderen,' legde mevrouw Baleine uit, 'minder buitenlands.'

Catherine Baleine was hoofd inkoop van de afdeling huishoudelijke artikelen voor de Galeries Lafayettes. Ze nam haar werk erg serieus en zag zichzelf als het toonbeeld van iemand met een goede smaak. Het huis stond vol moderne apparaten en prachtige spullen; vijf kristallen kelken met lange stelen die net bevroren lelies leken, en porselein uit Dresden, een erfstuk van de familie. De bank was overtrokken met Chinese brokaatzijde met ingeweven motieven die chrysanten voorstelden. Het tafellinnen en het beddengoed waren van puur linnen, zwaar, afgezet met borduursel dat door nonnen in China was gemaakt. Op de pluizige witte handdoeken waren rozen van zwart satijn aangebracht. Maar net als het kristal en het fraaie porselein kwamen die alleen te voorschijn wanneer er gasten waren.

Mevrouw Baleine was eind dertig, lang en slank. Haar huid was strak en zat als een doek over haar hoge jukbeenderen en de benige vlakken van haar gezicht gespannen. Door de zon had haar huid de kleur van peperkoek gekregen. Ze was ongelooflijk elegant en lang. Ze had ook vreselijke rugpijn – dat kwam omdat ze altijd onmogelijk hoge hakken droeg. Dat maakte ik op uit het feit dat ze geen enkele keer vroeg of ik wilde gaan zitten. Zelf zat ze altijd op de grijze zijden bank en gaf me instructies: de kinderen moeten om zeven uur hebben gebaad, Thérèse moet om vier uur naar ballet.

Meneer Baleine was kleiner dan zijn vrouw en had modieus lang haar en een enigszins gelige huid, het soort huid dat in de zon snel bruin werd. Wanneer hij glimlachte, wat hij vaak deed, werden zijn bruine ogen glanzende spleetjes en verschenen er lachrimpeltjes naast zijn ogen. Hij bewoog zich vlug, als een mus. Hij maakte grafische ontwerpen voor levensmiddelenreclames die op tv te zien waren. Hij kon precies vertellen welke plaatjes met een computer waren gemaakt en welke niet. In zijn vrije tijd zag meneer Baleine, of Bruno, zoals ik hem moest noemen, zichzelf graag als een kunstenaar van de eenentwintigste eeuw, een computerkunstenaar. Hij stelde me voortdurend vragen over hindoegoden en Indiase muziek. Hij wilde op de computer een multiculturele tekenfilm maken, met Indiaas-Afrikaanse muziek op de achtergrond. Zijn neef, die moderne muziek componeerde, zou de soundtrack maken. Ik kon me heel weinig van de verhalen van mijn oma herinneren. We hadden nooit een hechte band gehad. Ze gaf de voorkeur aan de tweeling en vertelde mij doorgaans alleen maar wat ik niet mocht doen. Maar ik vertelde meneer Baleine zoveel als ik kon, puttend uit de verhalen van mijn moeder en mijn oma. Zijn nieuwsgierigheid kende geen grenzen, en wanneer hij naar me zat te luisteren, keek hij me aan alsof ik de belangrijkste persoon ter wereld was.

De twee kinderen, Thérèse en Marie, hadden net als hun vader donker haar en bruine ogen. Hoewel Thérèse nog maar zeven was, wist ze precies hoe ze de computer moest bedienen, verhalen moest verzinnen en mensen moest vernederen. Ze maakte me zenuwachtig. Marie was met haar drie jaar een naprater die braaf alles herhaalde wat mensen tegen haar zeiden. Maar het waren op zich hartelijke kinderen die me al snel de eenvoudige, ongecompliceerde liefde gaven die ik ooit van Sunil en Anil had gekregen. Kleine Marie was de eerste die haar aanhankelijkheid liet blijken door erop te staan dat ik, en alleen ik, haar in bad moest doen. Op een dag verbaasde Thérèse *madame*, zoals ze graag wilde dat ik haar noemde, door vol te houden dat ik haar moest voorlezen. Ik begon aarzelend omdat ik ervan overtuigd was dat Thérèse het had gevraagd om me te kunnen vernederen, want meestal verbeterde ze me zodra ik een woord verkeerd uitsprak of niet begreep. Maar naarmate ik verder las, kreeg het verhaal me steeds meer in zijn greep en vergat ik mijn toehoorders. Ik merkte niet dat Thérèse in slaap was gevallen en hield pas op toen mevrouw Baleine mijn hand pakte en gebaarde dat ik het licht uit moest doen.

Het gezin Baleine woonde in een oud bakstenen huis met houten vloeren en een zonnige binnenplaats. Er waren grote erkers en een kleine tuin met rozen die langs de gevel omhoogklommen en zich rond de ramen op de eerste verdieping slingerden. Het huis was binnen in twee gebieden verdeeld, het familiegebied en het verboden gebied. Het familiegebied bestond uit de keuken en de aangrenzende eet- annex studeerkamer op de begane grond en de kinderkamer op de eerste verdieping. In die ruimten mocht ik altijd komen. Het verboden gebied bestond uit de grote salon, de nette eetkamer, het atelier van meneer Baleine, de slaapkamer van meneer en mevrouw Baleine, de kleedkamer van mevrouw Baleine en de logeerkamer. Mijn kamer was op de tweede verdieping, op zolder, met een schuin dak en dakramen, recht boven de ouderslaapkamer. In het begin duurde het een paar dagen voordat ik aan die beperkingen was gewend. In ons huis in Nairobi waren nooit zulke beperkingen geweest, zelfs niet voor het personeel. Maar al snel ontdekte ik dat er een verschil was. In het huis van de familie Baleine volgde *iedereen* de regels. De meeste regels hadden betrekking op de kinderen en mij, maar al snel kwam ik erachter dat de volwassen Baleines ook hun eigen regels hadden. Ze gingen bijvoorbeeld nooit zonder te kloppen elkaars kamers in. Ze gingen zelden met zijn tweeën uit, tenzij ze naar het huis van de moeder van mevrouw Baleine op het platteland gingen. En wanneer Catherine zei dat er iets moest gebeuren, dan moest Bruno gehoorzamen. Wanneer ze allebei een feestje hadden, was hij degene die pas vertrok wanneer de kinderen in bed lagen.

'Waarom denk je dat ik een au pair heb genomen? Om ze naar bed te brengen wanneer wij weg moeten,' zei hij boos tegen haar. 'Ik kan je verzekeren dat ze daar heel goed toe in staat is.'

'Dat kan best zo zijn,' luidde het kalme weerwoord van Catherine, 'maar ik wil dat een van ons er elke avond is wanneer ze naar bed gaan. Wij zijn de ouders.'

'Zadel mij niet met jouw schuldgevoel op, Catherine. De kinderen weten dat ik hun vader ben, of ik nu wel of niet braaf naast hun bed zit te wachten tot ze in slaap vallen. Waarom breng jij ze deze keer niet naar bed? Ze vinden het vast leuk om je een keertje te zien.'

'Omdat ik voor mijn werk uit eten moet. Je vergeet zeker wie er hier werkt.'

'Ja, ja. Dat is het enige waaraan jij kunt denken,' zei Bruno bitter. 'Je bent geen vrouw, je bent een kantoorslaaf.'

'Als ik een...' ze lachte droogjes, '... kantoorslaaf ben, zoals jij het zo mooi uitdrukt, dan is dat omdat jij niet genoeg werkt.'

Bruno zei niets meer. Ik hoorde hem de trap oplopen en liep snel de kinderkamer in.

Al snel ontwikkelde ik vaste gewoonten. 's Morgens zorgde ik ervoor dat de meisjes werden aangekleed. Mevrouw Baleine koos de avond ervoor altijd hun kleren uit en was daar erg precies in. Ik gaf hun ontbijt en zette koffie voor mevrouw Baleine.

Daarna liet ik de kinderen naar tekenfilms kijken terwijl ik Catherine haar koffie bracht. Wanneer ik beneden kwam, zat meneer Baleine daar al koffie te drinken en de krant te lezen. Hij bracht Thérèse naar school terwijl ik nog even met Marie speelde voordat ik haar naar de crèche bracht.

Wanneer ik terugkwam, ging mevrouw Baleine naar haar werk en trok meneer Baleine zich terug in zijn atelier. Soms liet ze instructies voor me achter of legde een boodschappenlijstje op de keukentafel. Een paar uur lang was het dan stil in huis. Meneer Baleine zat in zijn atelier aan de andere kant van de gang te werken. 's Middags haalde ik Marie van de crèche, gaf haar te eten en bracht haar naar bed. Kort na vieren kwam Thérèse uit school. Ik zette thee voor haar, maakte Marie wakker en ging met hen naar het park, waar we tot een uur of zes speelden. Drie keer per week bracht ik hen naar ballet. Soms nam meneer Baleine een pauze en speelde dan een halfuurtje met zijn kinderen om ze vervolgens weer aan mij over te dragen. Daarna waren ze altijd een beetje humeurig en ongehoorzaam en behandelden me als een bediende. Ik had dan altijd zin om hen te slaan. Ik leerde echter al snel hoe ik hen af kon leiden: door gekke spelletjes te verzinnen die ze leuk vonden, of door ineens in het Engels te gaan praten, waarnaar ze vol verbazing luisterden. Om half acht aten we en daarna bracht ik de kinderen naar bed. Daarna was ik vrij. Soms ging ik na het avondeten naar de naburige bioscoop. Soms, vooral 's zomers, ging ik alleen maar een wandelingetje maken en dan keek ik hoe het licht verdween en de ramen begonnen te glanzen. Ik vermeed echter altijd de grote boulevards, omdat ik in de ban was van de irrationele angst dat ik misschien mijn oom of meneer en mevrouw Ramdhune tegen zou komen en dat ze zouden zien dat ik was gedegradeerd tot de positie van bediende.

Vijf

Meneer Baleine nodigde bijna nooit iemand thuis uit, maar zijn vrouw gaf bijna iedere twee weken een chic etentje voor tien, veertien mensen. Ik was dan ook verbaasd toen hij me op een dag een boodschappenlijstje gaf en vertelde dat zijn neef, de componist, met zijn nieuwe vriendin kwam eten en dat ze allemaal samen *en famille* zouden dineren. 'Dat geldt ook voor jou,' voegde hij er vriendelijk aan toe. En dus zat ik later die avond aan de eettafel met aan mijn ene zijde Marie en aan mijn andere Thérèse. Tijdens het eten bleef de vriendin, die was behangen met futuristische sieraden, door me heen kijken alsof ik niet bestond.

Meneer Baleine had *canard a l'orange* gemaakt, maar de vriendin was vegetariër, zodat hij van het begin af aan al een slecht humeur had. De componist zei sowieso al niet veel en leek de hele avond verdiept te zijn in muziek die verder niemand kon horen. Ook mevrouw Baleine leek afgeleid en afstandelijk. Ze boog zich over Marie heen en wist tegelijkertijd te tutten en streng te kijken terwijl ze probeerde om haar zonder knoeien te laten eten.

De gesprekken tijdens het eten verliepen dan ook moeizaam. Alleen de vriendin praatte de hele maaltijd lang honderduit tegen Catherine, eerst over hoe anderen, vooral mannen, haar altijd maar kwetsten omdat ze te veel van hen hield en vervolgens over de voordelen van het vegetarisme. Het gezicht van meneer

Baleine betrok steeds meer. Zelfs de componist merkte dat de sfeer gespannen was en probeerde het goed te maken door de eend uitbundig te prijzen. 'Heel professioneel,' zei hij. 'Je zou kok moeten worden. Begin een restaurant. Dankzij al die mensen die Catherine kent, zou het vanaf de eerste dag een doorslaand succes kunnen zijn.'

Het gezicht van meneer Baleine vertrok. 'Hou je mond, Claude,' zei hij, 'en neem nog wat wijn.' Hij pakte de fles en vulde zijn eigen glas en dat van zijn neef bij.

Ineens wendde de vriendin, die de hele avond tegen Catherine aan had zitten praten, zich tot meneer Baleine en zei: 'Vertel me eens, ben je er blij mee dat je plaatjes van lachende honden en dampend hondenvoer moet maken?'

Meneer Baleine keek haar zonder iets te zeggen door zijn wijnglas heen aan. Andere gesprekken vielen stil. Iedereen keek hem aan. Hij zei met afgemeten, behoedzame stem: 'Nou, het is altijd nog beter dan de afdankertjes van andermans verbeelding kopen en jezelf ermee behangen in de hoop dat je er interessanter door wordt.'

De vriendin werd bleek. Er viel een akelige stilte. Iedereen leek verlamd te zijn, behalve Marie, die ineens kwetterde: '*Maman*, waarom heeft Lily bruine tepels en jij roze?'

Iedereen aan tafel schoof ongemakkelijk heen en weer. Toen begon Thérèse te giechelen. Meneer Baleine leek verdiept in zijn lege bord. Mevrouw Baleine keek me afkeurend aan, alsof ze wilde zeggen: hoe heb je mijn kinderen kunnen toestaan dat ze jou in bad zagen? Meneer de componist hield snel zijn servet voor zijn mond. Zijn vriendin keek naar het lelijke portret in de stijl van de Académie van de grootvader van mevrouw Baleine. De arme Marie had inmiddels in de gaten gekregen dat ze iets had gezegd wat ze niet had mogen zeggen. Haar gezichtje werd rood en ze probeerde uit alle macht haar tranen tegen te houden. Ik begon te lachen, aanvankelijk aarzelend, maar toen met meer overtuiging.

'Weet je, Marie,' zei ik tegen haar, 'ik heb donkere tepels omdat ze dan bij mijn bruine huid passen.' De frons verdween van haar gezicht en de tranen kwamen niet.

Thérèse klapte in haar handen en zei opgetogen: '*Mais, c'est évident ça, Marie. Tu vois.*' Mannelijk gelach echode rond de tafel, en zelfs de vrouwen glimlachten. Ik keek opgelucht op en merkte dat meneer Baleine met glanzende ogen naar me keek.

De volgende dag riep hij me bij zich in zijn atelier. Ik ging aarzelend naar binnen. In de kamer was het koel en donker. Grote dozen en apparaten stond langs de wanden opgestapeld. De kleine overgebleven ruimte in het midden werd overheerst door een groot tv-scherm, verschillende kleine monitoren en een groot wit bureau met een pc. Op het scherm was een afbeelding te zien van een pot mosterd met het gezicht van een vrouw erop. Ik keek ernaar. Ineens vulde de kamer zich met muziek, hoge roffelende muziek die zich vormeloos voortslingerde. De mosterd en het gezicht begonnen rond te draaien totdat de vormen niet langer te onderscheiden waren. De muziek bereikte een jammerend hoogtepunt, en uit de rondtollende pot kwamen fonteinen van zonnebloemen. Toen klonk het ritme van Afrikaanse trommels, over zachtere muziek heen. Het gezicht van een beeldschone vrouw vulde het scherm. Haar donkerrode lippen vertrokken zich tot een glimlach, en toen veranderde het gezicht. De ogen werden groter en donkerder, het blonde haar werd zwart, de lippen zwollen op, en ineens stond er een Afrikaans gezicht op het scherm. Het gezicht spleet uiteen en vormde een spinnenweb met in het midden een naakte vrouw. Ze had een smal middel en volle, sensuele dijen, en haar huid had de kleur van het donkere hart van een zonnebloem. Geboeid deed ik een stap naar voren. In haar schaamhaar had zich een paarsgroene spin genesteld. De muziek hield ineens op, maar het beeld bleef onbeweeglijk en levenloos op het scherm staan.

'Dat is mijn werk. Vind je het mooi?' Zijn stem klonk zacht

in het donker. Achter hem gloeide het beeldscherm in blauw en groen.

'Het is...' Ik was zenuwachtig. De vreemde afbeelding die op het scherm bleef staan, verbijsterde me. 'Het is een andere wereld,' zei ik ademloos, en toen besefte ik hoe dom dat moest klinken. Ondanks de airconditioning begon ik te zweten. Zweetdruppeltjes parelden langs mijn ruggengraat, en ik begon te huiveren toen de druppels door de koude droge lucht snel verdampten.

Hij grinnikte. 'Een andere wereld. Zo kun je het ook zeggen. Het is een wereld die alleen in het hoofd bestaat.'

'Waar is het voor?' vroeg ik nieuwsgierig.

'Het is een advertentie voor parfum die ik onlangs voor een tijdschrift heb gemaakt. Ik wilde er een beetje mee spelen en heb later de muziek en een paar beelden toegevoegd.'

'Wat gaat u er nu mee doen?'

'Dat weet ik niet,' antwoordde hij. Hij draaide zich om, staarde naar het scherm en drukte op een paar toetsen. De beelden kwamen weer tot leven, maar nu zonder muziek. 'Ik denk dat ik iets probeer te zeggen. Over geuren. Wij Fransen zijn een volk dat erg gevoelig is voor geuren. Per slot van rekening hebben we het parfum uitgevonden!' Hij bleef aandachtig naar het scherm kijken. 'Maar door de reclame is alles veranderd. We reageren niet langer ergens op omdat het een bepaalde geur heeft, maar omdat we het alleen nog maar zien, dus visueel. Uiteindelijk zal de mens al zijn andere zintuigen verliezen omdat hij ze niet meer nodig heeft. Parfum, mosterd. Het zal allemaal hetzelfde zijn, alleen de vorm en de kleur van de verpakking zullen verschillen.' Hij voegde er geestdriftig aan toe: 'Dat is niet bijster origineel. En als je vandaag de dag kunstenaar wilt zijn, dan moet je origineel zijn, anders ben je niets waard... Woorden, woorden. Ik haat ze.'

Ik bleef zwijgend naast hem staan en vroeg me af of ik weg moest gaan of juist niet.

Ineens merkte hij dat ik over zijn schouder mee stond te kijken. 'Wil je het zelf eens proberen?' vroeg hij. Hij trok de witte, rechthoekige muis die naast de pc lag naar me toe en legde mijn hand erop. 'Zie je dat kleine pijltje daar op het scherm? Dat is de cursor, die beweeg je met de muis.'

'Echt? Wat grappig,' giechelde ik zenuwachtig.

Hij fronste. 'Wat is daar zo grappig aan?'

Ik stamelde een verklaring. 'Ik vind ratten leuk. Mijn eerste vriend in Frankrijk was een rat. Ik zag hem tussen de rails van de metro. Er waren daar veel ratten, maar hij was alleen – net als ik.' Ik zweeg plotseling, bang dat ik te veel had gezegd.

Maar meneer Baleine keek me warm aan, met een blik vol medeleven. 'Arme ziel, ik had geen idee dat je het zo zwaar hebt gehad.' Hij gaf me een onhandig klopje op mijn hand. Toen zei hij zacht: 'Ik schaam me dat ik nooit heb gevraagd hoe het met je gaat. Is alles in orde? Gedragen de kinderen zich? Ben je hier gelukkig?'

Waarom vraag je dat nu pas, na al die tijd, dacht ik. 'Alles is in orde, meneer. De kinderen zijn erg lief. Ik ben erg tevreden, dank u,' zei ik snel.

Nerveus likte hij langs zijn lippen. 'Ik ben blij dat je het goed maakt,' zei hij plechtig. Ik keek op, in de verwachting dat ik beleefd zou worden weggestuurd. Maar hij bleef doorpraten, met een stem die steeds warmer klonk. 'Volgens mij heb je een erg sterk karakter, *non*? Parijs is vast heel anders dan jouw land, maar je lijkt hier volkomen *à l'aise*. Ik kan me herinneren dat je aan tafel zo onverstoorbaar was toen Marie zei...' Hij zweeg, plotseling beschaamd.

'Dat ik donkere tepels heb,' maakte ik zijn zin af.

Hij lachte, en zijn oren werden felrood. 'Zo had ik het niet willen zeggen,' zei hij, 'maar ik ben blij dat jij het hebt gezegd.' Hij keek me hongerig aan. 'Ik heb vannacht over je gedroomd.'

Ik voelde me opgetogen, maar ook verlegen. Had hij me soms voor zich zien liggen, net zoals de vrouw op het scherm? Ik zei niets en keek naar mijn schoenen. Hij kwam dichterbij, en ik kon de warmte van zijn lichaam voelen. Hij rook lekker, naar kaneel en zout en sigarettenrook. Dat moest me al eerder opgevallen zijn, besefte ik, omdat zijn geur bijna vertrouwd was.

Hij legde zijn hand onder mijn kin en hief mijn gezicht naar hem op. Ik deed snel mijn ogen dicht in de hoop dat ik hetgeen wat ging komen uit kon stellen.

Hij lachte zachtjes en greep mijn kin steviger beet. 'Je ogen verbergen vele geheimen, kleintje. Ik vraag me af hoeveel je van het leven hebt gezien.' Zijn stem klonk gedempt, ver weg. Ik deed mijn ogen open. Zijn ogen glansden. Uiterst teder kuste hij me. Zijn soepele lippen sloten zich om de mijne, me voorzichtig dwingend om mijn mond te openen. Ik hoorde hem zuchten. Ik deed mijn mond verder open en voelde de huid van zijn lippen. Wat vreemd dat de lippen van een man zo zacht konden zijn. Ik had gedacht dat kussen hard en sterk zouden zijn – zo zag het er in films altijd uit. Een deel van me voelde zich vreemd omdat ik eindelijk deed wat ik mensen zo vaak op het scherm had zien doen. Het voelde onwerkelijk, alsof ik de toeschouwer was, ver weg van wat er met me gebeurde, ontdaan van alle verantwoordelijkheid.

Eindelijk trok hij zich terug en keek op me neer. 'Dat heb ik al heel lang willen doen,' fluisterde hij. Hij zag er anders uit: zijn ogen hadden hun scherpe blik verloren en het licht erin was doffer geworden. Ik voelde een vlaag van wanhoop. Misschien had ik hem teleurgesteld. Ik hief mijn gezicht op voor meer. Zijn ogen lichtten weer op. Dit betekent het dus om mooi te zijn, dacht ik verrukt, dat je de ogen van een man kunt laten glanzen van liefde!

Toen kuste hij me weer, en ik drukte mijn lippen op de zijne, hem proevend zoals hij mij proefde. Zijn handen gleden onder mijn blouse. Ik deed hetzelfde bij hem. Zijn lichaam huiverde bij wijze van antwoord. Hij trok mijn heupen hard tegen de zijne. In mijn onderbuik voelde ik een plotselinge druk, botten en spieren werden vloeibaar en draaiden en tolden.

We bedreven staande de liefde, met mijn benen als een riem om zijn middel geslagen. Ik voelde heel even een vreselijke pijn, maar die verdween omdat ik wist dat iemand me beminde, en ik trok hem dicht tegen me aan. Later bood hij zijn verontschuldigingen aan omdat hij me pijn had gedaan en veegde mijn bebloede dijen schoon met papier uit de printer.

We keken elkaar zwijgend aan, niet als vrienden of minnaars. Ten slotte zei hij ferm: 'Ga nu maar, liefje. Dat had ik niet mogen doen.' Ik wilde vragen waarom niet, maar had niet genoeg vertrouwen in mijn Frans. Ik bleef hem dus suf aanstaren, met een blik vol vragen.

In de veilige beslotenheid van mijn kamer begon mijn lichaam te gloeien. Mijn lippen voelden zwaar aan, en mijn heupen leken anders te bewegen, naar achteren en naar voren zwaaiend alsof de herinnering aan de beweging die ik zo-even had geleerd er voor altijd in was gegrift. Ik voelde binnen in me de walging opkomen. Mijn lichaam had me verraden.

Ik rende naar de badkamer en deed de deur op slot. Toen ik stond te wachten tot de douche warm genoeg was, merkte ik dat zijn geur nog steeds aan me kleefde. De geur kringelde dik als damp om me heen. Ik ging me vreselijk schuldig voelen. Ik had iets verkeerd gedaan, het was mijn fout. Ineens dacht ik aan Maeve en haar lange douches. Ik herinnerde me dat Jean-Jacques zijn hand in haar ochtendjas liet glijden. Ik stapte onder de gloeiendhete douche en hief mijn gezicht op naar de krachtige straal. Al snel begon mijn gezicht te kloppen van pijn, maar ik hield het omhoog.

Toen ik eindelijk onder de douche vandaan stapte, deed mijn gezicht zo'n pijn dat ik niet meer helder kon denken. Ik wankelde naar mijn kamer en ging op het bed liggen, met mijn gezicht naar de muur. Ik keek mijn kamer rond en vroeg me af of dit mijn laatste nacht zou zijn. Ik probeerde me voor te stellen wat hij tegen haar zou zeggen. Ik zag haar gezicht voor me, verwrongen van woede door het gevoel bedrogen te zijn. Ik zag voor me dat ze me op straat zou zetten, terwijl de kinderen vanaf de trap toekeken. Ik vroeg me af waar ik heen moest. Deze keer zou Lotti me niet helpen, dat wist ik. Sinds ik bij de familie Baleine was ingetrokken, had ik haar niet meer gesproken. En Maeve? Ze had erop gezinspeeld dat ze me niet verder kon helpen. Het was niet haar woning, maar die van Jean-Jacques, die niet van gasten hield. Ik had gefaald, bedacht ik mismoedigd, ik had mijn kansen op een paspoort verspeeld.

Zes

Die zomer werden Bruno en ik minnaars. Ik voelde me niet langer eenzaam. Ik was niet meer jaloers op andere gezinnen. Ik was tevreden. Mevrouw Baleine nam de kinderen mee naar de Bretonse kust. Ik voelde me veilig. In juli bleef het heet en dat duurde tot half augustus. Parijs liep leeg en stroomde toen weer vol met toeristen en geesten. De straten werden onze speeltuin en ik begon op een andere manier van de stad te houden.

Toen ik op een morgen wakker werd, had ik het koud. Ik keek omhoog naar het open dakraam. De hemel was nog steeds blauw, maar de lucht was niet langer heet en stil. Er waaide een kille wind. Ik stond op en deed het raam dicht. Bruno keek me aan en wreef overdreven in zijn ogen. 'Jeetje, wat een geweldig uitzicht heb ik toch,' zei hij plagend.

Ik liet me boven op hem vallen en deed net alsof ik hem wilde verstikken. Het spelletje kwam tot een einde toen ik onder hem lag en hij met zijn handen mijn armen op hun plaats hield. Zwijgend keken we elkaar aan.

'De wind is gedraaid,' zei ik ernstig. 'Het is weer koud.'

Hij deed net alsof hij verbaasd was. 'O ja? Dan moet ik je maar opwarmen.'

Ik lachte niet, en toen hij met me begon te vrijen, dwaalden mijn gedachten af. Ik dacht aan Marie en Thérèse. En aan wat ze zouden denken als ze ons nu konden zien.

Ineens hield hij op. 'Wat is er? Vind je me niet meer interessant?' zei hij geërgerd.

Ik keek hem versuft aan. 'Ik lag te denken,' zei ik.

'Waaraan?'

'Aan de toekomst,' antwoordde ik.

Hij draaide zich op zijn rug en tastte naar zijn sigaretten. Snel stak hij er eentje op en nam een lange trek. 'Vrouwen!' zei hij. 'Ik wist dat je hier ooit over zou beginnen. Jullie zijn ook allemaal hetzelfde.'

'Hoe... hoe bedoel je?' Hij gaf me het gevoel dat ik dom en middelmatig was.

Hij lachte. 'Als puntje bij paaltje komt, hebben jullie alleen maar belangstelling voor jezelf.'

De volgende dag vertrok hij naar Bretagne. Deze keer was de eenzaamheid bijna onverdraaglijk. Ik liep gewikkeld in die eenzaamheid over straat, en niemand kwam bij me in de buurt, niemand zei iets tegen me. Ten slotte kreeg ik het gevoel dat het allemaal mijn schuld was. Ik had hem gekwetst door niet op zijn strelingen te reageren en daardoor alles kapotgemaakt. Ik wilde dolgraag met iemand over Bruno praten, maar de woorden die me te binnen schoten, waren niet mooi. Ik kon er dus niet over praten.

Toen ze terugkwamen, ging alles al snel weer zijn gangetje. De kinderen waren zoals ze altijd waren geweest, alleen langer en stralender en vol verhalen over hun oma. Mevrouw Baleine was afstandelijk en gracieus, iets meer ontspannen dan voorheen en bijna even bruin als chocolade. Alleen Bruno leek nerveus en gespannen.

Op een dag, toen ik de kinderen naar school had gebracht en door de poort weer naar binnen kwam, stond hij in de tuin op me te wachten. Hij liep naar me toe en pakte mijn arm. Ik bleef staan in zijn armen. 'Het spijt me,' zei hij.

Ik wendde mijn blik af. 'Het spijt me' kon niet iets goedmaken wat kapot was, had tante Latha niet zoiets gezegd? 'Dat kun je makkelijk zeggen,' zei ik zacht.

Hij keek verbaasd en toen ongemakkelijk. 'Je hebt gelijk,' gaf hij met tegenzin toe. 'Ik kan mijn woorden niet terugnemen. Maar ik wil het uitleggen. Ik geef om je. Je bent zo mooi, en lief, en... en jong. Ik wil je zo graag.'

'Maar hoe zit het dan met mevrouw Baleine?' vroeg ik hem op kille toon.

'Catherine?' zei hij lachend. 'Die kan in naam mijn vrouw blijven.'

'Stel dat ze achterdocht krijgt?' vroeg ik nerveus.

'We zullen voorzichtig zijn. Maak je geen zorgen,' zei hij, over mijn haar aaiend, 'ze is trouwens heel beschaafd.'

'Te beschaafd om jaloers te worden?' vroeg ik weifelend.

'Zeker.'

Daarna gingen we elke keer wanneer er niemand thuis was naar elkaar toe, maar het was anders. Er was geen sprake meer van vrijheid. We waren gedwongen om elkaar in het huis te zien, omringd door zichtbare herinneringen aan Catherine en de indruk die we zelf naar buiten toe maakten. Het duurde even voordat we die indrukken achter ons konden laten en weer de geliefden konden worden die met elkaar vertrouwd waren. Telkens wanneer we weer aan elkaar gewend waren, moesten we onze gezichten naar buiten toe opzetten zodat de kinderen niets zouden vermoeden en Catherine niet zou merken dat er tijdens haar afwezigheid een andere sfeer in huis hing. De scheiding eindigde dus nooit. Naarmate de tijd vorderde, werden mijn twee persoonlijkheden, geliefde en au pair, maskers. Ik voelde me in huis of tijdens het vrijen niet langer op mijn gemak. Haar aanwezigheid was altijd voelbaar en ze keek de hele tijd over mijn schouder mee. Ik begon me in huis onderdrukt te voelen en ging steeds vaker buiten wandelen, waar ik me de vrijheid van die zomer herinnerde.

Op een avond, toen we net hadden gevreeën, vroeg hij ineens: 'Waarom een rat?'

'Wat?' Ik had geen idee waar hij het over had.

'Waarom ben je bevriend geraakt met een rat?'

'O, de rat.' Die was ik alweer bijna vergeten. 'Ik... ik weet het niet. Misschien wel gewoon omdat hij er was.'

'Dat is geen antwoord,' vond hij. 'Je moet iets beters verzinnen. Ik zal de vraag anders stellen. Waarom koos je een rat als je persoonlijke totem?'

'Wat is een totem?' vroeg ik aarzelend.

Hij lachte. 'Een totem is de geest van een dier die, omdat er een persoonlijke affiniteit met je innerlijke persoonlijkheid bestaat, je symbool wordt. Het symbool van je ziel,' legde hij uit, alsof hij het tegen een kind had.

'Is het raar dat ik een rat als mijn symbool koos?'

'Raar? Is er tegenwoordig nog iets raar? Ik vind het wel interessant. En heel origineel.'

'Echt?' Ik was op mijn hoede. 'Waarom? Waarom denk je dat de rat mijn symbool is?'

'Niet alleen jouw symbool, maar ons symbool,' zei hij met een bitter lachje. 'Misschien maak ik er wel een videokunstwerk over, als Tom en Jerry. Toen de kat van huis was, dansten de ratten op tafel, en toen de kat terugkwam...'

'Zaten de ratten in de val,' viel ik hem snel in de rede. 'Vertel haar dan over ons. Vertel Catherine dat je van me houdt. Dan voel je je weer gewoon. We kunnen samen zijn als je dat wilt, zonder dat we van elkaar gescheiden hoeven te zijn en moeten doen alsof, waardoor ik amper het gevoel heb dat ik leef!'

Hij was doodstil, maar begon weer te lachen. Het was een spottende, sarcastische lach. 'Gek kind, wie maalt er nog om wat gewoon is? We hebben alles wat gewoon was uit elkaar gehaald, aan onzichtbare scherven gegooid die nooit meer aan elkaar kunnen worden gelijmd. We hebben de preutsheid weggekrabd en de leegte vanbinnen zichtbaar gemaakt.' Hij hield even op en blies een kring van rook. 'Niemand wil nog gewoon zijn, gewoon is saai. We willen allemaal anders zijn. Is dit anders genoeg voor jou?'

‘Maar ik wil niet anders zijn. Ik wil gewoon zijn,’ jammerde ik boos.

Hij ging echter op dezelfde toon verder: ‘Wat betreft onze *cher* meneer en mevrouw Gewoon, die bestaan alleen in de verbeelding.’ Hij lag op zijn rug op mijn bed en keek naar het plafond. Hij blies meer rookkringen uit die in de duisternis opstegen, tot aan het einde toe volmaakt rond. ‘Gewoon is dood.’

Ik voelde dat hij weggleed. In mijn gedachten zag ik dat hij zijn kleren van de vloer raapte en wegging.

Snel gooide ik het dekbed van me af en stak de kaars naast het bed aan. Wanneer het vollemaan was, hadden we geen kaarsen nodig, maar vanavond was de maan een sikkel die geen licht gaf. Ik klom boven op hem, ging schrijlings op zijn heupen zitten en gaf het antwoord dat hij wilde horen: ‘De rat was mijn symbool omdat hij net als ik geen Frans sprak.’

‘Maar nu spreek je het vloeiend,’ zei hij lachend.

Ik had echter nog nooit in mijn leven het gevoel gehad dat me zo de mond werd gesnoerd. Ik glimlachte verwrongen. ‘Ja, ik spreek het vloeiend,’ zei ik, en ik liet de r rollen, net zoals tante Latha altijd had gedaan.

Zeven

Aanvankelijk was het me niet opgevallen dat ik begon te ruiken. Tot de geur er op een dag was.

Het was een zonnige morgen in oktober, nadat we drie weken koude wind en regen hadden gehad. Een vrije dag lag voor me. Marie was de hele dag bij een vriendinnetje en ik hoefde Thérèse pas om vijf uur op te halen. Ik liep langs de rand van het Cimetiére de Montmartre en toen de heuvel op naar mijn lievelingscafé, Le Sandwich. Het was een wonderlijk café. De inrichting was een ongewone mengeling van een Amerikaans fastfoodrestaurant en Duitse Jugendstil van rond de eeuwwisseling, die de basis vormde. Enorme uitgeknipte hamburgers hingen aan het krullerige rood en goud gestuukte plafond. De muren waren bedekt met barokke gouden spiegels en lambrisering van donker hout, die er eeuwenoud uitzag.

Hun *pâtisserie* was uitstekend, en de eigenaar, Jean-Luc, was dol op India. Hij was er al een paar keer geweest. Toen hij me dat vertelde, deed dat me vreemd genoeg plezier. Jean-Luc hield het meeste van de Indiase kalenders met Ganesh met de olifantenkop en Hanuman, de apengod, erop. De kalenders hingen aan de muur achter de bar, en de bewerkte spiegels op de muur ertegenover weerspiegelden ze *à l'envers*, precies zoals Jean-Luc ze graag zag. '*Aha, l'Inde*,' zei hij dan, '*c'est épatant*.' Zo leerde ik dat woord, als een bijvoeglijk naamwoord voor India.

Toen ik binnenkwam, was het café bijna helemaal leeg. Alleen het jonge Frans-Vietnamese hulpje stond achter de bar. Jean-Luc kwam bijna nooit voor elven binnen. Het hulpje had verleidelijke ogen die je vanonder de rand van zijn honkbalpet volgden. Ik probeerde met hem te flirten. 'Ik wil die amandelcroissant,' zei ik. Toen hij zich vooroverboog om de croissant uit de glazen bak te halen, boog ik me ook voorover en drukte mijn lichaam tegen het glas. De hand die naar de croissant reikte, bleef even stil hangen en bewoog toen soepeltjes verder. Met een onbewogen gezicht gaf hij me het broodje aan. Toen ik het aanpakte, liet ik mijn vingers zachtjes langs zijn handen glijden. Maar hij wilde me niet aankijken. Ik wachtte aarzelend. Toen werd ik ineens getroffen – door een duistere, dierlijke geur, die te sterk was om beschaafd te kunnen zijn, te krachtig om te worden verborgen. Het was een geur die zo schaamteloos was dat hij in de nacht thuishoorde, of bij een van die persoonlijke momenten van eenzaamheid die je niet kunt delen. Het verbaasde me dat ik hem hier rook, in het openbaar, waar iedereen hem kon ruiken. De geur klampte zich aan me vast en drong meedogenloos mijn neusgaten binnen. Ik had nog nooit eerder zoiets geroken. Ik keek naar het hulpje, me afvragend of hij het ook rook. Zijn gezicht bleef onbewogen. Ik keek om me heen, zoekend naar de bron van de geur, omdat ik er zo ver mogelijk vandaan wilde blijven. Tegelijkertijd wilde ik heel graag weten wat voor soort man de moed had om zich met zo'n persoonlijke geur in het openbaar te vertonen. Hij kent geen enkele schaamte, dacht ik verbaasd.

Maar er stond niemand achter me. Ik stond in mijn eentje voor de bar. Het hulpje was naar achteren gelopen om de telefoon op te nemen. Ik kon de lage klanken van zijn stem horen toen hij in de hoorn sprak. Er was een zachte uitdrukking op zijn gezicht verschenen. De lucht moest van mijzelf komen. Hij hing overal om me heen. Misschien heb ik in de hondenpoep getrapt, dacht ik wanhopig. Ik liep snel van de bar naar een tafeltje achter in het café. Ik legde mijn croissant op tafel en boog me voorover, alsof ik mijn veters vast wilde maken, en viel bijna om toen de geur een nieuwe aanval inzette.

Ik kon niet meer nadenken. Er was geen twijfel mogelijk, de lucht kwam van mijzelf. Toen schoot me iets te binnen wat net zo vreselijk was. Het hulpje moest het ook hebben geroken. Daarom had hij zich afgewend, walgend. Ineens kreeg ik het heel erg koud. Iedereen zou het straks ruiken, mevrouw Baleine, meneer *le Compositeur*, de kinderen en Bruno... *pu, pu, puer*. Die woorden echoden in mijn hoofd. Binnenkort zouden ze allemaal weten dat de lucht van mij kwam. En dan zouden ze me wegsturen.

Ik liet mijn croissant liggen en rende het café uit. Er was een koude wind opgestoken, die door mijn kleren, mijn openhangende jas en mijn trui sneed. Ik deed er niets tegen, in de hoop dat de wind de stank zou verdrijven, maar toen de wind langs me heen blies, kon ik nog steeds sporen ervan onderscheiden.

Ik rende de straat uit, langs het park, een brede straat in. Ik stuitte op een supermarkt en ging naar binnen. Ik baande me een weg langs de andere klanten, naar het *rayon beauté*. Hier stonden rijen maagdelijk witte planken met ontelbare strekkende meters aan producten die nare luchtjes moesten verdrijven: shampoo, deodorant, antitranspiratiemiddelen, bodyspray, talkpoeder, zeep, crème, *exfoliants*, *gommages* en *collages*. Die waren voor de buitenkant. Voor de binnenkant waren er tandpasta, mondwater, vaginale douches, maagspoelingen, lavementen en neusspoelingen. Voor elk gat en elke holte in het lichaam was er een speciaal product.

Mijn hart ging weer rustiger kloppen toen ik de aanblik van al die heerlijk riekende producten in me opnam. Ik ga ze allemaal kopen, besloot ik, voor elk stukje van mijn lijf. Ik ga mijn binnenkant en mijn buitenkant reinigen, en daarna bedek ik elke plooi in mijn lichaam met parfum. Ik haalde de spullen een voor een van het schap: lavendelzeep, badschuim met white linen-geur, badschuim met sandelhoutgeur, schuimbad met alpengeur, *gommages* en *rinçages*, shampoo en scrubcream, drie *dentifrices*, en douches voor elke lichaamsopening. En toen ging ik verder met de crèmes: crème voor de handen, het lichaam, het gezicht, de lippen en onder de ogen. Ik kocht ze allemaal. Ten slotte ging ik naar het schap met parfum. Mijn karretje was al halfvol en moeilijk voort te duwen. Ik duwde uit alle macht. Het gleed opzij en botste bijna tegen een ander, bijna leeg karretje op, dat verlaten midden in het gangpad stond. '*Mince, mais qu'est-ce que vous faites*?' zei iemand op geërgerde toon.

Mijn hart klopte in mijn keel. Ik herkende die schraperige, schuurpapieren stem al voordat de bezitster ervan zich omdraaide. Ja, het was Maeve. Ik had haar niet meer gezien sinds ik negen maanden geleden bij de familie Baleine was gaan wonen. Ze had me haar telefoonnummer niet gegeven en ik had er ook niet naar gevraagd. Maeves roodblonde haar was langer, zag ik, maar verder zag ze er hetzelfde uit, misschien nog wel mooier dan ik me kon herinneren. Haar grijsgroene ogen en volle lippen hadden nog steeds dezelfde betoverende uitwerking.

'Maeve, je ziet er prachtig uit,' zei ik, happend naar adem. Het was een gewoonte geworden om elk gesprek met een verwijzing naar haar schoonheid te beginnen.

Ze keek me glimlachend aan. Haar ergernis was verdwenen. 'Kijk eens aan, het is mijn kleine *orpheline indienne. Comment vas-tu*?'

'Ik? O, goed, heel g-goed,' stamelde ik.

Haar blik gleed onwillekeurig naar mijn karretje, en er verscheen een scherpe uitdrukking op haar gezicht. 'O jeetje,' zei ze spinnend, 'zijn al die schoonheidsproducten voor jou?'

'Ik... Nee... Nou... Niet allemaal.' Ik begon te zweten en beet nerveus op mijn lippen.

'Mmm.' Maeve geloofde me niet.

'Hoe gaat het met jou?' zei ik, in een poging het gesprek weer op haar te brengen.

'*Ça va*,' zei ze gapend. '*Ça va bien en fait*. Ik heb Jean-Jacques verlaten.'

'Opgeruimd staat netjes. Je was veel te goed voor hem.' Ik vroeg me af hoe ze dat had gedaan. Hij moest een vreselijke herrie hebben geschopt. 'Hoe is het met je huis?' vroeg ik verlegen, me afvragend of Jean-Jacques haar op straat had gezet.

'Ik heb geen idee,' antwoordde ze op verveelde toon. 'Ik ben verhuisd. Ik woon hier nu vlakbij.'

'O.' Ik wist niet wat ik moest zeggen.

'Ik ga volgende week naar Jamaica. Ik kwam wat zonnebrandolie halen. En misschien wat parfum, iets kruidigs maar niet zwaar, snap je. Misschien kun je het me helpen uitzoeken,' zei ze terwijl haar ogen over mijn karretje gleden, 'je bent immers een echte *amateur d'odeur* geworden.'

Ik huiverde toen ik die woorden hoorde. Wist ze het? Kon ze me ruiken?

'Ach, dat weet ik niet,' zei ik aarzelend. 'Zulke dingen zijn zo...'

'Maar je komt uit India, het land der geuren, je moet verstand hebben van *odeur*.'

Ik had het gevoel dat ze me een klap had gegeven. 'Ik kom uit Afrika, niet uit India,' snauwde ik. Ik zag dat haar trekken verstrakten. Snel probeerde ik het goed te maken. 'Het spijt me, ik ben gewoon een beetje jaloers. Ik kom nooit ergens, en het lijkt me heerlijk om naar Jamaica te gaan. Wat heb je een geluk, Maeve. Bij thuiskomst zul je nog veel mooier zijn omdat je bruin bent geworden.'

Vleierij werkte altijd bij Maeve. Haar gezicht verzachtte zich een beetje. 'Jamaica is geweldig. Prachtige hotels, stranden, goede muziek, cocktails met vers fruit, en de mannen kunnen geweldig dansen. Een heerlijke cultuur. Iedereen wil gewoon plezier hebben.'

'Dat is geweldig, Maeve.' Ik dwong mezelf om enthousiast te zijn. Ze bofte zo. Ik zou er alles voor overhebben om met Bruno op vakantie te gaan. Toen ik aan hem dacht, kwam ik met een schok weer in het heden terug. Ik koop de parfum wel ergens anders, dacht ik. Ik pakte mijn karretje vast en wilde doorlopen.

'Leela, wacht eventjes.' Maeve hield me tegen. 'Ik moet nog één dingetje hebben, en dan kunnen we samen gaan.' Ze pakte een traanvormig flesje van een van de schappen. 'Ik denk dat ik toch maar zelf mijn parfum kies. Het zou best kunnen dat jij iets zou kiezen wat bij mij vreselijk ruikt, nietwaar?' Haar mond glimlachte toen ze dat zei, maar haar ogen waren kil. Ze was mijn woorden nog niet helemaal vergeten. 'En jij,' ging ze verder. 'Ik zie dat jij nog helemaal geen parfum hebt. Zo lijkt je karretje niet helemaal compleet. Wat zou jij kiezen?'

Mijn blik gleed nerveus langs de schappen. In Maeves nabijheid was zelfs het kiezen van parfum een beproeving. Ik had altijd het gevoel dat ze me op de proef stelde en wachtte tot ik mezelf op de een of andere onvoorstelbare manier zou verraden. Mijn oog viel op een rode doos met 'Samsara' erop. 'Samsara,' zei ik. 'De wereld der materie, de wereld der illusie, van het lichaam. Hoe toepasselijk.'

'O ja, *de chez* Guerlain,' zei Maeve. 'Niet mijn stijl. Te zwaar en te oosters. De geur wikkelt zich als een deken om je heen. Maar ik kan me voorstellen dat hij wel bij jou zou passen.'

Ik keek haar scherp aan, maar van haar gezicht was niets af te lezen. Ik pakte een grote fles parfum. 'Dank je,' zei ik glimlachend. 'Precies wat ik nodig heb.'

Toen we hadden afgerekend, liepen we samen naar buiten.

'En, heb je een *copain*?' vroeg Maeve.

'Nee,' antwoordde ik kortaf. 'Ik heb geen tijd voor een vriendje.'

Ze deed net alsof ze me geloofde. 'Dat dacht ik al. Ik heb je vriendin Lotti verteld dat je haar daarom waarschijnlijk niet had gebeld.'

Ik bloosde schuldbewust en deed net of ik verbaasd was. 'Heeft Lotti je gebeld? Ik wist niet dat ze al terug was.'

'O ja, en ze was erg overstuur. Ik heb haar verteld dat ze je daar niet kon bellen.' Ze glimlachte veelbetekenend en ontspande zich ineens. 'Wat vind je van Bruno? Vind je hem aardig?'

'Hoe... hoe bedoel je?' stamelde ik.

'Meneer Baleine. Hij heeft een voorliefde voor exotische vrouwen. Daarom heb ik voorgesteld dat hij jou zou nemen.'

Ik bleef staan. 'Je hebt wat? Je stelde voor...'

'Natuurlijk. Waarom zou iemand het anders goedvinden dat je voor zijn kinderen zorgt, zonder referenties en zelfs zonder paspoort?'

'Ik dacht dat het vanwege jouw aanbeveling was,' mompelde ik.

'Dat speelde in het begin ook wel een rol. Maar ik ken mevrouw Baleine helemaal niet. Het beviel hem vast wat hij zag, en toen heeft hij voor je ingestaan.'

'Waarom zou hij me vertrouwen?' vroeg ik.

'Omdat ik zeker wist dat hij geïnteresseerd zou zijn zodra hij je zag. Hij houdt niet van blondines, heeft hij me verteld,' zei ze monter.

'Je hebt het mis, je kent hem niet. Hij houdt van zijn kinderen en...' Ik zweeg toen ik de uitdrukking op Maeves gezicht zag. Wat ben je toch een naïef meisje, leek die te zeggen. Ineens werd ik om een andere reden argwanend.

'Waar ken jij hem van?' vroeg ik ineens.

Ze lachte. 'Maak je niet druk. Het is niet zoals je denkt. Hij was de vriend van een oude minnaar. Ik heb alleen maar voorgesteld dat hij je zou zien. Ik wist dat ze een nieuwe au pair zochten.'

Waarom hebben jullie dan contact met elkaar gehouden, wilde ik vragen. Ze keek me met een uitdagende blik aan. Ik probeerde mijn schouders te ontspannen, zodat ik ze op die typisch Franse manier kon ophalen. 'Je zit vol verrassingen, Maeve. Petje af,' zei ik. Tot mijn eigen verbazing klonk ik zacht en beheerst en klopten mijn accent en grammatica.

Maeve ontspande zich. 'Kom eens een keertje koffie drinken. Ik woon verderop in de straat, in het tweede gebouw aan je linkerkant. Ik zit op de derde verdieping.'

We gaven elkaar een kus en liepen toen elk een andere kant op.

Acht

Toen ik thuiskwam met mijn inkopen was het huis verlaten. Ik sloot mezelf op in de badkamer en draaide de kraan open om het bad te laten vollopen. Met trillende handen opende ik al die pakjes geurig badzout, douchegel en badolie die ik had gekocht. Ik waste mijn haar en scrubde mijn huid met wel tien verschillende producten. Ik poetste mijn tanden en floste. Met onhandig trillende handen gebruikte ik de vaginale douche. Het voelde vreemd om mijn handen in een deel van me te steken dat ik tot voor kort helemaal niet had gekend. Verbaasd raakte ik mezelf vanbinnen aan en voelde de strak gespannen spieren in mijn lichaam.

De rubberen slang die ik inbracht, voelde als een invasie, en mijn spieren trokken zich uit protest samen. Toen kneep ik in de ronde rubberen bol en voelde dat een stroom water de gespannen spieren in mijn binnenste raakte. Ik hief me half op uit het water en liet me weer met een zucht zakken toen het water, gehoorzamend aan de wetten van de zwaartekracht, naar buiten begon te druppelen. Langzaam voelde ik mijn angst wegebben. Ik dacht terug aan mijn gesprek met Maeve. Ze moest wel liegen. Zo was Bruno niet – ik had nog steeds de neiging om hem meneer Baleine te noemen. De eerste maand had hij geen greintje belangstelling voor me getoond. Maeve zoog het gewoon uit haar duim. Maeve! Ze was bijna geen haar beter dan een hoer.

Ik hees mezelf uit de badkuip en begon me snel af te drogen, te beginnen met mijn voeten. Toen ik mijn rug rechtte, ving ik in de spiegel een glimp van een vreemde op. Ik liet de handdoek vallen en keek ingespannen naar het lichaam dat werd weerspiegeld. Mijn tepels waren groter en staken uit als knoppen. Mijn hoge borsten waren zwaarder. En mijn heupen leken gevulder. Daardoor leek mijn middel nog veel dunner en mijn dijen zacht gebogen. Ik keek naar mijn lichaam alsof ik het voor de allereerste keer zag, en voelde een sprankje verlangen. Dit was dus het lichaam waarvan Bruno hield. Ik gleed met mijn handen over mijn rondingen, precies zoals hij zou doen, en ineens kon ik amper wachten tot ik hem weer zou zien.

Ik bracht ijverig en grondig elke lotion en crème op mijn huid aan. Ten slotte smeerde ik voor alle zekerheid wat Samsara in mijn schaamhaar en mijn oksels. Toen rook ik voorzichtig aan mijn lichaam. Mijn vlees rook vooral naar het groene badschuim dat ik had gebruikt – een citroenachtige houtgeur die erg Frans op me overkwam. De rest van de mengeling aan geuren was amper te onderscheiden. Maar dat was niet erg. Ik maakte me geen zorgen over de vreemde alchemie van geur en huid die ervoor zorgt dat sommige geuren op de ene mens sterker ruiken dan op de andere. Als hetgeen wat ik rook maar gemakkelijk te herkennen was en uit een flesje kwam, dan maakte het mij verder niet uit. De naamloze geur joeg me angst aan.

Toen ik de badkamer uitkwam, sloeg de staande klok in de gang één uur. Met een schok realiseerde ik me dat Bruno op me zat te wachten. Snel trok ik een trui en een spijkerbroek aan en ging naar buiten.

Het had me enige moeite gekost, maar uiteindelijk had Bruno ermee ingestemd om me buiten de deur te ontmoeten. Wanneer de bezigheden van de kinderen het me toestonden, troffen we elkaar in het atelier van een collega bij de Rue St-André des Arts en brachten daar de middag door. Het was een onvriendelijke ruimte, die zelfs 's middags nog vol schaduwen was, onpersoonlijk ingericht met aan de ene kant een grote bedbank en aan de andere een ingebouwde systeemkast. Er hing altijd een vochtige rioollucht van oude seks. Wanneer we de liefde bedreven, keek ik nietsziend uit het raam en zag de schaduwen voortkruipen over de witte muur van het gebouw aan de overkant. Het vertrek leek hetzelfde effect op Bruno te hebben. Wanneer we klaar waren, stond hij altijd snel op, en we gingen steevast kort daarna weg.

Toen ik bij het Griekse restaurant op de hoek van de Rue St-André des Arts aankwam, zat hij al op me te wachten en een broodje te eten. Hij kuste me langzaam op mijn lippen. 'Mmm, je ruikt alsof je je net hebt gewassen. Ik wou dat ik erbij had kunnen zijn,' fluisterde hij.

Ik voelde me warm worden van geluk en keek hem verlegen aan. Hij keek hongerig terug. 'Je bent zo mooi. Ik kan niet geloven dat je de mijne bent.'

'Waar zullen we vandaag gaan eten?' vroeg ik opgewekt. Ik had geen zin om uit de zon weg te gaan en naar de donkere, onpersoonlijke ruimte in het steegje vlakbij te gaan.

Hij leek ineens op een wolf. 'Ik kan niet wachten om jou op te eten, liefje.'

'Maar ik heb nog niet gegeten,' zei ik lachend, en diep vanbinnen stak het kolkende gevoel weer de kop op. Ineens werd elk klein detail van het moment veel levendiger – de warmte van de zon, de ijle lucht die een voorbode van de naderende winter was en de geur van het Griekse broodje, dat zoveel leek op de Arabische *shyawarma* die mijn broertjes en ik altijd stiekem in de oude haven van Mombasa hadden gegeten.

Samen liepen we de paar honderd meter door de naamloze zijstraat naar het atelier. Toen we de trap opliepen, werden mijn ledematen steeds zwaarder. Ik had het gevoel dat ik amper de ene voet voor de andere kon zetten. Eindelijk stonden we voor de deur. Bruno stak de sleutel in het slot. Ik haalde diep adem.

Tot mijn verbazing verwelkomde de geur van de kamer me, oud en intiem als gebruikte lakens. Ik bleef doodstil midden in de kamer staan, met de geur overal om me heen, me omringend met zijn warmte. Hij herinnerde me aan de slaapkamer van mijn ouders, 's ochtends vroeg, wanneer we met zijn allen in het grote bed kropen en deden alsof we sliepen. Beetje bij beetje kreeg de geur me in zijn ban. Eerst drong hij in mijn kleren, te beginnen bij mijn jas, toen mijn blouse, tot ik me volledig had uitgekleed. Bruno keek verbaasd toe hoe ik worstelde om mijn kleren uit te krijgen. Hij wist niet wat me zo had opgewonden. Toen ging ik naar hem toe en kleedde hem teder uit, geduldig, en snoof zijn scherpe, sterke mannelijke geur op die me door al die lagen van kantoor- en straatgeuren tegemoetkwam. Ik trok zijn laatste kledingstukken uit en liet mijn tong langzaam langs zijn oren gaan. Ik proefde de enigszins stoffige geur van de straat. Mijn tong ging verder in zijn nek, trok kringetjes over zijn gladde huid, zijn zweet opdrinkend, nog steeds in het rijk van openbare geuren. Toen dwong iets me om verder te gaan. Mijn tong gleed over zijn borst, streek lichtjes over zijn tepels en rolde gladjes naar zijn oksel. Bruno verstijfde, ik hield mijn tong stil. Hij liet met een grote zucht de ingehouden adem uit zijn longen ontsnappen. Mijn tong begon te bewegen, at van die uiterst persoonlijk geur en smaak, en ik probeerde wanhopig zoveel mogelijk van zijn smaak in mijn mond te proppen. Hij bleef staan, verbaasd door mijn ongeduld. '*Qu'est-ce que tu as, chérie*?' fluisterde hij. Hij trok mijn hoofd omhoog zodat hij mijn gezicht kon zien. 'Ik dacht dat je het hier niet leuk vond.'

Het verbaasde me dat hij dat wist. 'Dat was ook zo, maar ik ben van gedachten veranderd.'

Hij lachte. 'Jij zit vol verrassingen.'

'Vind je het leuk?' vroeg ik, naar hem opkijkend. 'Vind je mijn verrassingen leuk?' Ik liet me op mijn knieën vallen. Hij trok me echter overeind tot ik weer rechtop stond en hem aan kon kijken. 'Jeetje, wat ben je vandaag bezeten,' zei hij, verbaasd zijn hoofd schuddend. Hij tilde me op en droeg me naar het bed. Langzaam legde hij me dwars op het bed. Hij staarde me even met een ondoorgrondelijke uitdrukking aan.

'Nu is het mijn beurt,' zei hij, terwijl hij me lachend begon te proeven zoals ik dat bij hem had gedaan. Toen zijn tong in me gleed, haalde ik diep adem en probeerde stil te blijven liggen. Elke beweging van hem voelde alsof er een boog over de pijnlijke uiteinden van mijn zenuwen werd gespannen. Toen kon ik mezelf niet langer beheersen. Ik begon in een vlaag van opwinding te kronkelen en te krabben, terwijl mijn lichaam brandde van een onvervuld verlangen.

We vreeën met een razernij, een bezetenheid, die niet van mij of van hem maar van iets anders leek te komen. Die middag leek iemand anders in mijn huid te zijn gekropen, iemand die graag mannen rook en aanraakte, iemand die onverschrokken in de ontoegankelijkste poelen van sensatie dook.

Uiteindelijk vielen we in slaap, in de vorm van een omgekeerde U, met mijn gezicht in zijn schoot en het zijne in de mijne. Toen ik wakker werd, zat hij in kleermakerszit op het bed, met mijn hoofd nog steeds in zijn schoot. Ik rekte me lui uit en voelde de aangename beursheid van mijn spieren. Ik had eindelijk het gevoel dat ik hem kende: de scherpe, metalige geur van zijn oksel, zijn naar spek geurende lendenen, en de melkachtige geur van zijn hoofdhuid. Ik glimlachte naar hem en likte plagend het kleine kuiltje net boven zijn lies.

Met een tedere glimlach keek hij op me neer. 'Mijn lieflijke, ongelooflijke meisje. Waar heb ik iemand die zo volmaakt is als jij aan verdiend? De dag waarop jij kwam, was mijn geluksdag.'

Ik was doortrokken van warmte, maar ineens gleed de herinnering aan de woorden van Maeve als een stuk ijs door me heen. Ik trok me terug. 'Hoe wist je dat... dat ik, *comment dire*, beschikbaar voor je zou zijn?' vroeg ik, hem aankijkend.

Hij keek verbaasd. Hij voelde dat er een valkuil voor hem gaapte, maar geloofde nog steeds dat hij die op de een of andere manier zou kunnen omzeilen. Hij antwoordde op verzoenende toon: 'Je vriendin Maeve. Ze kent je goed. Ze dacht dat wij wel met elkaar op zouden kunnen schieten. En ze zei dat je goed met kinderen kon omgaan.' Toen hij naar mijn gezicht keek, ging hij snel verder: 'Maar ik had nooit gedacht... Hoe had ik kunnen weten dat je zo mooi zou zijn. En zo aardig, zo lief.' Hij streelde me over mijn wang. Ik wendde mijn gezicht af. 'En zo hartstochtelijk.' Hij stak zijn armen uit en probeerde me weer te omhelzen, maar ik gleed uit zijn armen en van het bed.

Het vertrek was weer net zo lelijk als voorheen. De vochtplek in de linkerhoek was groter geworden, zag ik. Ik draaide me om en keek hem weer aan. In dit licht leek zijn gezicht oud en gerimpeld. Ik keek de man voor me aan en vroeg me af wat ik zo aantrekkelijk aan hem had gevonden. 'En wat heb je haar gegeven in ruil voor een aardige, lieve maîtresse?' vroeg ik met een stem die bij elk woord hoger klonk.

'Wie?' vroeg hij geamuseerd, wat me nog bozer maakte.

'Maeve, wie anders?'

'Maeve?' Hij begon te lachen. 'Waar haal je dat vandaan?'

De kloof die ineens tussen ons gaapte, werd bij elk woord van zijn kant groter. Ineens werd ik overrompeld door een onbeheersbare woede. Ik was woedend op hem, en op alles wat me ineens van elk zweempje zekerheid had beroofd en me in deze put vol angst had geworpen.

Ik rende naar de wc en gooide de deur achter me dicht.

'Je bent gek,' riep hij me achterna. 'Niemand heeft je tot mijn maîtresse gemaakt.'

Hij kwam me niet achterna, al had ik dat wel een beetje gehoopt. Ik ging trillend op de wc zitten en wachtte. Vijf minuten later werd er zachtjes op de deur geklopt.

'*Ma petite, sois raisonnable*,' zei hij aan de andere kant van de deur. '*Je t'aime. Tu es mon seul amour, maîtresse de mon coeur. Sors de là, s'il te plaît.*'

Ik keek om me heen. De badkamer was klein en nogal vies. Het douchegordijn, waarlangs het vuil in stroompjes naar beneden was gelopen, zag er gek genoeg mooi uit, bedacht ik. Aan de andere kant van de deur kon ik Bruno horen. '*Viens, sors de là, ma princesse. Mon adorable*,' riep hij. '*Ne te fâche pas*.'

Ik hield mijn handen tegen mijn oren. Ik wilde het niet horen. Zijn stem maakte me misselijk. Hij was een leugenaar. En hij had me met een vreselijke stank besmet. Ik stak mijn hand uit en deed de deur op slot.

Hij hoorde het slot en begon op de deur te bonken. 'Dit kun je niet doen, trut,' riep hij. 'Dit kun je me niet aandoen.'

Ik bleef zitten waar ik zat en keek angstig naar de deur.

Ik bleef op de wc zitten, naakt, niet in staat om me ik-weet-niet-hoe-lang te bewegen. Toen ik eindelijk opstond, was het buiten al donker en had ik het steenkoud.

Daarna bleef de lucht me achtervolgen en dook op wanneer ik er het minst op bedacht was. Soms zaten we *en famille* te eten en dan rook ik hem aan tafel, verstopt tussen de *coq au vin* en quiche, of genesteld in een kruidige Elzasser *choucroute*. Soms stond ik op om naar de wc te gaan en dan glipte hij vanuit de lakens achter me aan. Of hij kroop fluisterend langs me heen in de volle gangpaden van de supermarkt. Soms voelde ik hem zelfs in de metro vlak achter me, terwijl ik oog in oog stond met een knappe vreemdeling. Ik ging Bruno uit de weg en praatte alleen met hem wanneer het niet anders kon. 's Nachts deed ik mijn kamerdeur op slot en beantwoordde zijn smekende blikken niet.

Na een tijdje volgde Bruno's blik me niet langer wanneer ik de kamer uitliep. Hij kwam niet meer naar de kinderkamer wanneer ik de kinderen naar bed bracht en bracht een groot deel van de dag buitenshuis of in zijn atelier door. Ik miste zijn aandacht. En er waren geen cadeautjes meer voor me, verstopt op plekken waar ik ze het minst verwachtte. Op een dag zag ik hem ingespannen met Catherine praten, met zijn hoofd dicht bij het hare. Ze zwegen abrupt toen ik binnenkwam en staarden me aan. Ik wist zeker dat ze aan het bespreken waren hoe ze van me af konden komen. Ik stelde me het tafereel voor.

Ze zouden het me samen vertellen, naast elkaar op het Louis XV-bankje gezeten in de enorme salon beneden, die alleen maar werd gebruikt om gasten te ontvangen.

Mevrouw Baleine zou stijf rechtop zitten. 'Bruno en ik, nou, we hebben een beslissing genomen,' zou ze op plechtige toon beginnen. 'We...' Ze zou ophouden en naar meneer Baleine kijken. Hij zou haar blik ontwijken en de mijne ook en naar zijn schoenen kijken. 'We hebben het gevoel...' zou mevrouw Baleine vervolgens zeggen, maar dan ophouden en haar hand op de knie van meneer Baleine leggen.

'Bruno,' zei Catherine, 'vertel jij het haar maar.'

Meneer Baleine zou snel opkijken en zijn blik op het lelijke renaissanceschilderij op de muur tegenover hem richten, een tikje links van mijn hoofd. Hij zou zijn keel schrapen en zeggen: 'De kinderen, ze zijn niet blij met... Ze vinden...'

'Waar zijn ze niet blij mee?' zou ik vragen, in de hoop dat hij me aan zou kijken.

'Jou... Je kamer... De... geur is...'

'Anders,' zou Catherine zijn zin voor hem afmaken.

Meneer Baleine: 'Ja, anders.' Hij zou zijn hoofd opheffen en eindelijk zijn blik over me heen laten glijden. Hij zou die blik echter niet op mijn gezicht of mijn lichaam laten rusten, maar over mijn hoofd heen in de verte kijken. 'De kinderen hebben geklaagd over hoe je ruikt.'

Ik: 'Hoe ik ruik? Hoe ruik ik dan?'

Meneer Baleine: 'Er is niets mis met hoe je ruikt, het is...'

Mevrouw Baleine: 'Anders, en kinderen houden niet van dingen die anders zijn. Ze willen net zo zijn als hun vriendinnetjes. Ze voelen zich ongemakkelijk wanneer ze anders zijn.'

Meneer Baleine: 'Het zou zelfs de ontwikkeling van hun persoonlijkheid kunnen schaden.'

Ik: 'Maar ze vinden me aardig... Marie slaapt graag bij me in bed.'

Mevrouw Baleine: 'Ja, maar daarna gaat ze naar school, en dan zeggen haar vriendinnetjes dat ze anders ruikt. Dus het kan niet zo doorgaan, begrijp je.'

Meneer Baleine: 'Er is niets mis met jou, hoor. Je bent geweldig, je bent geweldig met de kinderen, zo aardig, zo gul. We zullen je heel erg missen.'

Mevrouw Baleine: 'Ja, we zullen je zeker missen. Dank je. We vinden dit heel vervelend, maar je begrijpt het toch wel? Kinderen zijn kinderen.'

Meneer Baleine: 'En onze kinderen zijn ons heel dierbaar.'

Mevrouw Baleine: 'We weten dat dit heel onverwacht is, en daarom hebben meneer Baleine en ik besloten om je iets te geven, als dank omdat je zo goed voor onze kinderen hebt gezorgd. We willen je een vliegticket naar New Delhi geven, enkele reis.'

Alles was zo beschaafd.

Negen

Ik moest weten of mijn vermoedens juist waren.

Ik belde Lotti.

'Hallo, Lotti?' zei ik aarzelend.

Er viel een lange stilte.

'Hi, *étranger*,' zei Lotti uiteindelijk, zoals altijd in een mengeling van Frans en Engels.

Ik haalde opgelucht adem. 'Lotti, ik moet met je praten.'

'Je praat met me.'

'Nee, ik wil iets afspreken en echt praten.'

'Nou, ik weet niet of ik daar wel tijd voor heb. Ik moet even in mijn agenda kijken,' zei ze droogjes.

Ik slikte. 'Het spijt me, Lotti. Ik dacht dat je minstens een jaar in Toulouse zou blijven,' loog ik.

Ze deed net alsof ze me geloofde. 'Liefje, ik ben nu een grote meid, ik studeer aan de universiteit.'

'Geweldig. Dat wist ik niet. Wat? Kunstgeschiedenis?' Ik voelde me zo schuldig dat ik mijn zinnen niet kon afmaken.

Snel maakte ik een afspraak voor zaterdag, mijn vrije dag.

We spraken om twaalf uur af in een café dat we allebei kenden. Ik kleedde me met zorg voor onze ontmoeting – mijn lange rode jas, een afdankertje van Catherine, een kort rokje van rode wol van Agnès B. dat Bruno me had gegeven en een strak zwart truitje. Alle kleren waren als nieuw en roken nieuw. Ik deed een klein beetje Samsara op mijn kleren en in mijn liezen.

Lotti was zoals gewoonlijk geheel in het zwart gekleed, maar daarmee hield de gelijkenis met de oude Lotti op. De nieuwe uitvoering was akelig dun. Alleen haar lippen waren nog vol. Maar zelfs die waren in een andere kleur opgemaakt, donkerpaars, bijna zwart, en ze had haar gezicht bleker gemaakt met poeder dat drie, vier tinten lichter was dan haar huid. Ze zag eruit als een lijk. En ze had haar prachtige haar afgeknipt. Het was nu even kort als dat van een jongen, en paars geverfd. Ze droeg naast haar vele oorringen nu ook een ring door het gaatje in haar neus. We begroetten elkaar op zijn Frans. Ik keek ingespannen naar haar gezicht toen ze zich terugtrok en zocht angstig naar tekens van verbazing of walging. Maar er was niets. Ze vertrok niet eens haar gezicht.

'Je ziet er anders uit,' zei Lotti onmiddellijk.

Ik slikte. Ik wilde haar vragen in welk opzicht ik was veranderd, maar daar had ik de moed nog niet voor. 'Jij ziet er ook heel anders uit,' zei ik toen maar. 'Zo... zo volwassen.'

Ze boog zich naar me toe. 'En je bent parfum gaan gebruiken.'

Ik wachtte tot ze nog iets zou zeggen. Mijn keel was droog.

'Het is toch Samsara? Dat is ook mijn lievelingsluchtje, al is het een beetje zwaar. Maar ik kan het niet betalen.' Ze bleef me onderzoekend aankijken, met een harde blik in haar ogen. 'En je kleren ook,' zei ze, haar ogen nadenkend tot spleetjes knijpend, 'Agnès B., *j'imagine. Tu es bien tombée* – ze zijn duidelijk dol op je.'

'Doe niet zo gek, Lotti.' Ik wendde mijn blik af omdat ik haar harde, verachtelijke ogen niet langer kon verdragen. 'Het zijn afdankertjes van mevrouw Baleine.'

Uit de blik die Lotti me toewierp, maakte ik op dat ze me niet geloofde, maar ze zei niets. We bleven elkaar onzeker aankijken.

'Jij ziet er ook anders uit. Je haar, en je make-up,' zei ik.

'We worden allemaal groot, weet je,' zei ze droogjes, 'en we kunnen niet allemaal geluk hebben.'

'Geluk?' merkte ik op. 'Je weet niet wat geluk is... Jij hebt je familie nog.' Ik zweeg, omdat de enorme woede die ik voelde me verwarde. Lotti zag er ook ongemakkelijk uit. We wendden beiden onze blik af.

Ik keek het café rond. Het zat redelijk vol met toeristen en winkelende mensen, zoals op een zaterdagmiddag te verwachten was. In dit bonte gezelschap trok een stel tieners de aandacht. Ze zaten met hun hoofden naar elkaar toe, en hun armen en benen waren verstrengeld. Het meisje was kort en dun en Chinees. De jongen was Frans: lang, met lang haar en een bril. Ik wilde Lotti wijzen op het aaneengesmede liefdespaartje, maar ze keek al in hun richting, met een gezichtsuitdrukking die een mengeling van pijn en geamuseerdheid was. Toen ze voelde dat ik naar haar keek, wendde ze snel haar blik af.

'Je bent verliefd, hè?' vroeg ik, omdat ik de uitdrukking op haar gezicht herkende.

Haar gezicht werd minder hard. 'Ja, ik ben verliefd,' gaf ze toe.

'Op wie? Toch niet op Michel?' vroeg ik gretig, terwijl ik mijn schuldgevoel en wrok vergat.

'Nee, niet op hem,' zei ze, en ze trok een gezicht. 'Hij is te blank, te stijf. Hij kan ons zuiderlingen nooit goed begrijpen. Nee, ik ben verliefd op een Arabische jongen. Hij studeert beeldhouwen aan de faculteit van Saint-Denis. Hij is geweldig.'

'O,' zei ik, het nieuws langzaam verwerkend. Ik kon me moeilijk voorstellen dat Lotti verliefd was geworden op een Arabische jongen. In Mombasa hadden ook Arabieren gewoond, maar die kenden we niet. De afstand tussen hen en ons was nog groter dan met de Afrikanen. 'Waar... waar heb je hem leren kennen?' vroeg ik.

Lotti lachte onverwachts. 'Je zult het niet geloven, maar ik heb hem op de boerenmarkt in Bobigny ontmoet.'

'Wat!'

'Je weet wel, de zondagse markt. Hij is het hulpje van de slager. Wanneer hij geen college heeft, werkt hij daar om wat bij te verdienen,' zei ze een tikje verdedigend.

'Je bent gek. Wat zal je vader ervan zeggen?' Ik schreeuwde bijna tegen haar. 'Hoe wil je hem vertellen dat je uitgaat met een Arabische beeldhouwer die bijverdient als slager?'

'Dat weet ik niet, en dat kan me ook niet schelen. Hij is een geweldige kunstenaar.' Haar stem klonk lager. 'Misschien moet ik nu maar weglopen.'

'Doe niet zo *folle*,' zei ik tegen haar. Ik viel weer terug in onze eigen speciale taal, een mengeling van Frans en Engels.

De ober kwam onze bestelling opnemen. Ik bestelde een kir en een steak tartare. Mocht Lotti iets vreemds ruiken, dan zou ze denken dat het van het vlees kwam, en niet van mij. Lotti trok haar wenkbrauwen op en bestelde ook snel. Toen de ober weg was, zei ze plagend: 'Je bent echt veranderd, zeg. Waar is het meisje dat nooit alcohol aanraakte, laat staan rauw vlees?'

Ik glimlachte stijfjes. Als ze eens wist... Ik wou dat ik het haar kon vertellen. 'Niets is zoals het lijkt.'

'En dat voor een meisje dat o zo *sensible aux odeurs* is. *Quelle dégradation*,' ging ze plagend verder.

'Zo is het genoeg, Lotti,' zei ik scherp. 'Je... je grappen getuigen van slechte smaak.'

Ze keek alsof ze gestoken was. 'Sinds wanneer weet jij iets over smaak?'

'Het spijt me,' zei ik snel.

De ober kwam onze bestelling brengen. Toen hij onze borden had neergezet en weer was verdwenen, zei ze ruw: 'Goed, voor de draad ermee. Waarom wilde je me zien?'

'Ik...' Ik zweeg. Ik kwam in de verleiding om niets te zeggen, om het tijdens het eten weer goed te maken, haar vriendschap weer te winnen en te lachen.

Ze wachtte tot ik verder zou gaan. Toen ik niets zei, bracht ze haar vork naar haar mond en ging rustig haar steak tartare zitten eten.

'Au pair is een leuke baan,' zei ik opgewekt. 'Ik vind het gezin heel aardig. Ze zijn *très chic.* Mevrouw Baleine is inkoopster bij de Galeries Suffragettes. Ik heb heel veel geleerd sinds ik bij hen woon.'

'Je bedoelt Lafayettes,' zei Lotti giechelend. Haar wenkbrauwen schoten omhoog, net als vroeger.

Ik keek haar aan. 'Wat bedoel je?'

'Je zei "suffragettes",' zei ze grinnikend.

'Lafayettes. Natuurlijk. Wat dom.' Ik lachte met haar mee.

Toen hield ze op met lachen en werd haar gezicht weer dat van een vreemde. 'Maar je hebt me niet uitgenodigd om me dat te vertellen,' zei ze botweg. 'Laat me eens raden, de heer des huizes is *fou de toi.* Hij heeft zich aan je vergrepen en nu ben je zwanger. En je hebt mijn hulp nodig.'

Ik lachte een tikje beverig. 'Doe niet zo gek. Zo is het helemaal niet.'

Ze geloofde me niet. 'Ik wist het wel. Zodra hij die borsten van je zag, kon hij geen weerstand meer bieden,' zei ze plagend.

Ik lachte alleen met mijn mond. Zij deed hetzelfde. Het voelde onwerkelijk.

'Nee. Zo zit het helemaal niet. Het is gewoon...' Ik zweeg en beet nerveus op mijn lippen. 'Het is gewoon die lucht, een vreselijke stank. Ruik je het niet?'

'Wat?' Lotti begon te lachen. 'Je bent echt gek. Ik ruik alleen maar parfum.' Ze snoof overdreven. 'Iets zwaars, met een basis van sandelhout en muskus.'

Ik keek haar recht in haar gezicht. 'Ruik je het dan niet?'

'Wat zou ik moeten ruiken?'

'Die lucht. Als een dier, maar dan sterker, kruidiger.'

'Net als eten, bedoel je?'

'Die geur heeft niets met eten te maken. Hij is veel erger.'

Ze staarde me aan. 'Een geur die doet denken aan gekruid eten, maar geen eten is. Is dit een raadsel? Zo ja, dan geef ik het op. Ik heb geen idee waar je het over hebt.'

'Lotti.' Ik pakte haar bij haar schouders. 'Ik heb het over mezelf.'

'Ruik je? Waarnaar dan?' vroeg ze. Ze keek me aan alsof ik gek was.

'Dat weet ik niet,' antwoordde ik. 'Ik weet alleen maar dat mijn geur is veranderd. Ik stink nu, dat weet ik. Ik ben bang dat mevrouw Baleine en andere mensen het vroeg of laat zullen ruiken. En dan gooien ze me eruit. Ik ben de hele tijd bang, Lotti, op straat, in het park. Soms zie ik dat mensen me vreemd aankijken, en dan weet ik dat ze het hebben geroken. En als ze weten dat ik het ben die zo stinkt, dan zullen ze me vast lynchen, of me het land uitzetten.'

Het was eruit. Ik liet haar schouders los en viel in mijn stoel neer.

Lotti zweeg. Onder tafel balde ik wanhopig mijn vuisten en wachtte tot ze iets zou zeggen. 'Hoe lang voel je je al zo?' vroeg ze ten slotte, alsof ze de juiste woorden niet kon vinden.

'O, dat weet ik niet,' mompelde ik geërgerd. 'Een maand, twee maanden? Ik weet niet hoe het is begonnen.'

'Als je niet weet hoe het is begonnen, hoe kun je dan weten of het echt is?' vroeg ze redelijk.

Ik voelde dat het zweet in mijn oksels kwam te staan. 'Ik weet het niet. Ik weet niet waar die lucht vandaan komt,' zei ik wanhopig. 'Ik weet alleen dat hij, als hij komt, heel echt en heel sterk is... onmiskenbaar... rijk en zwaar, als mest die op paden in een open veld ligt te bederven, of als rottende groenten die door de gootsteen wegspoelen. Maar hij ruikt niet precies zoals die dingen – alleen maar even vies.'

Lotti keek fronsend uit het raam. Ik wilde haar door elkaar schudden, haar tot daden aanzetten, me door haar laten redden. Ik schoof mijn stoel dichter naar de hare toe en boog me voorover, zodat onze gezichten vlak bij elkaar waren. Verbaasd schoof ze haar stoel opzij. Ik boog me verder voorover.

'Begrijp je wat ik bedoel? Ruik je het? Geef eens antwoord, Lotti.'

'Nee, ik ruik niets. Er is niets.'

'Ruik je helemaal niets vreemds?' vroeg ik opgewonden.

'Nee,' zei ze vastbesloten, 'ik ruik helemaal niets.' Ze stak haar hand uit en pakte de mijne vast. 'Ik denk dat je maar terug naar je oom en tante moet gaan.'

Ik dacht dat ze gek was geworden. 'Ik kan nu niet teruggaan,' zei ik zonder nadenken en trok mijn hand uit de hare.

Ze bewoog zich niet, maar aan haar gezicht was te zien dat ze wist wat er gebeurd was. 'Hij is je minnaar geworden,' zei ze zacht.

Ik knikte, maar kon haar niet aankijken.

'Waarom heb je het me niet verteld?'

'Dat kon ik niet. Ik denk dat ik me te veel schaamde.'

'En jij?' vroeg ze. 'Ben je verliefd op hem?'

Ik schudde mijn hoofd, met in mijn gedachten het beeld van hem zoals hij er in het atelier in de Rue St-André had uitgezien.

'Weet je het zeker?'

Ik aarzelde even en antwoordde toen: 'Ja.' Alles wat ik voor hem had gevoeld was verdwenen zodra de stank was gekomen.

'Dan moet je terugkomen,' zei ze vastbesloten.

'Dat kan ik toch niet?' fluisterde ik.

'Als je terugkomt, zul je je geur snel vergeten,' luidde haar redenering. 'Je ziet er niet gelukkig uit, Leela.'

Ik keek haar nadenkend aan. Ze had gelijk. Als ik terug zou gaan naar hun wereld – de wereld van mijn tante en oom en meneer en mevrouw Ramdhune – dan zou ik mijn stank kunnen verbergen achter de specerijen en de zwaar geurende oliën van hun eten.

'We gaan met de hindoefeestdagen nog steeds naar je tante en oom. Tante Latha kookt nu. Het huis voelt vreemd aan zonder jou. Ik denk dat ze je missen. We missen je allemaal.' Op die manier wilde ze me duidelijk maken dat ze weer vriendinnen met me wilde zijn. Ik voelde me opgelucht, en gaf me heel even over aan de herinnering aan de zondagen bij Lotti en de wonderen uit de keuken van mijn tante.

'Hoe... hoe gaat het nu met ze?' vroeg ik, terwijl mijn adem schuldig in mijn keel bleef steken.

Er gleed een schaduw over haar gezicht. 'Nu lijkt het goed met ze te gaan. Tante Latha is na jouw vertrek maandenlang ziek geweest. Krishenbhai is toen gestopt met werken om voor haar te kunnen zorgen.'

'Dus ze hebben nooit naar me gezocht.'

'Ze was heel erg ziek,' zei Lotti, 'maar ze is weer langzaam opgeknapt, en nu komen ze zondags weer op bezoek.'

Ik staarde naar Lotti, terwijl ik inwendig heen en weer werd geslingerd tussen hoop en vrees. Als ik terug zou gaan, bedacht ik, dan zou ik weer opgesloten zijn en niet kunnen ontsnappen uit hun riekende cocon. En stel dat Lotti het mis had? Stel dat de stank deel van me uitmaakte, maar dat Lotti, wier neus was afgestompt door kruidig eten, hem niet kon ruiken? Als ik terug zou gaan, zou de stank misschien mijn hele leven bij me blijven. In de wereld van de Baleines kon ik in ieder geval nog geld verdienen en parfum en nieuwe kleren kopen. Dan kon ik manieren vinden om de stank te bestrijden, te onderdrukken, ook al kon ik hem misschien niet met wortel en tak uitroeien.

'Ik kan niet teruggaan,' vertelde ik haar op droevige toon.

Ze keek me met heel veel spijt aan. 'Ik denk dat je een fout maakt.' Maar ze stak haar hand uit en pakte de mijne vast. Mijn ogen vulden zich met tranen. Ik probeerde ze weg te knipperen. Ik trok mijn hand los uit de hare. 'Kom, eet je steak tartare op,' zei ik, 'anders kom je nog te laat.'

We aten snel ons eten op. Toen stonden we allebei op om te vertrekken. Aan de plotseling vrolijke uitdrukking op haar gezicht kon ik zien dat ze naar haar vriendje ging. Ik was jaloers. Haar liefde was zo eenvoudig, zo helder. Niet besmeurd door onzekerheden, zoals de mijne. Lotti en ik namen bij de deur afscheid. Ik vroeg niet of we nog eens konden afspreken. Zij ook niet.

Ik keek Lotti na.

Ik zag twee meisjes die hun armen om elkaar heen sloegen en naar hun eigen spiegelbeeld in de glazen ruiten van een café keken. Maar ik kon alleen voelen hoe de vreselijke kilte van een verlies zich om me heen wikkelde. Ik kon me herinneren dat Lotti en ik vroeger ook altijd zo naar ons eigen spiegelbeeld hadden gekeken. Ik was nu in mijn eentje, ik kon door de hele stad lopen en niemand kon me tegenhouden. Ik moest ineens denken aan een liedje dat ik in Nairobi op straat had gehoord, een Amerikaans liedje over een man die alleen maar liep. Wanneer andere mensen bleven staan en iets zeiden, liep hij gewoon door.

En dus liep ik door, aan beide zijden omringd door winkelende mensen. Op straat, in mijn nieuwe kleren, had ik niet langer het gevoel dat mensen naar me keken. Ik was net zo goed gekleed als ieder ander, en dit besef maakte dat ik me nog vrijer voelde. Zelfs hun blikken konden me niet langer tegenhouden. Mijn pas vertraagde. Ik staarde naar de nieuwe wintermode in de etalages van de *boutiques* en vroeg me af hoe die kleren mij zouden staan. De kleuren waren vreselijk saai, grijs, donkerblauw, en heel veel zwart. De mensen om me heen deden hetzelfde: ze keken, bleven staan, zagen hun eigen spiegelbeeld en de kleren in de etalages. Net als ik. O Lotti, is het niet opwindend om hierbij te horen? Ik deed net alsof ze naast me stond. Toen schudde ik mijn hoofd. Ze wilde nergens bij horen. Ze vond het leuk om op te vallen en anders te zijn. Maar nu zag ze er vreemd uit. En ze was niet langer mooi.

Ik zag mijn eigen spiegelbeeld in de etalageruit van een winkel. Ik was mooi. Misschien had Lotti gelijk en was er geen stank. Misschien had ik me het verbeeld. Misschien kwam het omdat ik vlees at, en kaas. Of misschien begon de spanning van het onder één dak wonen met mevrouw Baleine zijn tol te eisen. Ik sloeg een zijstraat in de richting van St-Michel in. Voor het raam op de eerste verdieping van een gebouw hing een bordje met À LOUER. Ik dacht aan Bruno. Hij was op het platteland, met zijn gezin. Ik zag hem voor me, omringd door hoge bomen en oude grijze muren, in een oud kasteel vol prachtige voorwerpen.

Toen ik het huis binnenkwam, ging de telefoon. Ik rende erheen, omdat ik dacht dat het de oma was die me wilde vertellen dat de Baleines weer op weg naar de stad waren.

Ik greep de hoorn. '*Allô*?' zei ik ademloos.

'Leela. *Comment vas-tu*?' zei een bekende, lijzige stem.

'Maeve!'

'Wat klink je verbaasd.'

Ik was ook erg verbaasd. 'Hoe... hoe was je vakantie op Jamaica?' vroeg ik buiten adem.

'O, geweldig. Pablo en ik wonen nu samen, hij wil me zelfs meenemen naar Argentinië zodat ik zijn familie kan leren kennen. Volgende week zaterdag geven we een feestje. Ik wil dat je ook komt.'

Maeve had me nog nooit eerder aan haar vrienden voorgesteld. Mijn hoofd begon te tollen. 'Moet ik iets meenemen?' vroeg ik.

'Alleen jezelf. Pablo zorgt overal voor.'

Ik voelde me schuldig omdat ik de afgelopen maanden zulke nare dingen over haar had gedacht. 'Dank je, Maeve.'

Tien

Het was bijna twaalf uur ’s nachts toen ik eindelijk op Maeves feestje aankwam. Ik was laat omdat ik niet had geweten wat ik aan moest trekken. Ik wist dat ik iets moest dragen waarin ik niet op zou vallen. Uiteindelijk koos ik voor dezelfde kleren die ik ook naar mijn afspraak met Lotti had gedragen. Een aantal mannen zou in ieder geval alleen maar naar mijn benen onder het piepkleine rode rokje kijken, bedacht ik wrang. Ik bracht zorgvuldig parfum over mijn hele lichaam aan. De stank mocht me vanavond niet verraden. Toen trok ik mijn rode jas aan en was klaar om hen onder ogen te komen.

De taxi zette me voor haar woning af. Ik keek omhoog naar de derde verdieping omdat ik zeker wilde weten dat het feestje nog niet afgelopen was. Maar alle lichten in de woning waren aan en aan de andere kant van de ramen kon ik een dichte drom zwarte gestalten zien bewegen. Ik haalde opgelucht adem en toetste de toegangscode die ze me had gegeven in. Vanbinnen was het gebouw erg modern en onlangs nog opgeknapt. De gloednieuwe stalen lift had automatische schuifdeuren. Die maakten me echter nerveus, en daarom nam ik de ouderwetse houten wenteltrap.

Het trapportaal van Maeve stond vol met groepjes mensen die stonden te praten, te roken en luidkeels te lachen. Ik wrong me langs het eerste groepje heen, verlegen naar hen glimlachend en ‘sorry’ mompelend.

Ik liep langs een ander groepje en bleef onopvallend aan de rand van het gezelschap staan. Het gesprek ging alleen maar over Hetty en Andrea, en een kunsttentoonstelling van Jacques. Ik deed net alsof ik geïnteresseerd en goed op de hoogte was, maar was me er de hele tijd van bewust hoe weinig ik eigenlijk wist. Ik hoorde hier niet. Een lange, roodharige vrouw in een prachtige goudkleurige jurk stak haar hand uit, waarin ze een lange sigaret hield. Ze raakte me vol tegen de borst, en ik rook eerder dat mijn zijden truitje een brandplek had dan dat ik het voelde. Ze draaide zich om, klaar om zich te verontschuldigen, maar toen ze zag dat ze een buitenstaander had geraakt mompelde iets als: 'Sta dan ook niet zo dicht in de buurt.' Ik wilde een vernietigend antwoord geven, maar kon de juiste woorden niet vinden. Haar hele groepje leek me uit te lachen. Ik draaide me met een ruk om en liep naar de voordeur van de woning. De opeengepropte mensen leken net een zwart schild rond de ingang. Ik had zin om naar beneden te rennen. Maar toen ik die arrogante lange rechte ruggen zag, besloot ik te blijven, hun verdediging neer te halen en op de een of andere manier de aandacht te trekken.

Ik haalde diep adem en riep uit volle borst 'Maeve' en 'Sorry'. De zwarte muur week als bij toverslag uiteen, en ik kwam in een korte gang terecht waarop verschillende deuren uitkwamen. Aan het einde van de gang was een groot vertrek dat op een bar langs de muur na van elk meubelstuk was ontdaan. In elke hoek stonden mensen gepropt, net als in de gang. Mannen en vrouwen stonden rug aan rug. Hun knieën raakten elkaar, hun ellebogen waren verstrengeld, hun hoofden bewogen tijdens het praten heen en weer. Muziek baande zich een weg door de gonzende gesprekken en vulde de gaten ertussen met een gestage dreun. Tongen en heupen bewogen tegelijkertijd, onafgebroken. Het stonk er naar rook, zweet en de rubberen geur van kunststoffen. Ik begon me te ontspannen. Niemand hier zou me ruiken.

Rechts van me ging een deur open. Ik zag Maeve in de armen van een dunne, donkere man met een paardenstaartje. 'Maeve,' riep ik wanhopig, en ze draaiden zich allebei verbaasd om.

Maeve was de eerste die zich bewoog. 'Je bent er,' zei ze in het Engels. Ze maakte zich uit de armen van de man los en kwam naar me toe.

'Ik ben blij dat je er bent. Kom, dan zal ik je voorstellen,' zei ze. Ze wendde zich tot de man. 'Pablo, dit is mijn Indiase vriendin. Ze heeft in mijn oude woning bij me gewoond en ze kan fantastisch koken.'

Hij kwam naar me toe en kuste me plechtig op mijn wang. 'Leuk je te ontmoeten,' zei hij in het Engels. Hij had vreemde ogen, langwerpig en in de hoeken enigszins scheef.

'Rustig maar. *Tu as l'air d'un naufrage, toi,*' fluisterde Maeve in mijn oor. Ze pakte mijn hand en voerde me mee naar het groepje dat het dichtste bij ons stond. *'Viens, je te présenterai aux gens.'* Ik bleef nerveus op de achtergrond.

Maeve tikte een bonenstaak van een man op zijn schouder. Hij draaide zich om, en zijn gezicht lichtte zichtbaar op toen hij zag wie het was. Ik keek hem aan, een tikje teleurgesteld. Hij had een aardig gezicht, golvend bruin haar dat iets te lang was en waterige, blauwe ogen achter een rond brilletje. Hij zag eruit als een bijzonder raszuivere boxer. Afgezien van zijn lengte was er niets opvallends aan hem. Maar hij had prachtige handen – heel bleek, met lange, gevoelige vingers.

Maeve trok me naar voren. 'Olivier. *Je te présente Leela.* Ze is een oude en goede vriendin van me uit India.'

Hij keek me verlegen aan, en zijn blik liet geen moment mijn gezicht los. *'Enchanté,'* zei hij glimlachend. 'We willen allemaal wel vrienden met Maeve zijn.'

Ik voelde me een bedrieger. Ik wist alleen dat Maeve 'belang' bij me had, zoals ze het zelf zei. Ik wist niet of dat hetzelfde was als vriendschap.

'O, toe nou, Olivier, vlei Maeve niet zo. Dat doen anderen al genoeg,' zei een klein slank meisje met donkerbruin haar.

'Dit is Annelise, pas op voor haar tong. Die is even gevorkt als die van een slang,' zei Maeve. Haar rode mond vertrok zich tot een glimlach. Iedereen lachte. Annelise zag er onaangedaan uit. Ze had een korte, dikke, mannelijke nek, die niet bij de rest van haar lichaam paste. Ze droeg een laag uitgesneden donkerrode jurk en had zwarte veren met gele stippen in haar oren.

'*T'inquiete pas chérie*,' fluisterde een oudere man in een zwart pak in mijn linkeroor. 'Wanneer Olivier je een beetje beter kent, zal hij verbaal de liefde met je bedrijven. *C'est tous ce qu'il sait faire*.' Ik draaide me om en keek hem aan. Hij glimlachte en boog. '*Je me présente*: Guillermo della Croce. Vertel me eens, waar heb je al die jaren gezeten?'

'Geloof geen woord van wat hij zegt,' zei Olivier lachend. 'Hij is een leugenaar, zoals alle Italianen. Vooral waar het de liefde betreft.'

Ik keek hen zwijgend aan en wist niet wat ik moest denken. Waren deze mensen echt vrienden van elkaar?

Het gesprek tussen hen werd voortgezet, en af en toe mengde een derde of vierde stem zich erin. Na elke zin lachte iedereen. Vijf minuten later, of misschien was het wel een half uur, had ik zoveel gelachen dat mijn mond uitgerekt en gespannen aanvoelde. Ik kon voelen dat er twee lijnen van mijn mondhoeken naar mijn neus begonnen te lopen. Iedereen in het groepje had zulke rimpels. Ik vroeg me af of het iets was wat bij Franstaligen hoorde, of het iets te maken had met de spieren die je gebruikte als je Frans sprak. Bruno had dezelfde lijnen rond zijn mond. Ik vroeg me af waar hij nu was, op welk feestje, met wie, en of zijn neef de componist er ook was. Claude wist alles over me en had het helemaal niet vreemd gevonden toen ik hen op een dag had vergezeld bij een lunch in een bistro op het Île St-Louis.

Mijn gedachten werden onderbroken toen ik weer gelach hoorde. Als op bevel lachte ik mee. Het gesprek ging over mensen die niet op het feestje waren: Lucille die niet langer bij Bejeane werkte maar voor zichzelf was begonnen en nu mensen door middel van haren knippen probeerde te genezen.

'Ze zegt dat ze aan het haar kan zien of iemand gelukkig is of niet,' zei een klein mannetje dat zich net bij het groepje had gevoegd.

'O nee, dat is onzin,' zei een lang meisje. 'Ze is bij die nicht Bejeane weggegaan omdat er geen mannen rondliepen.' Ze lachten allemaal weer. Ik lachte ook, al deed mijn mond er pijn van.

Er volgde het ene na het andere verhaal over mensen die voor mij net zo goed straatnamen hadden kunnen zijn. Na korte tijd wist ik niet meer of ze het nu over mensen, boeken of exotische gerechten hadden. Ik kon geen eigen verhaal toevoegen aan die stroom van anekdotes die in lagen over het gesprek heen viel, over het gelach dat eindeloos voortkabbelde. Ik bleef zwijgen. Het leek niemand iets te kunnen schelen.

Ineens fluisterde een bekende stem in mijn oor: 'Waar sta je over te dromen, prinses?'

Ik draaide me om, de aanblik van zijn gezicht in me opnemend.

'Meneer Baleine, u... Hoe komt u hier?' stamelde ik.

'Bruno,' verbeterde hij me vriendelijk. 'Waarom doe je zo formeel? Vroeger noemde je me bij mijn voornaam.'

Ik staarde hem ongelovig aan. Hoe kon hij hier nu zijn en me zo zelfbewust aankijken?

'Vroeger noemde ik je bij je voornaam,' verbeterde ik hem. Hij was zo slim om geen antwoord te geven. In plaats daarvan gaf hij me een glas champagne en voerde me mee naar het balkon. Ik probeerde te protesteren. Maar de gelederen van het groepje hadden zich alweer gesloten, en ze bespraken op luide toon de verdiensten van een schilder genaamd Largan. Met tegenzin liep ik achter hem aan.

Buiten was het rustiger, en de lucht was koud. Ik nipte van mijn champagne en keek Bruno argwanend aan. Hij glimlachte naar me. 'Ik wilde bij jou zijn, alleen bij jou,' fluisterde hij. Hij kwam naar me toe.

Mijn woede zakte en maakte plaats van een groeiende warmte. Het was goed om te weten dat hij me wilde.

We kusten elkaar. Ik ontspande in zijn armen. We kusten elkaar weer. Maar nu was het anders. Hij raakte me verwachtingsvol aan, maar ik voelde me ineens leeg, alsof ik niets te bieden had. Zijn lippen bewogen zorgeloos over de mijne. Hij zuchtte.

'Kom, laten we gaan dansen,' zei ik. Voordat Bruno me tegen kon houden, ging ik snel naar het midden van de kamer.

We drongen onopvallend de dansvloer op, en de muziek, die vanaf de rand van de kamer gewoon geluid had geleken, kreeg me plotseling in zijn greep. Het drong langzaam tot me door dat het ritme aan Afrikaanse muziek deed denken, een galopperende driekwartsmaat die boven op een gestaag dreunend ritme lag. De muziek trok me snel naar zich toe. Mijn heupen begonnen als vanzelf te bewegen – van links naar rechts, van links naar rechts. Ik hief mijn handen op om het geluid te omhelzen en stak mijn nek uit, mijn hoofd bewegend op de maat van de muziek. Sigarettenrook hing in dichte walmen om ons heen. Mijn lichaam stroomde en kronkelde, zacht en golvend. Midden in mijn lichaam, rond mijn navel, begon het ritme zich dreunend in de grote platte botten van mijn heupen te nestelen.

Bruno hield op met dansen en liep weg, zodat hij me vanaf de rand van de dansvloer kon bekijken. Ik bleef doordansen. Anderen stopten ook om naar me te kijken. Ik kon mensen zachtjes 'Wie is dat?' horen fluisteren. Ik bleef zonder nadenken bewegen. Toen was Maeve ineens met me aan het dansen, en het was alsof iemand plotseling een spot op ons had gericht. Ze hief haar armen boven haar hoofd, net als ik, en gaf de toeschouwers de kans om haar schoonheid – haar gezicht, haar lichaam, haar benen – stukje bij beetje in zich op te nemen. Ze bewoog zich met opzet langzaam, zodat ze haar weelderige lichaam kon laten zien.

Ik kreeg, zoals altijd met Maeve in de buurt, het gevoel dat mijn lichaam niet klopte en dat ik lelijk was. Maar ik bleef doordansen en gebruikte de muziek om haar uit mijn gedachten te bannen. Er begon een nieuw liedje, ook Afrikaans, maar rustiger. Ineens sloeg Maeve haar arm om mijn middel en drukte haar bekken tegen het mijne. Ik lette niet langer op de muziek en keek haar verbijsterd aan. Ze pakte mijn heupen beet en dwong me om net zo te bewegen als zij, maar ik bleef als aan de grond genageld staan.

Na een paar seconden gaf ze het op en deed een paar stappen achteruit, zodat onze lichamen elkaar niet langer raakten. Ze keek me vreemd aan. Ik ving een andere fluistering op: '*Mieux que Maeve, qui est-ce*?' '*Une très bonne amie de Maeve*,' antwoordde de andere persoon. '*Une femme-amie de Maeve, tu blagues*?' hoorde ik de eerste stem zeggen. Toen maakte Pablo met het paardenstaartje zich los uit de mensenmassa en begon Maeve te fotograferen. Ze hield op met dansen en begon als een model te poseren. Mensen begonnen te klappen en tegelijkertijd te lachen. De menigte sloot zich om me heen en onttrok hen aan het oog. Ik glipte voor een beetje rust weg naar de gang. Bruno was nergens te bekennen. De gang stond vol rook en laatkomers. Het groepje waaraan ik eerder was voorgesteld, stond er nog steeds, na elke zin als op bevel lachend. Ik wilde niet met hen praten. Ik deed de deur links van mij open, in de verwachting een wc aan te treffen waar ik alleen kon zijn.

In plaats daarvan kwam ik in een keuken die was uitgevoerd in zwart, wit en chroom. De kastjes waren van glanzend zwart formica, de gootsteen en het aanrecht waren van roestvrij staal. Het enige andere voorwerp in het vertrek, de koelkast, was zwart met chromen randen. De wanden roken nog steeds een beetje naar de harslijm die de tegelzetters hadden gebruikt om de zwarte en witte tegels vast te zetten. De zwart-witte orde werd echter geschonden door de rommel die van elk plat oppervlak bezit had genomen. Op de koelkast stonden lege wijnflessen die elk moment konden omvallen. Sommige lagen al op hun kant en probeerden de andere vriendelijk over te halen om ook toe te geven aan de zwaartekracht. Plastic glazen en bordjes die nog halfvol met eten lagen, waren tot vervaarlijke bergen opgestapeld. De keuken rook sterk naar camembert en rode wijn die door de warmte langzaam in azijn aan het veranderen was. Op de werktafel met het zilverkleurige blad in het midden lagen de overblijfselen van een flinke vogel – een stilleven van dode fazant en fruit. Deze werden door een reusachtige man uiterst behoedzaam en zorgvuldig in stukjes gesneden. Hij keek even op toen ik binnenkwam, maar bleef doorgaan met snijden.

Ik keek toe terwijl hij zijn boterham maakte. Hij bewoog zich voor zo'n grote man uiterst spaarzaam. Hij concentreerde zich volledig op zijn taak. Hij legde witte driehoekjes fazantenvlees op sneden bruin brood, voegde er wat sla aan toe die hij uit een schaal met ijs naast de gootsteen haalde en legde er ten slotte een paar donkerrode Italiaanse tomaatjes op. Toen hield hij op. 'Wat nog meer?' zei hij tegen zichzelf, terwijl hij naar zijn broodje keek.

'Radijs,' antwoordde ik zonder nadenken, al had hij de vraag niet aan mij gesteld.

Hij keek weer op. Deze keer keek hij me aandachtig aan, te beginnen bij mijn gezicht. Zijn blik gleed van mijn haar naar mijn schouders, mijn middel en toen terug naar mijn gezicht. 'Goed zo,' zei hij glimlachend.

Hij zocht tussen de restjes fazant en haalde een paarsrood radijsje te voorschijn. Hij legde het op de snijplank en sneed het snel in dunne plakjes, die hij voorzichtig op de andere snee brood legde. Toen legde hij de twee sneetjes brood op elkaar en sneed ze doormidden.

'*Tu veux la moitie*,' zei hij, en hij gaf me zonder op antwoord te wachten de helft aan. Ik liet toe dat hij het brood in mijn hand drukte. Zijn vingers gleden langs mijn handpalm. De huid op de rug van zijn hand voelde glad en warm aan.

Ik bracht de boterham naar mijn gezicht en snoof de geur van de fazant, de knoflook in de boter en de kruiden op. Vervolgens vielen me de subtielere geuren van de tomaatjes, de sla en de radijs op, en ik besefte dat ik enorme honger had. Ik had sinds het ontbijt niets meer gegeten. Ik nam een grote hap. Het was heerlijk. Ik kauwde langzaam, me verliezend in het genot dat het eten me schonk. De man keek toe terwijl ik at en zag de honger opdoemen in mijn ogen en bezit nemen van mijn hele gezicht. Pas toen pakte hij zijn eigen boterham op en beet erin, alsof mijn trek de zijne had aangewakkerd.

Hij nam snelle, besliste happen. Ik at langzamer en proefde het eten niet echt, omdat ik volledig opging in de persoon aan de andere kant van de tafel.

We aten zwijgend, naar elkaar kijkend. Hij was ouder dan ik in eerste instantie had gedacht. Zijn ogen stonden vrij dicht bij elkaar en benadrukten de kracht die hij uit leek te stralen. Hij droeg nog steeds kantoorkleren, een net, donkerbruin pak. Maar hij had zijn stropdas afgedaan en zijn bruingrijze haar zat door de war.

We waren bijna gelijktijdig klaar. Met de rug van zijn hand veegde hij zijn mond af. Ik likte de kruimels van mijn lippen. Hij keek me zwijgend aan, met een tevreden blik in zijn ogen. Zijn blik gleed over mijn gezicht, mijn voorhoofd, mijn ogen, mijn neus en bleef op mijn mond rusten.

In één stap stond hij naast me.

Hij gaf me een snelle kus en ging weg.

Ik bleef nog een paar minuten in de keuken zitten. Zonder hem voelde die leeg aan. Toen liep ik de keuken uit, vastbesloten om het feest te verlaten.

Toen ik de keuken uitkwam, zag ik dat het groepje waaraan ik eerder was voorgesteld bij de deur stond te wachten. Zodra ze me herkenden, stortten ze zich op me. Uiterst nieuwsgierige gezichten omringden me. Ze wachtten tot ik iets zou zeggen, maar ik bleef zwijgen en voelde me ineens verlegen omdat ik niet wist wat er van me werd verwacht. 'Ik denk dat ik maar ga,' zei ik ten slotte. 'Leuk jullie ontmoet te hebben.' Ze keken teleurgesteld.

'Blijf nog even,' zei Annelise. 'De nacht is nog jong. Trouwens... je hebt ons nog niets verteld.'

'Waarover?' vroeg ik.

'Wat zei hij tegen je?' vroeg Annelise met glanzende ogen.

'O ja, vertel eens iets,' viel degene die Olivier heette haar bij.

'Ken je hem? Heb je hem al eens eerder ontmoet?' Het kalende mannetje keek me aan en bestudeerde mijn kleren en mijn schoenen. Blijkbaar leek hem dat onmogelijk.

'Ik ken hem niet, nee,' zei ik, in de war. 'Moet dat dan?'

Ze barstten in lachen uit.

'O, wat heerlijk,' zei de Italiaanse man die eerder met me had staan flirten. 'Wie ben je? Waar heb je je al die tijd verstopt?'

Ik gaf geen antwoord en werd ineens bang. Wat zouden ze denken als ik zei dat ik au pair was? Ze zouden me vast uitlachen. Ik keek verschrikt naar de gezichten om me heen. Toen nam Olivier het onverwacht voor me op. 'Kom, laat haar met rust. Waarom zou ze de sterren van ons ranzige nachtleven moeten kennen?'

'De grote meneer Bon Marché kun je moeilijk ranzig noemen,' antwoordde het kleine mannetje boos. 'Zijn winkels zijn beroemd omdat ze tot de exclusiefste ter wereld behoren, het Mekka voor elke culi. Hij is voor de supermarkt wat de Larousse voor de *gastronomie française* is. Ik wil alles weten, *chérie*, alle grommen, boertjes en winden.'

Ik keek hem ijzig aan. 'Er valt niets te vertellen. We hebben geen woord met elkaar gewisseld. Hij heeft me alleen de helft van zijn boterham gegeven.' Ik zei niet dat hij me had gekust. Het was amper een kus geweest, eerder een teken van goedkeuring.

'O, wat is ze schattig,' zei de Italiaan, die bulderend lachte. 'Ze zegt dat hij haar een boterham heeft gegeven. Zo'n antwoord kun je verwachten als je een nieuwsgierig Aagje bent, Jean-Luc.'

‘Wacht maar tot Maeve dit hoort. Ik ben benieuwd of ze dan nog je vriendin wil zijn,’ zei Annelise venijnig.

Mijn mond werd droog. Als deze man echt zo beroemd was als iedereen hier zei, dan zou ze een hekel aan me krijgen. Daarom had ik geen zin om haar die nacht nog eens tegen het lijf te lopen. Ik keek naar de woonkamer, waar mensen nog steeds stonden te lachen en te praten en als vliegen rond de bar samenklonterden. Ik zag haar niet.

Het verhaal van de boterham deed als een lopend vuurtje de ronde. Het leek wel alsof iedereen naar me keek. Ik besloot Bruno op te zoeken en te vertrekken.

Ik begon me een weg te banen langs het groepje dat nu op luide toon de verdiensten van twee wedijverende chef-koks of gerechten stonden te bespreken – ik wist niet zeker wat ze bedoelden.

‘Ga je nu al weg?’ vroeg een stem. Een zachte hand raakte mijn schouder aan.

Ik draaide me om. Het was Olivier.

‘Dat was ik wel van plan, ja,’ antwoordde ik behoedzaam.

‘Ben je met de auto, of moet ik een taxi voor je bellen?’

Ik keek naar zijn nietszeggende gezicht. Een gezicht als behang, dacht ik smalend. Maeve was niet bijzonder vriendelijk tegen hem geweest. ‘Ik weet nog niet wat ik doe,’ zei ik.

Sterke armen grepen me van achteren beet en draaiden me snel om.

‘Wat moest je met hem?’ vroeg Bruno afgemeten.

‘Wie? Waar heb je het over?’

Zijn greep werd steviger. ‘Wat moest je met hem in de keuken? Wil je me ten overstaan van al mijn vrienden vernederen?’

‘Laat me los, je doet me pijn.’

‘Bruno.’ Olivier legde zijn hand op Bruno’s schouder. Die liet me onmiddellijk los.

‘O, Olivier. Hoe gaat het met je?’ zei Bruno niet al te vriendelijk.

'Goed, dank je. En met jou?'

'Gaat wel, denk ik. Niets nieuws,' zei Bruno afwezig. Hij bleef me boos aankijken.

Na een pijnlijke stilte van een paar minuten zei Olivier: 'Nou, ik ga ervandoor. Ik zal even Maeve gedag zeggen. Het was leuk je weer eens te zien, Bruno.' Toen sprak hij me tot mijn verbazing aan: 'Leuk je te ontmoeten, Leela. Misschien kunnen we nog een keer iets afspreken?'

Ik keek hem verbaasd aan. 'Ja... ja, natuurlijk. Het was me een genoegen,' stamelde ik, me akelig bewust van het feit dat Bruno naar me keek. Olivier ging in de massa op.

Toen ik eindelijk weer de moed had om Bruno aan te kijken, stond hij te lachen. 'Je hebt een behoorlijke indruk op Olivier gemaakt. Vreemd!'

'Hoezo?'

'Je bent niet bepaald zijn type. Hij is een intellectueel.'

'Hoe bedoel je? Ben ik soms niet slim genoeg?' vroeg ik scherp.

'Nee, *chérie*,' zei Bruno gladjes. 'Jouw wereld verschilt gewoon hemelsbreed van de zijne. Ik weet dat ik me om hem niet druk hoef te maken.'

'Misschien heb je het mis. Misschien zijn onze werelden wel niet zo verschillend,' zei ik zacht, terugdenkend aan hoe graag iedereen wilde weten wie ik was toen ik in de keuken was geweest.

Plotseling kneep hij zijn ogen tot spleetjes, en iets van de woede kwam terug in zijn gezicht. 'Waar ken je Philippe Lavalle van?'

'Van het eten,' antwoordde ik, de spot met hem drijvend. 'Hij heeft een enorme trek.'

Bruno's gezicht betrok nog meer. 'Trek? Die man heeft altijd trek. Hij slokt alles op, zonder ook maar te proeven – eten, wijn, vrouwen.' Hij haalde zijn hand door zijn haar. 'Ik vind het jammer dat Maeve je heeft uitgenodigd. Maar je kunt je maar beter niets in je hoofd halen, anders maakt Catherine korte metten met je.' Hij begon onbeheerst te lachen. 'Wat ironisch, ik wou dat ik het haar kon vertellen. Ik zou graag haar gezicht eens zien. Ze vindt het vreselijk om te worden verslagen, en al helemaal door de au pair van haar eigen kinderen.'

Ineens voelde ik me heel erg moe. 'Vergeet hem toch,' zei ik tegen Bruno. 'Ik zal hem waarschijnlijk nooit meer zien.'

'Dat is waar,' zei hij. Zijn gezicht klaarde op. 'Je zult hem nooit meer zien.'

Elf

Na het feestje van Maeve nam Bruno me vaker mee naar feestjes zodat hij met mij bij zijn vrienden kon pronken. In het begin hadden ze wel belangstelling voor me, vooral vanwege het verhaal van de man van de boterham, maar na een tijdje was het nieuwtje eraf. Er kwamen andere verhalen voor in de plaats, en ze vergaten me. Ik bleef vanaf de zijlijn toekijken en was alleen bekend als de vriendin van Bruno. Alleen Olivier en Annelise wisten zich nog te herinneren wie ik was.

Op een dag kwam Olivier naar me toe en vroeg of ik zin had om mee te gaan naar een concert.

'Wat voor concert?' vroeg ik onzeker.

'Van een jonge Spaanse gitarist,' antwoordde hij. Ik begreep er niets van, maar zei aarzelend ja.

Ik trok voor het concert het soort kleren aan dat ik mensen had zien dragen wanneer ze naar de kerk gingen. Ik zorgde er wel voor dat ik heel veel parfum aanbracht, voor het geval de stank weer de kop op mocht steken. Daar was ik voortdurend bang voor, maar de afgelopen paar maanden was het opvallend goed gegaan en had ik er amper iets van gemerkt. Toen ik Olivier bij de ingang van het metrostation St-Michel trof, zag ik dat hij ook netjes gekleed was. Hij nam me mee door heel veel smalle straatjes, langs Tunesische snoepwinkels die er net zo uitzagen als die in Barbès of Mombasa. Toen sloegen we de hoek om en stonden voor een kleine vierkante kerk. Die zag er zo gewoon uit dat ik teleurgesteld was. Binnenin was een laag plafond en er waren, afgezien van een groot roosvormig venster van gebrandschilderd glas achterin, geen versieringen aangebracht. We gingen op een van de harde houten bankjes voorin zitten. Langzaam liep de kerk vol mensen. Ik bleef omkijken om te zien of ik een van de mensen uit het kringetje rond Maeve herkende. Maar de mensen hier leken tot een andere wereld te behoren. Ze zagen er gewoon uit, net als de mensen in de metro en op straat. En toch was er iets in hun gezichten, in de rustige manier waarop ze met elkaar praatten, wat anders was. Een beetje zoals Olivier.

'Gaan we naar religieuze muziek luisteren?' vroeg ik aan hem.

'Nee. Niet echt,' antwoordde hij langzaam. 'Het is heel werelds.'

'O. Is werelds zoiets als rock?'

Hij keek verbaasd. 'Ik geloof niet dat ik begrijp wat je bedoelt.'

'Je weet wel, populaire muziek, rock, net als Led Zeppelin, Jethro Tull en zo,' zei ik, blij dat ik mijn kennis kon spuien.

Hij wendde even zijn blik af en kuchte. 'Vroeger zal het wel populaire muziek zijn geweest.'

'Wanneer was dat?'

'Vijftiende, zeventiende, achttiende eeuw.'

Ik was ontzet. 'Maar... maar waarom zouden mensen naar zulke oude muziek willen luisteren?'

Hij keek beschaamd.

Op dat moment zweeg iedereen en er kwam een jonge man met een gitaar in zijn hand binnen. Hij was ontzettend mager, wat door zijn zwarte broek alleen maar benadrukt leek te worden. Zijn tamelijk lange bruine haar viel tot op zijn kraag, maar van voren werd hij al kaal, zodat het leek alsof hij een enorm voorhoofd had. Maar dankzij zijn ogen, die donker en indringend waren, was hij niet lelijk. Hij keek even de kerk rond en ging toen zitten, met de gitaar op zijn schoot. Hij staarde naar de vloer en keek niemand aan. Het was doodstil. Toen begon hij.

De muziek zat vol verschillende geluiden. Sommige waren zacht en lieflijk, andere zwaar en ruw. Onder zijn handen vloeiden ze samen, soms snel, soms langzaam. Hij boog zich over zijn instrument en schonk geen aandacht aan zijn publiek. Tijdens het spelen leek hij in stilte te zijn gehuld. Zijn muziek klonk vreemd, maar was zo vol melodie dat het niet lelijk klonk. Maar het lied was verweven met andere klanken – donkere klanken die nergens verband mee leken te houden – die het luisteren een moeilijke opgave maakten. Op de een of andere manier kon ik niet in de muziek komen. Ik had het gevoel dat de klanken me omringden, maar dat ik me nergens aan vast kon houden. Ik keek naar de anderen om me heen. Iedereen zat zwijgend rechtop en ze hadden ernstige gezichten. Ik keek naar Olivier. Zijn gezicht was rood, zijn ogen glansden en zijn lichaam zwaaide zachtjes heen en weer op de maat van de muziek. Mijn gedachten dwaalden af, en pas toen het stil was, kwam ik weer terug in het heden. Ik hief mijn handen op en wilde gaan klappen, maar toen ik naar Olivier keek, zag ik dat hij stil bleef zitten. Snel verborg ik mijn handen in mijn schoot. Ik keek naar de man aan mijn andere kant. Hij zat onderuitgezakt in zijn stoel en keek naar de krant die hij in zijn hand hield. In het publiek klonk gefluister, mensen schoven heen en weer en zuchtten. Toen werd het weer stil. Er kwam een vrouw te voorschijn die naast de gitarist ging staan. Ze begon te zingen. Ze had een hoge, schelle maar krachtige stem. Hoewel ze niet in het Frans zong, kon ik door de manier waarop ze zong en de klinkers streelde, opmaken dat het lied over de liefde ging. Ik vroeg me af waar het lied heen ging, of het goed zou aflopen. Toen viel de gitarist haar bij, en vanaf de eerste paar akkoorden wist ik dat het over het einde van de liefde ging. Ik keek de kerk rond en vroeg me af of de anderen het ook voelden. Hun gezichten stonden ernstig, alsof ze ook verdriet ervoeren. Ik raakte vervuld van opwinding.

De zangeres viel plotseling in, en de muziek werd iets lieflijker. Iets van de spanning verdween. Toen kwam het lied tot een einde en iedereen begon te applaudisseren. Ik snapte er niets van. Waarom klapten ze na het eerste lied niet en nu wel? Vonden ze dit mooier? Ik keek naar Olivier. Hij klapte geestdriftig, zijn haar zat in de war. Hij keek me aan en glimlachte. Ik begon ook wild te klappen.

De gitarist stond op. Zijn gezicht was rood. Hij boog even en liep het podium af. Het publiek kwam tot rust. Mensen stonden op en rekten zich uit.

Olivier wendde zich glimlachend tot me. 'Vond je het mooi?' vroeg hij.

Ik glimlachte ook. 'Heel mooi,' loog ik. 'Vooral het tweede stuk.'

Hij knikte. 'Dat doet me deugd. Het moet heel anders zijn dan de muziek waaraan jij gewend bent.'

'Ja, heel anders,' zei ik beleefd.

'Soms zijn er hier in Parijs concerten met Indiase muziek.'

'Hier? Indiase musici?' vroeg ik ongelovig. Er schoten me beelden van dansende filmsterren door het hoofd.

'Ik ben er een paar keer heen geweest,' zei hij. 'Het was erg intens.'

Ik was verbaasd. In Nairobi hadden we altijd alleen maar naar de religieuze muziek van mijn oma geluisterd. Ik had die nooit leuk gevonden, het klonk raar en saai. 'Waarom? Waarom ga je naar Indiase muziek luisteren?'

'Omdat je door muziek in jezelf kunt keren.'

'Vond je het echt mooi?' fluisterde ik. Ik begreep het nog steeds niet. 'Maar het is zo anders.'

Hij lachte. 'Daarom vind ik het mooi.'

De lichten werden plotseling gedoofd, en het werd stil in de zaal. Ik draaide me om en keek naar het podium. De musicus kwam terug. Deze keer was hij in het gezelschap van een man met een enorme gitaar, die bijna net zo groot was als hijzelf. Ik zag een fluit, een viool, en instrumenten die op Afrikaanse trommels leken.

'Wat is dat? Dat grote ding?' vroeg ik fluisterend aan Olivier.

'Dat is een contrabas.'

'O,' mompelde ik. 'Dat... dat was me ontschoten.'

Hij keek weer verlegen voor zich uit.

Tijdens het tweede deel van het concert speelde de gitarist muziek die hij zelf had gecomponeerd. Hij maakte vreemde geluiden, waarvan sommige met elkaar botsten en klonken als een betonmolen, maar andere klanken waren bijna te zoet, als fruit dat langzaam in de zon lag te rotten – soms bitter, soms scherp en sterk. Nu bevond ik me niet langer buiten de muziek. Ik zat opgewonden rechtop. Ik had nooit gedacht dat muziek kon praten: dat muziek de angst, de eenzaamheid en de opwinding die ik voelde, kon uitdrukken. Nadat het concert was afgelopen, bleef ik nog lang stilzitten.

Ten slotte tikte Olivier me op de schouder. 'We moeten nu gaan.'

Ik keek om me heen. De kerk was leeg, maar ik kon voelen dat de muziek, die niet vergeten wilde worden, er nog steeds aanwezig was. Ik wachtte nog even en stond toen op.

Olivier nam me mee door nog meer kronkelstraatjes, tot we ten slotte in een doodlopend straatje vol eethuisjes kwamen. We liepen een trapje af naar een restaurantje waarvan de muren van grote stenen waren gemaakt. Het was er gezellig; tussen de vele kleine tafeltjes stonden grote planten in potten.

Tijdens het eten praatten we over verschillende onderwerpen. Het was minder moeilijk dan ik had gedacht. 'Waar ken je Maeve van?' wilde ik weten.

'Ik heb Maeve leren kennen op het nieuwjaarspartijtje van mijn neef, net voordat ik mijn *baccalauréat* haalde. Ze was heel erg mooi, en ik was een jaar of acht jonger dan nu, dus ik moest haar wel leren kennen,' zei hij met een vreemde glimlach.

'Ze is heel erg mooi. En slim,' zei ik dweperig.

Hij trok vragend een wenkbrauw op. 'Ja? Ik denk wel dat ze slim is, ja, op haar eigen manier. Misschien is ze zelfs wel intelligent, maar ik denk dat ze niet erg haar best doet.'

Ik zweeg.

'Maar je zult het wel bij het rechte eind hebben,' vervolgde hij glimlachend. 'Je kent haar ongetwijfeld beter dan ik. Hoe heb je haar leren kennen?'

'Via vrienden van de familie,' zei ik vaag.

Hij knikte, tevreden. 'De familie van mijn moeder komt ook uit Straatsburg. Hoewel onze families elkaar niet kennen, voel ik me toch enigszins verantwoordelijk voor haar.'

Ik lachte opeens. 'Je klinkt bijna als een Gujarati.'

'Wat is dat?'

'Daar komt mijn familie oorspronkelijk vandaan – Gujarat, in India.' Ik moest ineens aan mijn oom denken en vroeg me af wat hij en tante Latha nu deden. Dat verbaasde me, omdat ik al heel lang niet meer aan hen had gedacht. 'Maar ik ben er nog nooit geweest!'

'Nee? Wat jammer.'

'Hoezo?' vroeg ik uitdagend. 'Maeve heeft een hekel aan Straatsburg, ze wil er nooit meer naar terug.'

'Maar Maeve heeft snel een hekel aan dingen, van tijd tot tijd zelfs aan zichzelf.'

'Maar je kunt alleen maar slagen wanneer je je thuis verlaat – dat zegt Maeve tenminste,' antwoordde ik vurig.

Hij antwoordde niet.

Het eten werd geserveerd, en we aten in stilte. Ik luisterde naar de muziek die in het restaurant werd gedraaid. Die was heel anders dan de muziek die we eerder die avond hadden gehoord.

'Wat voor muziek is dit?' vroeg ik plotseling.

Olivier keek verbaasd. Toen begreep hij wat ik bedoelde. 'O, dit is Griekse muziek, maar niet zulke goede. Ik heb thuis veel betere Griekse muziek. Je mag wel een keertje komen luisteren.'

'Nee, dat hoeft niet,' zei ik snel. 'Ik vroeg me alleen af wat het was, het is heel anders dan wat we vanavond hebben gehoord.'

'Vond je het concert wel mooi?'

Ik keek hem met glanzende ogen aan. 'Het was prachtig.'

Oliviers ogen lichtten op. 'Daar ben ik blij om,' zei hij bijna fluisterend.

'Ik had nooit gedacht dat muziek kon spreken,' zei ik enthousiast, al kreeg ik daar bijna meteen spijt van.

'Natuurlijk kan muziek dat,' zei hij met een blozend gezicht. 'Waarom zouden mensen er anders naar luisteren?'

Ik raakte in de war. 'Ik weet het niet. Ik dacht... Thuis luisterden we niet zo vaak naar muziek.'

Hij keek verbaasd. 'Nou, dan heb je nu wat in te halen. Waarom kom je niet een keertje naar wat muziek luisteren?'

Ik aarzelde, maar de gedachte aan meer muziek maakte me hebzuchtig. 'Ja, ja, natuurlijk.'

Na het eten nam hij me mee naar zijn appartement en liet me nog meer muziek horen. Na een tijdje ging alles echter hetzelfde klinken. Ik wachtte tot hij zou proberen om me te kussen, maar dat deed hij niet. Hij zette de ene plaat na de andere op en schonk voortdurend een nieuw kopje kamillethee voor me in. Uiteindelijk gaf hij me mijn jas aan en bood aan om me naar huis te brengen. Ik zei dat dat niet hoefde, maar vond het wel goed dat hij een taxi voor me belde en de chauffeur wat geld in de hand stopte.

Daarna zag ik Olivier regelmatig. De avonden verliepen altijd volgens hetzelfde patroon: een concert, ergens iets eten en dan bij hem thuis zwijgend naar muziek luisteren. Hij nam me mee naar een muziekwinkel, liet me kennismaken met verschillende componisten en liet me verschillende uitvoeringen horen van composities waarnaar we eerder hadden geluisterd. Hij vertelde me verhalen over componisten en beroemde dirigenten. Wanneer hij het over hen had, werd zijn gezicht bijna knap. En toch raakte hij me nooit aan of gaf hij me enige reden om te veronderstellen dat hij naar me verlangde. We hadden het bijna nooit over dingen die niet met muziek te maken hadden. Ik vroeg me af waarom hij zoveel tijd met me doorbracht. 'Omdat hij waarschijnlijk niemand anders kan vinden,' hoorde ik de stem van Maeve in mijn gedachten fluisteren. Maar ik had het gevoel dat Olivier mijn vriend was, omdat hij net als ik een buitenstaander in het wereldje van Maeve was.

Hij was geen echte vriend van Maeve, of van haar neef. Hij was de enige zoon van een bijzonder rijke en vooraanstaande oude familie uit Straatsburg. Zijn ouders waren toen hij twaalf was naar Parijs verhuisd omdat zijn vader tot rechter bij het hooggerechtshof was benoemd. Na zijn *baccalauréat* ging hij naar de beste economische opleiding van Frankrijk. Omdat hij de lessen maar saai vond, ging hij vaak stiekem naar de faculteit voor sociologie en antropologie aan de overkant van de straat, waar de lessen veel spannender waren. Uiteindelijk haalde hij twee titels, een in de economie en een in de antropologie. Na zijn studie dongen de beste bedrijven van Frankrijk naar zijn gunsten, maar hij zei tegen iedereen nee en zwoer om nooit bij een grote onderneming te gaan werken. Hij had geld, dus hij besloot te wachten tot hij op een baan zou stuiten die de moeite waard was. Dat was alweer acht jaar geleden. Hij had nog steeds niet besloten wat hij wilde gaan doen. Deze besluiteloosheid was zichtbaar in alles wat hij deed – in zijn geheel eigen charme, in de manier waarop zijn handen trilden wanneer hij een glas vasthield of de sigaret van iemand aanstak, en in de aarzeling die de bron van zijn onhandigheid vormde.

Annelise en ik raakten op een veel dramatischere manier met elkaar bevriend. Annelise was ontzettend overdreven, wat Olivier juist helemaal niet probeerde te zijn.

In mei nodigde Olivier me uit om samen met hem en een paar anderen een weekendje naar Zuid-Frankrijk te gaan. 'Jean-Marie, een oude, goede vriend, heeft een paar jaar geleden na een levertransplantatie Parijs vaarwel gezegd. Hij woont nu in een dorpje bij Cannes. We weten niet of zijn lever het nog lang volhoudt, maar hij drinkt en eet nog steeds als een vorst. Hij zou het leuk vinden om je te leren kennen,' legde Olivier uit, alsof ik hem een gunst zou verlenen als ik meeging. Bruno ging de stad uit, naar de moeder van Catherine. Ik zei dan ook graag ja.

Op de ochtend na onze aankomst besloten we het dorp te gaan verkennen. We klommen in twee auto's en vertrokken. Ik zat achterin het landschap te bewonderen, blij dat ik eens uit Parijs weg was. De weg naar het dorpje Tourette-sur-Loup kronkelde langs de welvingen van de heuvel. Bij elke bocht kon ik een glimp van een betoverend dorpje opvangen. Het leek uit één enkele rots te zijn gehouwen, en het was alsof de tijd er stilstond. De huizen waren allemaal van dezelfde donkergele stenen gebouwd en staken helder af tegen het groen van de heuvel. Ze hadden allemaal smalle hoge ramen die diep in de muren verzonken waren, en kleine balkonnetjes die door roze en rode bloemen werden omzoomd.

We sloegen de laatste hoek om en kwamen uit aan de rand van een plein in het centrum van het dorp. In het midden stond een groepje donkere, kromme bomen, omringd door fraaie cafés en restaurants in roze en goud en winkels met kleurige luifels. In de straten aan drie zijden van het plein was een boerenmarkt. Aan het ene eind van het plein stond een kerkje. Aan de andere kant en onder de bomen stonden tafeltjes waar mensen koffie en aperitiefjes zaten te drinken. 'Om *midi et demi* treffen we elkaar daar,' zei Jean-Marie, die op een café achter ons wees. Het had een prachtig terras waar gietijzeren tafels onder een bladerdak van wijnranken stonden. Een groepje mannen met rode gezichten zat aan een van de tafels glazen troebele pastis te drinken.

Ons groepje ging uiteen. Annelise sloeg linksaf om een kijkje te gaan nemen bij een kunstgalerie. Signor della Croce, Pablo en Maeve zwalkten door de hoofdstraat naar een kroeg die ze kenden, en de rest liep in de richting van de boerenmarkt. We liepen langs een paar oude mannen die jeu de boules aan het spelen waren. Ik zag dat een van de mannen neerhurkte, twee korte snelle stappen nam en met een ongelooflijk soepele zwaai van zijn arm zijn stalen bal heel snel in de richting van een soortgelijke bal gooide, die vijfentwintig meter verder lag. Het leek een hele afstand, maar zijn bal raakte de andere met een luide tik, waardoor die wegrolde. Ik keek naar hen. Het was vreemd om oude mannen zo serieus te zien spelen. 'Het is hier een traditie,' fluisterde Olivier tegen me.

'Ze zijn zo oud,' fluisterde ik terug.

Hij lachte. 'Dat geeft toch niet? Ze hebben niets anders te doen.'

'Maar hun kinderen dan?'

'Hun kinderen wonen hier niet meer,' antwoordde hij. 'Zij zijn de enigen die nog overgebleven zijn.'

Ik zweeg en moest ineens aan mijn oma denken. Maakte ze het goed, daar in Mombasa? Ze is niet alleen, zei ik snel tegen mezelf, ze heeft mijn neven en nichten en oom en tante.

De boerenmarkt was een wirwar van kleuren. Goedgeklede mannen en vrouwen liepen tussen de stalletjes door en bekeken de waren. De vrouwen deden me aan mevrouw Baleine denken: dure kleren, een prachtige goudbruine huid. Maar in tegenstelling tot Catherine droegen ze hier allemaal tennisschoenen. De mannen waren al even elegant. Ik voelde me ineens erg armoedig in mijn afgeknipte spijkerbroek en T-shirt.

We mengden ons tussen de menigte en liepen van het ene stalletje naar het andere. Ik ging al snel op in de geuren en aanblik van de markt. In de eerste stalletjes werden stoffen met felgekleurde bloemen erop verkocht die kenmerkend waren voor dit gebied. Toen kwamen de kazen, voornamelijk geitenkaas, en enorme plastic emmers en stenen potten met olijven. De twee krachtige geuren vormden samen een hemelse mengeling. Sommige kazen hadden een korst van kruiden of peperkorreltjes, die het scherpe, agressieve aroma van de kaas zwaar en volwassen maakte.

'Het is heel anders dan Parijs,' merkte ik op, terwijl ik naar een kleine oliepers keek die in een stalletje met antieke meubels te koop werd aangeboden.

'Dit is maar een kleine markt, voornamelijk voor de toeristen,' zei Jean-Marie. 'Je zou de grote markten in Aix of Vence eens moeten zien. Die zijn veel authentieker.'

Ineens snelde hij vooruit en begon geestdriftig te praten met een man die een met bloed bevlekt slagersschort droeg. Ik bleef staan en keek bewonderend naar een uitstalling van droogbloemen en kruiden. De geuren waren intrigerend. De vrouw die bij het stalletje hoorde, was gezet en van middelbare leeftijd en droeg de bekende bloemetjesstof. Ze had lachrimpeltjes rond haar ogen en een geruststellende, moederlijke uitstraling. Ik besloot haar te vragen waar de verschillende kruiden voor bedoeld waren.

'Mevrouw?' vroeg ik aarzelend.

Ze negeerde me. Ik zei het nog eens, maar nu luider.

Ze antwoordde nog steeds niet.

'Christine, ik denk dat ze met je wil praten,' zei de kaasverkoper in het stalletje ernaast bulderend van de lach.

Ineens had ik het gevoel dat iedereen naar me keek. Ik keek hulpeloos om me heen, zoekend naar de anderen, maar die leken te zijn verdwenen. De vrouw keek me nu met een onvriendelijk gezicht aan. 'Wat moet je?'

'Ik... ik wilde alleen maar weten...'

'Ik verkoop hier geen kennis,' onderbrak ze me op ruwe toon. 'Als je iets wilt hebben, wijs het dan aan.'

'Nou, hoeveel kost dat?' zei ik, wijzend naar een boeket van gedroogde lavendel en gele bloemen met een sterke, indringende zoete geur, waarvan ik de naam niet kende.

'Tweehonderd franc.'

Ik hapte naar adem. 'Dat is een hoop geld.'

Ze snoof. 'Ik laat andere eerlijke winkeliers niet over de kop gaan door mijn spullen goedkoper aan te bieden.'

Ik begreep er niets van. Waar had ze het in vredesnaam over? Ik keek over mijn schouder, voor het geval ze het tegen iemand anders had, maar er was niemand te bekennen. Ik keek haar niet-begrijpend aan. Ineens begreep ik wat me dwarszat. De bloemen kostten honderd franc. Dat stond duidelijk op het kleine witte kaartje dat eraan hing. 'Maar er staat honderd,' zei ik zo ferm als ik kon, haar een briefje van honderd toestekend.

Ze pakte het boeket op en keek er aandachtig naar. Haar wenkbrauwen gingen quasi-vragend omhoog. 'Dat is waar,' zei ze langzaam, met een stem die droop van het sarcasme. 'Ik heb me vergist. Dit is de prijs voor Fransen, snap je.'

Ik voelde dat mijn oren begonnen te gloeien en te suizen. 'Hoe... Wat?' Mijn tong voelde zwaar en lam. Achter me hoorde ik een onderdrukt gegiechel, gevolgd door een zware, mannelijke lach. Ik hield het boeket voor mijn gezicht om mijn blozende wangen te verbergen. De geur van de bloemen overspoelde me, ze verstikten me met hun weeïge zoetheid. Toen rook ik een andere geur, een die ik maar al te goed kende. Ik draaide me om en rende weg door de groep mensen. Ik botste tegen mensen op terwijl ik me een weg baande. Ineens leek de hele markt gevuld met nare verwensingen. Handen probeerden me vast te grijpen, maar ik rende nietsziend door, bezeten door een bovenmenselijke kracht. Alleen de geur kwam me achterna, donker als een schaduw, lelijk, hongerig en jaloers.

Ten slotte bereikte ik al strompelend het groepje cipressen in het midden van het plein. Mijn hart bonsde, mijn oren suisden. Mijn geur haalde me in en verstikte me.

'Leela? Wat is er gebeurd? Is alles in orde?'

Het was Olivier. Hij zweette en zag er bezorgd uit. Ik deinsde terug, uit angst dat hij het ook zou ruiken.

'Je rende weg van die markt alsof de duivel je op de hielen zat,' zei hij op luchtige toon, maar hij keek bezorgd.

'Er is niets aan de hand. Het gaat nu wel. Dank je.' Ik probeerde zo kalm mogelijk te klinken.

'Je kunt me best de waarheid vertellen, Leela. Ik heb gehoord wat er gebeurde.' Olivier pakte me voorzichtig vast en hield me tegen zich aan. Ik leunde tegen hem aan. Zijn borstkas voelde gerieflijk aan. Ik werd me bewust van de geur van vers zweet, met eronder iets wat een beetje scherp en bijna bitter was.

Ik maakte me snel van hem los en keek naar zijn gezicht. Hij was een en al bezorgdheid, maar ik wist zeker dat er nog geen seconde geleden ook nog iets anders was geweest.

'Zullen we naar het café gaan?' vroeg hij.

Kort nadat we aan een tafeltje waren gaan zitten, kwamen de anderen aan. Olivier vertelde hun in het kort wat er was gebeurd. Toen hij klaar was, keek ik het groepje rond. Hun gezichtsuitdrukkingen varieerden van ongemakkelijk tot meelevend en walgend.

'Dat verdomde Front National,' barstte Pablo los. De mannen aan het andere tafeltje keken ineens naar ons.

Jean-Marie schudde meewarig zijn hoofd. 'Ik had nooit gedacht dat het zo erg was.'

'Fascisten,' zei Della Croce sissend.

Maeve, die niet achter wilde blijven, boog zich voorover en sloeg haar armen om me heen. 'Mijn arme kleine zusje,' zei ze.

Alleen Annelise bleef zwijgend op haar lippen bijten en had een zware frons op haar gezicht. Ineens barstte ze met een stem die luid klonk van emotie los: 'Die teringtrutten. Ik hoop dat ze creperen. Ik hoop dat ze de pest krijgen en onder de bulten komen te zitten.' Ze sloeg met haar vuist op tafel. De glazen wankelden, en eentje viel van de tafel in scherven op de grond. De mannen aan het andere tafeltje begonnen te klappen en boe te roepen.

De opschudding lokte de cafébaas en zijn vrouw naar ons toe.

'Wat is er aan de hand?' bulderde de cafébaas.

'Wat is er?' vroeg zijn vrouw, een blondine met een hard gezicht.

'Wat is er?' Annelise sprong op en keek haar boos aan. 'Ik zal je vertellen wat er aan de hand is. Jullie hier deugen niet.'

Aan de andere tafeltjes stonden dikke, slonzige mannen op met gezichten die rood waren van de wijn en de zon en liepen langzaam naar ons toe. 'Ze staat ons te beledigen, horen jullie dat?'

'Parijse trut.'

Annelise draaide zich vliegensvlug om. De man die dat had gezegd, deinsde achteruit voor haar woedende blik. Ik staarde haar verbijsterd aan. Waar kwam al die woede vandaan? Is het echt vanwege mij, dacht ik.

'Jullie zijn een stelletje luie dronken lamzakken. Wanneer hebben jullie voor het laatst gewerkt? Jullie zitten hier alleen maar op de hele wereld te kankeren,' riep Annelise. Ze pakte een ander glas en gooide het naar hen toe. 'Waarom zuipen jullie je niet gewoon dood?'

'Wel, verdomme.' Een van de mannen deed boos een stap naar haar toe, maar Olivier kwam tussenbeide. De anderen stonden ook op.

De cafébaas had eindelijk Jean-Marie herkend. 'Meneer Petit,' zei hij zenuwachtig, 'volgens mij is het beter als u en uw vrienden nu gaan.'

Jean-Marie stond op en pakte zijn portefeuille, maar Olivier had al een paar biljetten gepakt en die de cafébaas toegestoken. Jean-Marie leidde Annelise naar buiten en de rest van ons groepje liep hen achterna. In de auto bleef Annelise doorrazen. 'Wat zijn jullie allemaal laf, jullie durven niet eens een stelletje kinkels de waarheid te zeggen,' mopperde ze. Ik schaamde me. Ik was de aanleiding tot dit alles geweest, en onderhand moesten ze allemaal een hekel aan me hebben omdat ik hun weekend had verpest. 'Jullie zijn een stelletje egoïsten, weten jullie dat?' ging ze verder. 'Jullie zijn er zo op gespitst om je te vermaken dat jullie niet eens meer onderscheid kunnen maken tussen goed en slecht, alleen maar tussen leuk en niet leuk.'

'Zo is het genoeg, Annelise, je overdrijft,' zei Olivier kalm.

Ze hield meteen haar mond en legde haar hand tegen haar wang, alsof hij haar had geslagen.

Ik was haar dankbaar, en boos op Olivier. De anderen keken uit het raam, niet op hun gemak. Zwijgend stak ik mijn hand uit en pakte de hare beet.

Twaalf

Maeve trouwde op een zaterdagmiddag aan het einde van september, in de Église de Notre-Dame des Victoires.

Ik ging alleen naar de kerk. Bruno en ik waren allebei uitgenodigd – zijn uitnodiging was aan hem en Catherine geadresseerd. Maar ze geeuwde alleen maar toen ze de uitbundige kaart zag en legde hem opzij. 'Ik ga *maman* en de kinderen niet vanwege de bruiloft van een of andere parvenu teleurstellen. Lily kan namens ons gaan.' Ze keek me loom aan. 'Het is immers een vriendin van jou.'

Ze draaide zich op haar zij, zodat ik de andere kant van haar rug kon masseren. Ik had zin om mijn nagels in haar vlees te zetten, maar wist mezelf met moeite te beheersen. 'De kinderen hebben trouwens frisse lucht nodig,' ging ze verder, 'Parijs raakt zo vol. Iedereen ademt de bacteriën van degene naast hem in.'

'Wat ben je verstandig, liefje,' zei Bruno. Hij slenterde naar het bed, waar ik Catherines rug stond te masseren, en boog zich voorover om haar een kus achter op haar hoofd te geven. Toen hij zich vooroverboog, knipoogde hij naar me. Ik deed net alsof ik het niet zag.

De avond ervoor hadden we een enorme ruzie gehad. Onze relatie kwam steeds meer onder druk te staan en zwenkte heen en weer tussen jaloezie en passie van Bruno's kant en pijn en onverschilligheid van mijn kant. Ik voelde me nog steeds door zijn woorden gekwetst. Ik negeerde hem dus.

Hij knielde naast het bed neer. Ik bleef Catherines rug masseren. Hij begon haar nek te strelen, maar bleef me met een smekende blik aankijken. Ik keek naar onze vier handen die op haar magere rug rustten. Wat een fraai stel zijn we met zijn drieën, dacht ik bitter.

'Je bent het dus met me eens, wat Parijs betreft?' zei Catherine, de stilte verbrekend.

'Natuurlijk, liefje,' antwoordde hij afwezig, met zijn blik nog steeds op mijn gezicht gericht. Ik glimlachte flauwtjes. Zijn gezicht lichtte op.

Ineens draaide Catherine zich op haar zij en trok zijn gezicht naar beneden, naar het hare toe. Ik liep weg, maar bleef even bij de deur staan omdat ik mezelf er nog niet toe kon brengen om de kamer te verlaten. Toen hoorde ik haar zeggen: 'Zullen we dan dit huis verkopen en naar het *château* van *maman* verhuizen? Daar is veel meer ruimte, en dan hebben de kinderen ook veel meer frisse lucht.'

'Maar... maar hoe moet het dan met je werk?' vroeg hij. 'Je weet dat je niet zonder Parijs kunt.'

'Ik kan dit vreselijke grote huis verkopen en een klein appartement nemen, een pied-à-terre. Jij kunt op het platteland blijven en rustig werken.'

'Maar mijn werk? Het kantoor?' stamelde Bruno.

'We hebben zoveel geld dat je nooit meer hoeft te werken. Je klaagt altijd dat je je vanwege je werk niet als kunstenaar kunt ontplooien. Het huis van *maman* is gewoon reusachtig. Je zult genoeg gelegenheid krijgen om op jezelf te zijn. Waarom ga je dit weekend niet met me mee om zelf een kijkje te nemen?' Haar stem veranderde. Er leek een staaldraad door die zachte, beheerste lettergrepen te lopen. 'Je bent al sinds mei niet meer geweest. *Maman* vraagt zich echt af waar je blijft.'

Daarmee had ze het laatste woord. *Maman* had de echte macht binnen de familie, zij was degene met het geld. Zelfs het huis in Parijs was van haar. Bruno kon dus niet weigeren. Hij wierp me een wanhopige blik toe. Ik wendde mijn blik af en wist dat mijn tijd met hem ten einde liep – tenzij hij snel ingreep. Dit was Catherines manier om hem dat te vertellen.

Het licht in zijn ogen doofde, en hij keek naar zijn vrouw. 'Natuurlijk, liefje. Ik wil je graag een plezier doen,' zei hij, en hij gaf haar nog een kus. Toen liep hij zonder me aan te kijken snel de kamer uit.

Ik liep achter hem aan. 'Ik moet met je praten,' fluisterde ik hem snel toe.

Een paar minuten later voegde hij zich bij me op het binnenhof. Ik stond al een sigaret te roken toen hij aan kwam lopen.

'Je gaat dit weekend toch niet echt met haar mee, hè?'

Hij vermeed mijn blik en deed net alsof hij al zijn aandacht voor het aansteken van zijn sigaret nodig had.

'Maeve trouwt dit weekend, weet je nog?' zei ik. Ik probeerde een kring van rook uit te blazen, maar dat mislukte en ik blies de rook in zijn gezicht.

'Hou op,' zei hij geërgerd. 'Als je niet fatsoenlijk kunt roken, doe het dan niet.'

'Laat die sigaret maar zitten,' zei ik, terwijl ik hem met mijn hiel uitdrukte. 'Zeg maar tegen Catherine dat je niet mee kunt, dat je hier in de stad moet werken.'

'Wat voor werk zou ik dit weekend dan moeten doen?' zei hij knorrig. 'Dat heb ik afgelopen weekend en het weekend daarvoor en het weekend daarvoor ook al tegen haar gezegd...'

'Vertel haar dan de waarheid,' viel ik hem in de rede. 'Word je niet gek van al dat liegen?'

Hij zei niets, maar zijn mond viel open van verbazing.

Toen ik zijn gezicht zag, drong het tot me door dat hij haar nooit zou verlaten.

'Ik ga naar de bruiloft, met of zonder jou,' kondigde ik zachtjes aan.

Hij keek opgelucht. 'Natuurlijk,' zei hij snel, 'je bent vrij om te gaan en staan waar je wilt.'

Ik keek hem ontzet aan. Wat bedoelde hij daarmee? Wilde hij me niet meer? 'En stel dat ik niet meer terugkom?' vroeg ik luchtig.

'Dat moet jij weten.' Hij haalde zijn schouders op. 'Ik heb je nooit proberen tegen te houden. Je bent uit eigen vrije wil bij me gebleven.'

'Vrije wil?' Ik lachte smalend. 'Niemand hier is vrij, zelfs ik niet.'

Hij lachte op een nare manier. 'Nee, jij bent alleen maar goedkoop.'

Zodra ik de andere bruiloftsgasten voor de kerk zag staan, wist ik dat ik niet in mijn sari had moeten komen. Ik weet niet waarom ik dat had gedaan. De sari ging op een vermomming lijken. Ik keek naar de mensen, op zoek naar een bekend gezicht. Uiteindelijk zag ik Annelise in haar eentje staan. Ik ging naar haar toe. 'Waar is Olivier?' vroeg ik.

'Hoe moet ik dat weten?' vroeg ze geërgerd. 'Ik ben zijn oppasser niet.'

Ik zei niets.

Even later kwam Olivier naar ons toe. Hij glimlachte me vriendelijk toe. 'Je ziet er prachtig uit,' zei hij, even de zachte zijde van mijn sari aanrakend. Ik glimlachte dankbaar naar hem.

'Wil je even naar Maeve?' vroeg hij vriendelijk.

Hij steeg steeds meer in mijn achting. Hij was echt heel aardig. 'Ja, graag.'

Hij leidde me door een zijdeur de kerk in en toen door een gang naar een kleine binnenplaats vol beelden en rozenstruiken. We staken de binnenplaats over en kwamen in een andere gang terecht. Hij bleef staan en wees naar een houten deur aan het einde. 'Daar zit ze. Ik zie je wel in de kerk. Kom maar bij ons zitten.'

Ik duwde verlegen de deur open. Maeve bevond zich in het midden van wat een kleine foyer leek. Er waren ook nog andere mensen, maar die waren allemaal druk bezig met de kleren van de bruidsmeisjes. Maeve zat in haar eentje voor de spiegel en legde de laatste hand aan haar make-up.

Ik liep naar haar toe. 'Maeve, je ziet er geweldig uit,' zei ik ter begroeting.

'Jij ook, liefje,' zei ze glimlachend tegen de spiegel. 'En Bruno? Is hij buiten?'

'Nee.' Ik had zin om te liegen, maar ik deed het toch niet. 'Hij moest op het laatste nippertje mee de stad uit.'

Er verscheen een kleine frons op haar gezicht. Toen draaide ze zich om en pakte mijn handen vast. 'Luister eens, Leela,' fluisterde ze op indringende toon. 'Ik wil dat je gelukkig wordt. Je moet echter niet op het geluk gaan zitten wachten, je moet ernaar op zoek gaan en het pakken. Je hebt lang genoeg op Bruno gewacht. Ga nu maar op zoek naar iemand anders.'

Ik staarde haar even aan. Toen welden de tranen in mijn ogen op. 'O, Maeve,' zei ik huilend, 'wat moet ik doen?'

Ineens sloeg er ergens een deur dicht en ze leek weer tot zichzelf te komen. Ze draaide zich weer om naar de spiegel en ging verder met haar make-up. 'Er komen vandaag heel veel mannen,' zei ze terloops.

Maeve had gelijk. De kerk zat vol mannen. Ze zagen er allemaal hetzelfde uit: dun, schouderlang haar in een paardenstaartje, of juist een heel kort kapsel, en kleine ronde brilletjes op haakneuzen. Ze hadden allemaal grote voeten die in dure patentleren schoenen met hakken van een paar centimeter waren gestoken. Zou een van hen Bruno's plaats kunnen innemen, vroeg ik me af. Maar wat had ik te bieden? Ik had niet eens een eigen kamer. Toen ik in die kerk met zijn enorme gewelfde plafond zat, omringd door bruiloftsmuziek, voelde ik me ellendig. De sari voelde zwaar en lastig en verstikte me bijna. Plotseling vond ik het vreselijk dat het kledingstuk zoveel verhulde. Wie zou er nu naar me kijken? Ik schoof ongedurig heen en weer in mijn stoel en wenste dat ik het ding nooit had aangetrokken.

'Gaat het?' fluisterde Olivier.

Ik keek hem onbewogen aan. 'Ja, ja, het gaat prima.' Hij zat naast me, en naast hem zat Annelise. Ze zat nogal lawaaiig haar nagels te vijlen, zonder te letten op de wereld om haar heen. We zaten op de tweede rij, vlak achter de familiekerkbanken. De nagelvijl maakte een geluid dat aan het schuren van zand op glas deed denken. Niemand schonk er echter enige aandacht aan. Olivier zag dat ik ernaar zat te kijken en fluisterde in mijn oor: 'Dat doet ze bij elke bruiloft. Iedereen is eraan gewend.'

'O,' zei ik zonder geluid, hem glimlachend aankijkend. Stel dat ik hem de waarheid vertel, zal hij me dan helpen, dacht ik. Of zal hij een gezicht trekken alsof het hem niets kan schelen, zoals hij wel vaker doet? Dat was bij hem altijd moeilijk te zeggen, omdat je bijna niet aan zijn gezicht kon zien wat hij dacht of voelde.

Ik draaide me om om naar Maeve te kijken, die net aan de arm van haar vader, een kleine, onopvallende man met een bos grijs haar, de kerk binnenkwam. Ze liep naar de verhoging, waar de priester en Pablo stonden te wachten. Ze knielden. De priester zegende het tweetal en zei iets in ouderwets Frans wat ik niet kon verstaan. Een vrouw begon te zingen. Het was een prachtig lied. Ave Maria. Ik besloot er Olivier later naar te vragen. Ik gaf me over aan de muziek. Die ene stem wikkelde zich rond mijn hart. Ineens voelde ik me ontzettend eenzaam.

Plotseling boog Olivier zich voorover en fluisterde in mijn oor: 'Kijk eens wie er net door de zijdeur naar binnen is gekomen en naar je staat te kijken.'

'Niets zeggen, ik kan het wel raden,' antwoordde ik. Ik wilde niet omkijken. Het kon alleen maar Bruno zijn, dacht ik grimmig. Hij moest een manier hebben gevonden om nog één keer aan de wurggreep van het huwelijk te ontsnappen en was naar Parijs teruggesneld om een oogje op zijn maîtresse te houden.

Olivier porde me weer in de zij. 'Kijk dan, het is Philippe Lavalle,' siste hij. Langzaam draaide ik mijn hoofd om. En daar was hij, de man van de boterham. Hij wendde zijn blik af toen ik hem in de ogen keek. Toen mensen zich omdraaiden om naar hem te kijken, leek het net alsof de menigte golfde. Hij bleef tijdens de hele plechtigheid in de deuropening staan. 'Wat doet hij hier?' vroeg ik aan Olivier. Voordat die kon antwoorden, siste Annelise: 'Wist je niet dat hij een Bon Marché in Buenos Aires heeft geopend? De ouders van Pablo zijn daar zijn vennoten.'

Na de plechtigheid liepen we allemaal weer naar buiten, de zonneschijn in, om het pasgetrouwde stel te feliciteren en 'voor de foto's', zoals Olivier fluisterde toen hij me naast Annelise in de rij mensen zette. Eindelijk stonden we allemaal in drie keurige rijen aan weerszijden van de ingang van de kerk. Toen kwamen de bruid en bruidegom naar buiten. Iedereen begon te klappen en gooide hun handenvol rijst toe. Vervolgens begon het fotograferen. Pablo wilde per se zijn drie Leica's, lompe, vierkante toestellen, om zijn nek dragen. Hij zag er idioot uit, vond ik. Een poseur. Ze waren allemaal hetzelfde, dacht ik kwaad, toen ik mijn blik over de rijen met bijna dezelfde gezichten liet gaan. Hoe kon Maeve gelukkig zijn met een man die eruitzag alsof hij, net als alle andere mannen hier, uit een winkelschap was gepakt? Ik zocht naar de man van de boterham, maar hij was verdwenen.

Het bruidspaar werd uitgeleide gedaan met nog meer stortbaden aan rijst, en de gasten begonnen zich te verspreiden.

'Ik vraag me af waar de Bon Marché na de plechtigheid is gebleven. Zou hij naar het diner gaan?' vroeg Annelise toen we op de trap in de zonneschijn stonden.

'Nou ja, hij verzorgt het eten, weet je,' zei ik. Het was een domme opmerking, besefte ik, maar het was te laat, de woorden hadden mijn mond al verlaten.

Annelise, die geen gelegenheid voorbij liet gaan om scherp uit de hoek te komen, reageerde onmiddellijk: 'Schat, gebruik nu toch eens je verstand: zijn firma verzorgt voor elk feest in deze stad het eten.'

Olivier, de vredestichter, kwam snel tussenbeide: 'Hij heeft het vast uitgemaakt met haar, daarom komt hij alleen.'

'Uitgemaakt? Met wie?'

'Wat, wil je me vertellen dat je dat niet wist? Met Catherine Baleine natuurlijk,' zei Annelise, die genoot van mijn verbazing.

'Ik weet dat hij graag wilde dat ze voor hem kwam werken, dat ze zijn internationale afdeling op zou zetten,' zei ik zwakjes.

Ze gilden van de lach. 'Heeft ze hem dat wijsgemaakt?'

'De bedriegende echtgenoot wordt bedrogen. Wacht maar tot de anderen dit horen,' zei Annelise, die haar ogen afveegde. '*Ils vont mourir de rire.*'

'Jullie zijn allebei verschrikkelijk,' zei ik kwaad, en ik rende de kerk in. Binnen hing nog steeds de geur van lelies. Ik kwam wat tot rust en had spijt van mijn uitbarsting. Iemand tikte me op de schouder. '*Mademoiselle*,' zei een klein grijs mannetje naast me. 'Ik heb iets voor u.' Hij gaf me een klein kaartje aan.

'Ga vanavond met me eten,' stond er, en daaronder: 'Philippe Lavalle.'

'Buiten staat een auto te wachten. Als u mij zou willen volgen,' zei de man. Ik klampte het kaartje vast en liep achter hem aan.

De auto reed via de Porte de la Muette weer de stad in, en binnen de kortste keren stond ik op het trottoir voor een kil grijs gebouw in de Rue de la Pompe, naast de Trocadéro. Dit soort gebouwen vond je hier overal: in de steen van de gevel waren vrouwen, waterspuwers en fruit uitgehouwen, en in het midden hing een klein bordje met de naam van de architect. Ik staarde door het zwarte traliehek met *fleur de lys* naar een kleine hal vol marmer, verguldsel en spiegels. Ik drukte op de bel en riep mijn naam door de luidspreker. Het rode oog op het bord met nummers floepte aan, en een stem zei: '*Entrez et montez au troisième, s'il vous plait.*'

Aan het einde van de hal was een kleine houten lift, maar ik nam zoals altijd de trap. Toen ik aankwam, nam een bediende mijn jas aan en zei dat ik in de hal kon plaatsnemen. Monsieur Lavalle was nog bezig, maar zou snel bij me komen.

Ik werd alleen gelaten en keek genietend naar de prachtige hal met zijn Aubusson-kleden in goud en blauw, de gordijnen van gele zijde en een wandtapijt met een afbeelding van de drie wijzen die het kindeke Jezus geschenken kwamen aanbieden. De inrichting verbaasde me. Ik had gedacht dat Philippe Lavalle van moderne zaken hield, maar de salon naast de hal stond propvol antiek.

Ik was bijna in de stoel in slaap gevallen toen hij verscheen. 'Dus je bent toch gekomen,' zei hij, zonder zijn excuses aan te bieden voor het feit dat hij me had laten wachten.

Hij bleef voor me staan, bruisend van ongeduldige energie. Ik keek naar hem op, zoals hij zo boven me uittorende, en de instinctieve reactie van mijn lichaam maakte me sprakeloos.

'Ja, ik ben er al een tijdje,' antwoordde ik.

'Het spijt me dat ik je heb laten wachten,' zei hij plichtmatig. Hij pakte mijn handen vast en trok me omhoog. Hij legde een hand onder mijn kin en hief mijn gezicht op. Ik liet hem begaan en voelde me net een pop in zijn handen.

Hij staarde me aan alsof hij me voor het eerst zag. 'Ik was vergeten hoe je eruitzag, ook al denk ik heel vaak aan je, vooral wanneer ik een boterham eet.'

'Als ik had geweten dat me zo'n eer ten deel viel, dan had ik je wel uitbundig bedankt,' zei ik zogenaamd ernstig.

Hij lachte. 'Wat een karakter, *ma belle.* Daar hou ik wel van. Je bent te goed voor iemand als Bruno Baleine.'

Mijn knieën knikten. 'Dat gaat jou toch niets aan?'

'Jawel, want ik wil je en ik ben een drukbezet man die liever geen tijd verspilt,' antwoordde hij. We liepen naar de salon.

'Dit is nogal onverwacht,' zei ik zwakjes. 'Je zult me nog steeds moeten verleiden, hoor.'

'O ja? Hou je van dat soort spelletjes?'

'Dat... dat weet ik niet. Ik dacht gewoon...'

'Nou, ik niet,' onderbrak hij me. 'Vertel me gewoon wat jij van mij wilt, dan beslis ik of de prijs klopt.' Hij begon door het vertrek te ijsberen.

Ik deed mijn ogen dicht en probeerde na te denken. Toen hoorde ik zijn voetstappen dichterbij komen.

'Je kunt blijkbaar niet besluiten wat je wilt. Wat wil je worden?' vroeg hij.

'Maakt het uit wat ik wil worden? Dat wordt uiteindelijk door het lot beslist.'

'Aha! Het lot!' Hij bulderde van het lachen.

'Ik snap niet wat er zo grappig is,' zei ik koeltjes. 'Hoe kun je nu denken dat je je leven in de hand hebt, terwijl... terwijl je morgen een fataal auto-ongeluk kunt krijgen, of...' ik voelde dat mijn keel zich dichtkneep, '... of dat je door een bom om het leven kunt komen?'

Hij bleef staan voor de bank waarop ik zat en boog zich over me heen. 'Dat is het verschil tussen jouw cultuur en de mijne,' zei hij met een lage en triomfantelijke stem. 'Jullie geloven in het lot en eindigen als slaven. Wij geloven in de wil van het individu, daarom heersen we over de wereld.'

'De Grieken geloofden ook in het lot. En zij heersten in hun tijd over de wereld.'

'Wie kan het nu schelen wat er duizenden jaren geleden is gebeurd? Vergeet dat lot nu maar. Het bestaat niet.'

Ik bleef even zwijgend zitten. Die man was gek. Het lot vergeten betekende het verleden verliezen. Hoe kon iemand zoiets doen? Maar toen ik naar de overvloed om me heen keek en nadacht over alles wat ik over Philippe Lavalle wist, veranderde ik van gedachten.

Ik hief mijn hoofd op en keek hem in de ogen. 'In dat geval wil ik graag beroemd worden.'

'En hoe denk je dat te bereiken?'

'Dat weet ik niet,' antwoordde ik ernstig. 'Misschien kun jij het me leren?'

Hij gooide zijn hoofd in zijn nek en lachte. 'Het je leren?'

'Ja,' zei ik eenvoudig. 'Als iemand dat kan, ben jij het.'

Toen kwam hij eindelijk naast me op de bank zitten. Ik stak mijn hand uit en pakte de zijne vast. 'Stel dat je in mijn schoenen stond, hoe zou jij dan beroemd proberen te worden?'

Zijn ogen begonnen te glanzen. 'Hoe kan een vrouw beroemd worden?' zei hij grommend. De woorden leken van diep in zijn keel te komen.

Hij stortte zich op me en duwde me achterover in de kussens. Een hand sloot zich als een tang om mijn borst. 'Door zich aan een beroemde man te binden.' Toen zijn mond zich over de mijne sloot, werd ik overspoeld door zijn geur: zoet en vlezig en boterachtig als een *saucisson.*

Deel drie

Een

De lichaamsgeur van Philippe was sterk en ondubbelzinnig. De geur omsloot hem als een harnas, dus vanaf het allereerste moment waarop hij me tegen zich aan drukte, voelde ik me op mijn gemak. Door één ongeduldige ruk van zijn hand raakte de sari los. De zware zijde kronkelde als een slang aan mijn voeten en ik lag voor hem in mijn blouse en ondergoed, met het gedraaide zwarte koord waarmee ik de plooien van mijn sari op hun plaats hield nog steeds rond mijn middel. Mijn onderbroek was een goedkoop katoenen gevalletje dat mijn tante had gekocht. Ik trok hem snel uit, me schamend. Zijn ogen flikkerden een beetje toen ik bewoog, maar bleven toen weer op mijn gezicht rusten. Door zijn blik begon ik een tikje onhandig mijn blouse los te knopen. Ten slotte bewoog hij zich en trok de blouse van mijn schouders, terwijl zijn ogen zich aan mijn borsten laafden. Ik legde mijn handen op zijn schouders. Door de spanning was ik verstijfd, gespannen en afwachtend. Zijn blik ging weer naar mijn gezicht en hij schonk me een scheef glimlachje. Ik glimlachte niet terug. Mijn blik liet de zijne geen moment los. Zijn handen sloten zich om mijn heupen, en hij kneep zo hard dat het pijn deed. Toen tilde hij me zonder een woord te zeggen op en droeg me naar de slaapkamer. Toen we langs de spiegel met de vergulde lijst in de hal kwamen, liet ik mijn hoofd achterovervallen zodat ik ondersteboven tegen de wereld aankeek. Ik glimlachte.

Vanaf de deur gezien leek de kamer eindeloos. Afgezien van een hemelbed dat van een of andere donkere houtsoort was gemaakt, stonden er weinig meubels. Een wollig wit tapijt strekte zich uit naar een wand die bijna geheel uit ramen bestond die van de vloer tot aan het plafond liepen. De gordijnen waren open. Ik zag een groot deel van de inmiddels bewolkte, grijze lucht. Hij zette me op de grond voor de ramen neer.

Philippes lichaam leek naakt nog groter dan gekleed. Toen hij zich op me stortte, kwamen de spieren in zijn borst en armen tot leven. Zijn mond vond de mijne, en zijn tong drong naar binnen. Ik kuste hem hongerig terug en voelde dat de lucht langzaam uit mijn lichaam ontsnapte. Ik probeerde me van hem los te maken om adem te halen, maar hij liet me niet los. Gesterkt door paniek en het gevoel dat ik dreigde te stikken sloeg ik naar zijn gezicht, met hem vechtend om lucht. Hij lachte en hield zijn gezicht buiten het bereik van mijn handen.

Ik voelde niet langer zijn gewicht op mijn borst. Langzaam kreeg de wereld weer het juiste perspectief. Ik haalde diep adem en voelde dat ik begon te ontspannen toen de zuurstof de verste uithoeken van mijn lichaam bereikte. Een enorm verlangen vervulde me. Ik deed mijn ogen dicht. Ik voelde dat zijn handen mijn middel, mijn heupen en toen mijn dijen streelden. Hij duwde mijn dijen zachtjes uiteen en volgde de plooi van mijn lies. Ik deed mijn knieën uit elkaar en kromde mijn rug, was er klaar voor. De lucht voelde koud aan. Ik verlangde hevig naar de warmte van zijn lichaam en boog me naar hem toe, mijn borsten, mijn nek en mijn mond aanbiedend. Ik had verwacht zijn gewicht op me te voelen, maar dat gebeurde niet. Ik deed mijn ogen open en keek Philippe ongerust aan. Zijn gezicht was rood en verwrongen, zijn blik afwezig. Zijn vlees trilde en het zweet parelde op zijn huid. Hij leek op te gaan in een wereld van verlangen die hij helemaal alleen had geschapen. Mijn verlangen werd verdrongen door een gevoel van bittere teleurstelling. Het gezicht van Philippe werd het gezicht van een vreemde. Ik hief mijn beide handen op en probeerde hem zo hard als ik kon een klap te geven. Ineens gromde hij en drong met een krachtige beweging diep bij me binnen.

De pijn schoot door me heen. Mijn spieren verstijfden van schrik. Hij leek het niet te merken. Hij bleef doorstoten, zonder iets van mijn pijn te merken. Ik staarde hulpeloos naar zijn borst en keek hoe de spieren van zijn armen en nek zich spanden en weer ontspanden. Toen begon ik het ritme te voelen dat hij zo meedogenloos in mijn lichaam ramde.

Ik moest ineens aan mijn tante denken, aan de manier waarop haar vlees trilde wanneer ze Spaanse pepers en knoflook tot een papje vermaalde. Alleen was het nu mijn lichaam dat daar in die vijzel lag. Mijn lichaam nam elke stoot die hij door me heen zond in zich op, en toen ik die kracht voelde, schoten er rillingen van genot door me heen. Pijn en genot schoten in golven door mijn vlees heen en vermengden zich, zodat ik het ene niet meer van het andere kon onderscheiden. Ik werd gegrepen door de meedogenloze kracht die Philippes bewegingen bepaalde, een kracht die sterker was dan wij tweeën, een kracht die hem keer op keer in mij dreef, ook al brandde en smolt mijn lichaam. Ik was de bron van die kracht, besefte ik opeens. Het was mijn lichaam dat hem keer op keer in mij dreef. Ik hief mijn heupen op zodat ik elke beweging van hem kon ontvangen. Zijn lichaam vermaalde meedogenloos het mijne, mijn vlees rammend totdat ik het gevoel had dat ik zou smelten. Hij stootte steeds sneller in me. Omdat ik het gevoel had dat ik werd vernietigd, kwam ik een paar seconden na hem huiverend klaar.

Daarna lagen we naast elkaar. Het witte tapijt zorgde voor een melkwitte weerspiegeling op de muren.

Zijn hand vond mijn gezicht. Zijn vingers volgden de omtrek. Ik pakte zijn hand en drukte zijn handpalm tegen mijn wang. Zijn vingers trilden en bewogen toen niet meer. Met zijn hand nog steeds in de mijne draaide ik mijn gezicht naar hem toe en keek naar zijn profiel. Hij zag eruit alsof hij tevreden was.

Ik ging voorzichtig met mijn vingertop over zijn voorhoofd, langs de brug van zijn neus, naar de zachtheid van zijn lippen. Ik raakte de holte in zijn nek aan en liet mijn vinger toen schuin naar de huid van zijn buik gaan.

'Ik... ik...' begon ik.

Voordat mijn hand nog verder kon gaan, pakte hij hem beet en drukte hem aan zijn lippen. 'Ssst,' zei hij. 'Niets zeggen.'

'Maar ik wil...'

'Hou je mond. Anders bederf je het.' Hij wendde zich af. Ik staarde met een ellendig gevoel naar zijn reusachtige rug, me afvragend wat ik verkeerd had gedaan. Ik hoorde hem tussen zijn kleren rommelen.

'Ik wilde je alleen maar bedanken,' mompelde ik mokkend.

Hij gaf geen antwoord. Ik hoorde het klikken van een aansteker die open werd geklapt en zag het geelgroene vlammetje.

Toen ging hij weer op zijn rug liggen en nam trekjes van zijn sigaret, me negerend.

Ineens zei hij: 'Zullen we gaan eten?'

Hij wilde me lozen, dat had ik wel door. 'Ik zou het bijzonder onbeleefd van je vinden als je me geen eten zou geven, nadat je me zo van de bruiloft hebt weggesleurd,' zei ik bitter.

Hij lachte droogjes. 'Ja, zeker. Anders zou je je bedrogen voelen omdat je zoveel hebt gegeven en zo weinig hebt teruggekregen, nietwaar?'

'Ik kan mezelf niet te goedkoop verkopen, dat begrijp je,' zei ik sarcastisch.

'Maar dat heb je net gedaan,' antwoordde hij. 'Je had je ervan moeten verzekeren dat je eerst te eten kreeg voordat je me gaf wat ik wilde. Mijn kok is de beste ter wereld, hij heeft het van mijn moeder geleerd.'

'Mijn tante is de beste kok ter wereld,' zei ik. Ik wilde door zijn verschrikkelijke arrogantie heen prikken.

'O, echt? Heb je talent in de familie?' zei hij snerend.

'Je bent heus niet de enige, hoor.'

'O, maar ik heb niet zulke pretenties. Ik weet dat ik geen talent heb. Maar hoe zit het met jou? Als je uit zo'n getalenteerde familie komt, wat kun je dan allemaal?'

'Breng me maar naar de keuken, dan zal ik het je laten zien,' antwoordde ik, hevig gekwetst.

'Goed.' Hij klonk verbaasd. 'Ik heb zo'n honger dat ik alles eet. Maar geef me niet iets waaraan ik mijn mond verbrand en zeg dan dat jullie Indiërs de haute cuisine hebben uitgevonden.'

Ik kookte de hele avond en combineerde alles wat ik bij de familie Baleine had opgepikt met dat wat mijn tante me had geleerd. Ik deed olijven, geroosterde paprika en pijnboompitten in de kip curry. Terwijl ik bezig was, kwamen er nieuwe ideeën in me op. Stel dat ik het eten anders presenteerde en alles op een apart bord legde, net als de uitstallingen die ik in de etalages van de traiteurs had gezien, de kleuren op het bord met elkaar combinerend zodat het geheel een lust voor het oog zou worden? Ik kleurde een deel van de rijst met saffraan en hield de rest gewoon wit. Ik maakte paarse raapsteeltjes met spinazie en legde die in een romige saus van amandelen en verse geitenkaas, enigszins gezoet met honing. De kip had de donkere, aardse smaak van de olijven en een schitterende roodbruine kleur. Ik kookte geraspte worteltjes beetgaar met citroen, olijfolie, gember en mosterdzaadjes. En ten slotte, toen de nacht al aanbrak, sneed ik een rauwe papaja en sinaasappels en witte radijsjes fijn en garneerde dat alles met olijfolie, citroen, honing en koriander.

Toen ik het bord met de geurige lading eindelijk voor Philippe neerzette, kon hij zijn ogen niet geloven. 'Dit... dit ziet er niet uit als Indiaas eten,' zei hij argwanend. 'Waar heb je dit geleerd?'

'Ik heb het zelf bedacht.'

'Je liegt. Niemand kan zoiets bedenken. Wie ben je? Welke gastronomische opleiding heb je gevolgd?'

'Ik zei toch dat mijn tante me heeft leren koken. Waarom proef je het niet?'

Toen hij klaar was met eten, bleef hij lange tijd zwijgen. 'Ik heb nog nooit zoiets geproefd,' zei hij ten slotte zachtjes. 'Hoe heb je dat gedaan?'

Ik was ontzettend trots. 'Het is alsof de geuren tegen me praten,' bekende ik. 'Ze vertellen me hoe ze zich voelen en fluisteren me in wat ik moet doen om ervoor te zorgen dat ze zich prettig voelen, hoe ik ze hun eigen leven kan laten leiden en hoe ik ze kan helpen te sterven, zodat ze hun beste geur afgeven.'

'Wat bijzonder,' zei hij een tikje sceptisch. 'Je klinkt alsof zij je hebben leren koken.'

'Nee. In het begin niet. Dat heeft mijn tante gedaan, en zij heeft het weer van haar moeder en oma geleerd.'

Hij kreunde quasi-getergd. 'O, wat zitten jullie Indiërs toch gevangen in tradities. Waarom kunnen jullie niet anders zijn?'

'Maar ik ben anders,' antwoordde ik.

En dat was waar. Ik was anders. Volgens de traditie hertrouwden moeders immers niet, en offerden ze hun dochters niet aan een onbekend lot op. De traditie had verraad gepleegd. Daarom was ik gedwongen geweest om te veranderen, om opnieuw een pad te kiezen. Zo was ik anders geworden.

Maar Philippe vond dat niet. 'Je verschilt niet zoveel van de rest van je volk. Oosterse rassen verschillen misschien wel van elkaar, maar in mijn ogen zien jullie er allemaal hetzelfde uit.'

Ik zei niets. Hoe kon ik vaststellen hoe anders ik was geworden? Met wie kon ik mezelf vergelijken? Degenen die me vroeger hadden gekend, speelden geen rol meer in mijn leven. Ik voelde me ineens erg eenzaam. Net als de brahmaanse dwerg uit de verhalen van mijn oma had ik de wereld net iets te vaak veranderd en meedogenloos de banden met de oude wereld doorgesneden, zodat ik de nieuwe kon betreden.

Philippe kreeg genoeg van mijn zwijgen. 'In welk opzicht ben je dan anders? Vertel me dat eens.'

'Omdat... omdat ik geen herinneringen wil hebben. Ik wil me van het verleden bevrijden,' antwoordde ik heftig.

Hij was geboeid, omdat hij vermoedde dat ik een geheim koesterde. 'Waarom?'

Ik had het gevoel dat ik in de val zat. Omdat ik niet wist wat voor soort antwoord hem tevreden zou stellen, verzon ik maar iets. 'Mijn moeder zei altijd dat herinneringen zaadjes zijn die in één nacht tot reusachtige bomen uitgroeien en zo het zicht op de toekomst versperren.'

Hij trok zo'n bezorgd gezicht dat ik me zorgen maakte. 'Dat heb ik nog nooit eerder gehoord, maar het klinkt wel mooi.' Hij lachte. 'Eindelijk eens bijgeloof dat logisch is! Nu weet ik waarom ik je moest hebben.'

Ik lachte gerustgesteld met hem mee.

Toen ik de volgende morgen wakker werd, was het ontzettend zonnig. Een onbewolkte hemel, bedekt met een waas, had het enorme raam veranderd in een rivier van licht. Ik kreunde. Het licht danste voor mijn ogen en gaf vorm aan de pijn waarvan mijn lichaam doortrokken was. Ik voelde me uitgeput en mijn hele lijf deed zeer. Maar ik was gelukkig. Ik had Philippes aanvallen overleefd. Het leek wel alsof hij geen genoeg van me kon krijgen. Hij had me steeds wanneer ik in een heerlijke slaap wilde verzinken weer met zijn strelingen gewekt, en ik werd snel aangestoken door zijn verlangen. Ik keek naar mijn lichaam in de verwachting dat er stukjes waren verdwenen. Maar het was nog helemaal compleet en gloeide warm in het geelbruine zonlicht.

Ik keek naar het kussen naast me. Philippe lag niet in bed.

'Philippe,' riep ik, me plotseling alleen voelend.

Hij kwam de kamer in, gekleed in een grijs pak.

'Ik ga naar de Bon Marché,' kondigde hij aan.

'O,' zei ik, niet geïnteresseerd. Ik draaide me om en wilde weer gaan slapen.

Hij legde zijn hand op mijn schouder en schudde me door elkaar. 'En ik neem jou mee. Dus kleed je aan, je hebt vijf minuten.'

Ik ging snel rechtop zitten en wilde mijn kleren pakken, maar ik kon ze niet vinden. Ik kreunde toen ik me herinnerde dat ik alleen maar de sari van mijn moeder had. Die lag op het bed, verstrengeld met de lakens. Vanaf het allereerste begin had het kledingstuk Philippe gefascineerd. Hij had keer op keer gewild dat ik de sari om me heen sloeg en de zijden stof op nieuwe, nooit vermoede manieren geplooid. Maar in het daglicht dat de kamer overspoelde, leek de sari gekreukt en opzichtig.

'Maar... maar zo kan ik niet naar buiten gaan,' zei ik tegen hem, de gekreukte stof van me af duwend.

'Dat kan me niet schelen. Je gaat met me mee.' Hij keek nadrukkelijk op zijn horloge.

Met trillende vingers probeerde ik de sari aan te trekken. Ongeduldig sloeg hij me gade. Er leek nu een diepe kloof tussen ons te gapen. Ik schaamde me, waardoor ik nog onhandiger werd.

'Schiet op,' snauwde hij.

'Het gaat niet. De stof heeft veel te veel kreukels, zo kan ik hem niet knopen,' zei ik geërgerd.

'Verdomme,' vloekte hij. 'Trek dan iets anders aan.'

'Ik heb niets anders,' snauwde ik.

Eindelijk was ik klaar. De sari was nog steeds gekreukt, en ik had geen make-up bij me. Ik trok zijn kam door mijn haar en stak het op. Ik zag er vreselijk uit.

In de auto ging hij een eindje bij mij vandaan zitten en staarde afwezig uit het raam. Het was een prachtige herfstdag. Door de milde zonneschijn leek het wit van de gebouwen wel room. De hemel was diepblauw. Een koude wind blies de bladeren en het stof in de rondte. Toen we rond de Invalides reden, merkte ik dat hij me fronsend zat aan te kijken.

'Ik kan er niets aan doen dat ik hier ben,' zei ik, 'maar als je aan de chauffeur vraagt of hij even wil stoppen dan stap ik uit.'

Hij hield op met fronsen en trok me naar zich toe. Zijn rechterhand sloot zich afwezig om mijn borst. Ondanks alles voelde ik dat mijn lichaam reageerde. Ik hief mijn hand op en pakte de zijne vast. Hij drukte me nog dichter tegen zich aan en liet zijn kin op mijn hoofd rusten. 'Ik weet niet waarom ik je meeneem naar de Bon Marché. Ik heb nog nooit eerder iemand meegenomen,' zei hij in mijn haar. 'Maar ik wil je een rondleiding geven.'

Twee

De vader van Philippe, die op Sicilië was geboren, was op zijn tweeëntwintigste naar Frankrijk verhuisd en bezat op zijn dertigste een zaak in op maat gemaakte badkamers, bedoeld voor de villabewoners in de Provence. Hij leverde ook goedkopere kant-en-klaarversies aan de grote supermarkten in Frankrijk. Maar zijn succesvolste idee, waarmee hij zijn eerste miljoen verdiende, was het bad met handtekening – een badkuip met de handtekening van een beroemde filmster of schrijver erin gegraveerd.

Daarna was er geen weg terug meer voor signor Lavare. Hij veranderde zijn naam in Lavalle, wat Franser klonk, kocht een villa in St. Paul de Vence in de Provence en ging voor de eerste keer in zijn leven op vakantie, op een *tour de gastronomique* door Frankrijk en Zwitserland.

In het kleine stadje Annemasse stopte hij om in Le Vigneron, een geheimzinnig restaurantje op de top van de berg, de *cailles aux raisins* te proeven. Zodra monsieur Lavalle ze proefde, was hij verliefd – een vreemde liefde, eerder een obsessie, waardoor hij evenveel hunkerde naar een glimp van de man die het eten had klaargemaakt als naar het eten zelf. Hij bleef in Annemasse, annuleerde de rest van zijn reis en negeerde de paniekerige brieven van zijn bedrijfsleider: hij kon zich niet losrukken van het kleine huisje op de bergtop. Overdag zwierf hij over straat of zat hij in de cafés, waar hij meer over de kok te weten trachtte te komen. ’s Avonds, precies om zes uur, liep hij op zijn paasbest de heuvel op naar het restaurant en at in zijn eentje aan de tafel van zijn keuze, vlak naast de keukendeur. De zomer maakte plaats voor de herfst. Er kwamen minder mensen in het restaurant eten, en de obers kenden zijn bestelling uit hun hoofd. En hij had de kok nog steeds niet gezien. Elke dag legde hij bij de rekening zijn kaartje, waarop hij had geschreven: ‘Mag ik alstublieft heel even met u praten?’ Zijn verzoek werd nooit ingewilligd. Om elf uur ging het restaurant dicht en joegen de obers hem met zachte hand naar buiten. Ten slotte werd het november, en dikke wolken en een plotselinge daling van de temperatuur kondigden de eerste sneeuw aan. ‘U moet nu vertrekken,’ zei de vrouw van het pension waar hij een kamer had genomen snibbig, ‘het wordt winter en dan gaat het restaurant dicht.’

Toen meneer Lavalle die avond naar het restaurant klom, vielen er kleine sneeuwvlokjes. Ze smolten op zijn wangen en gleden als tranen over zijn ruwe huid. Het restaurant was leeg, de obers waren opvallend luidruchtig en bespraken op luide toon hun plannen voor de winter met elkaar. Zelfs het eten dat hem die avond werd voorgezet, smaakte anders, ietsje te zout, en vreemd genoeg rook het naar lavendel. ‘Aan alle dromen komt een einde, Lavalle,’ vermaande hij zichzelf ferm, en hij probeerde zonder al te veel succes zijn aandacht op badkuipen te richten. Toen gebaarde hij de ober dat die de rekening mocht komen brengen. Maar de ober kwam hem vertellen dat het eten op kosten van de zaak was. ‘Bedank de kok maar namens mij, maar het is echt niet nodig. Ik heb namelijk geld genoeg.’ Hij legde een briefje van duizend franc op tafel. Droevig stond hij op, pakte zijn hoed en jas en vertrok. Buiten sneeuwde het niet meer, en je kon de sterren zien.

Toen hoorde hij in de verte een hoge, lieve stem zijn naam roepen. Hij bleef staan, verbaasd dat hij op de eenzame bergtop een vrouwenstem hoorde. Hij draaide zich om en zag een kleine gestalte, die zich tegen de sneeuw en de sterren aftekende.

'I-ik... u-u wilde me spreken?' zei ze, duidelijk stamelend. 'Het spijt me, mevrouw, ik denk dat u zich vergist. Ik weet niet wie u bent, en hoewel het me een genoegen is u te ontmoeten, kan ik niet bepaald zeggen dat ik u wilde spreken.' Bij wijze van groet tikte meneer Lavalle even tegen de rand van zijn hoed en draaide zich om, klaar om weg te lopen. 'Maar... meneer Lavalle, u-u h-heeft m-me deze z-zomer e-elke avond uw kaartje gegeven.' Mireille durfde nog steeds niet te zeggen dat zij de kok van Le Vigneron was. Meneer Lavalle verstijfde. Langzaam draaide hij zich om. 'Bent u de kok?' vroeg hij zacht, amper in staat om te geloven hoeveel geluk hij had. Mireille knikte. Nog geen seconde later hield hij haar in zijn armen. 'Ik laat je nu nooit meer gaan,' zei hij triomfantelijk.

Helaas was hun liefde maar een kort leven beschoren. Een jaar later stierf ze in het kraambed, een gezonde zoon van elf pond, Philippe, achterlatend.

Philippe groeide eenzaam en verwend op. Qua uiterlijk en karakter leek hij op zijn vader noch zijn moeder. Zijn ouders waren tamelijk rustige mensen geweest, maar Philippe was flamboyant, grof en overdreef bij bijna alles wat hij deed.

Na verloop van tijd werd echter duidelijk dat hij een echt kind van zijn ouders was, al leek hij op het eerste gezicht heel anders. Van zijn vader had hij de verbeeldingskracht van een handelaar geërfd – hij wist instinctief in welke verpakking een artikel het beste verkocht. Van zijn moeder had hij de liefde voor eten en een hartstocht voor precisie geërfd – niet alleen voor het eindproduct dat bij de maaltijd voor hem werd neergezet, maar voor eten in elke vorm, in elke fase van de bereiding. Alles, van de geur van een meloen voor de *melanzane* tot de dikte van de *prosciutto*, moest precies goed zijn. Gewapend met deze twee talenten begon Philippe aan de opbouw van de exclusiefste supermarktketen die de wereld ooit gekend had.

In het begin dacht iedereen dat hij gek was. 'Niemand gaat naar een winkel om iets te kopen wat je op zondagmorgen ook vers op een boerderij kunt halen,' zei zijn vader tegen hem. Maar Philippe was heel irritant wanneer hij iets wilde hebben, en daarom gaf meneer Lavalle hem met grote tegenzin een oud pakhuis in het veertiende arrondissement. Het was een achterbuurt vol pakhuizen, er waren geen winkels of restaurants. Maar Philippe was dol op het gebouw met zijn hoge plafond en grote, dertig meter hoge glazen wanden vlak onder het dak waardoor het helderwitte licht naar binnen stroomde. Het deed hem aan een kerk denken. Hij huurde architecten in die een paar ronde bogen neerzetten die het idee van een kerkschip versterkten, en oprijzende zuilen waaromheen prachtige uitstallingen konden worden gemaakt.

Hij huurde deskundigen van de École des Arts Décoratifs in om het interieur te doen. Die moesten middeleeuwse banketten en zeventiende-eeuwse stillevens van eten, vis en gevogelte schilderen – trompe-l'oeils die in de echte uitstallingen met eten overgingen.

Hij noemde zijn supermarkt de Bon Maraîcher, een naam die aan een ouderwetse boer deed denken. Maar mensen kortten die al snel af tot Bon Marché, wat als een geslaagde grap werd beschouwd omdat er behalve de naam helemaal geen koopjes in de winkel te vinden waren. Alles was duur, van de koffie in het café tot de knakworstjes in de *boucherie.* Het was wel allemaal van de beste kwaliteit, had de mooiste vorm en grootte en rook het lekkerst. 'Parijs, ik geef je perfectie,' luidde zijn bekendste uitspraak uit de *Elle*, dat een artikel van tien pagina's met foto's aan de winkel wijdde.

Toen de winkel eindelijk klaar was, gaf Philippe de avond vóór de opening een feestje in het pakhuis. Hij nodigde beroemde koks uit om te komen koken, beeldschone vrouwen om de avond op te luisteren en politici en journalisten om voor onafgebroken gesprekken te zorgen. En hij nodigde twee omroepen, TF1 en M6, uit om de avond te komen filmen, en op de een of andere manier, niemand wist precies hoe het kwam, waren er diezelfde avond op het nieuws beelden van het feestje te zien. Ook de hele volgende dag was dat het geval. Tegen de tijd dat de burgemeester van Parijs het lint doorknipte en de winkel voor geopend verklaarde, wist het hele land er al van.

Toen we aankwamen, was ik overdonderd door de grootte van de winkel. Die leek meer op een paleis dan op een supermarkt, van de prachtig uitgehouwen balkons op de tweede verdieping tot het fruit en de wijnranken, de symbolen van succes en vruchtbaarheid, die in de voeten van de zuilen waren uitgehakt. Alles gonsde van de drukte, en door de glazen schuifdeuren was het een komen en gaan van mensen.

Philippe nam me echter niet door de hoofdingang mee naar binnen. Hij nam me mee naar de dienstingang aan de linkerkant van het gebouw, een stalen deur die niet verder dan mijn middel leek te komen. Een trapje naar beneden, van drie treden, voerde erheen. De deur was even uitnodigend als de ingang van een gevangenis. Hij rommelde wat met zijn sleutels en duwde de deur open. Ik deinsde achteruit.

'Schaam je je zo erg voor me dat je me niet door de hoofdingang mee naar binnen wilt nemen?' vroeg ik.

Hij keek even verbaasd. 'Doe niet zo gek. Ik wil dat je dit van het begin af aan ziet. Zoals ik het heb bedoeld.'

We gingen naar binnen en kwamen in de goederenlift terecht. Philippe drukte op een knopje.

'We gaan naar beneden!' riep ik heel dom uit.

'Ik heb het magazijn onder het gebouw en de straat laten uitgraven,' legde hij uit.

De lifte stopte. We stapten uit en stonden in een lange, onopvallende gang. 'Hier bewaar ik mijn wijn,' zei hij vol trots. 'We zitten zo diep onder de grond dat we zelfs het denderen van het verkeer niet kunnen voelen. Wijnen houden namelijk niet van beweging.'

Ik rilde. Het was doodstil. Ineens leek de straat buiten een bijzonder aantrekkelijke plek.

Hij bleef staan en wachtte. Zijn gezicht straalde verwachtingsvol. Wilde hij dat ik hem zou kussen? Of verwachtte hij dat ik hem iets zou vragen? Ik keek hem hulpeloos aan. 'Wil je weten waarom ik mijn wijn hier onder de grond bewaar?' vroeg hij uiteindelijk met een lichte frons.

'Ik zou het niet weten. Vertel het me maar.'

'Wijn houdt niet van zon, net als ik,' zei hij.

'Maar wijn wordt van druiven gemaakt,' wierp ik tegen. 'Die kunnen zonder zon niet groeien.'

'Wie wil er nu druiven? Die bederven zo snel,' zei hij geërgerd. 'Kom, de wijnkelder is deze kant op. Hier blijven de druiven voor altijd goed.'

Hij sloeg zijn arm om mijn middel en leidde me door een andere lange gang met bakstenen muren. Ineens boog de gang naar links en werd veel breder. De lucht was er koud maar opvallend droog. We liepen een trapje af en stonden voor een kloeke houten deur. 'Hier begint mijn rijk,' zei hij spottend. Ondanks de droge lucht verschenen er zweetdruppeltjes op zijn voorhoofd. Hij was zenuwachtig, realiseerde ik me verbaasd. Hij wilde mijn goedkeuring. Ik voelde een golf van geluk door me heen gaan.

Hij toetste snel een code op een paneel in de muur naast de deur in, en de deur zwaaide geruisloos open.

Nieuwsgierig keek ik naar binnen. De wijnkelder bestond uit een aantal lange, rechthoekige ruimten vol met rekken met flessen. Hij deed me denken aan de boekenplanken in een bibliotheek. Wanneer we een vertrek betraden, ging er een gedempt licht branden. In elk vertrek had het licht een andere kleur. Ook de rekken waren telkens anders.

'De rekken zijn van verschillende materialen gemaakt: ceder, eiken, eucalyptus, appelhout, kersenhout, een speciale geurloze kunststofsoort, of kunstmatig geharde aarde,' legde hij uit toen hij me naar de rekken zag kijken. 'Verschillende houtsoorten beinvloeden de wijn op verschillende manieren. Sommige houtsoorten zijn warm en geven wijnen die gevoelig zijn voor kou een beschermend warm jasje. Bepaalde wijnen zijn zo gevoelig voor geuren dat ze niet bij andere wijnen bewaard mogen worden, en ook niet in houten rekken – hout ruikt namelijk ook, snap je. Ik heb dus deze speciale rekken laten ontwerpen die van een speciale soort kunststof zijn gemaakt.' Hij keek nadenkend naar de wijn. 'Wijn kan in een fles heel, heel erg lang leven – misschien een wat beperkt leven, maar wel een leven dat elk jaar aan waarde wint, wat je van ons mensen niet kunt zeggen.'

Ik bleef zwijgen. Ik had nog nooit iemand dit soort dingen horen zeggen.

Hij keek me aan en lachte. 'Vooropgesteld natuurlijk dat de wijn in een gecontroleerde omgeving wordt bewaard.'

'Gecontroleerde omgeving?'

'Ja.' Zijn stem leek wel van elastiek. 'Deze lampen zijn speciale temperatuurlampen die bijna geen warmte afgeven. Wijnen houden niet van licht of van temperatuurschommelingen. Toch zijn er ook wijnen die een klein beetje koel blauw maanlicht nodig hebben om de smaak tot ontwikkeling te laten komen. Daarom hebben we die blauwe lampen. Andere wijnen houden van volslagen duisternis, dus heb ik ook speciale lampen laten ontwerpen, hetzelfde soort lampen als in donkere kamers wordt gebruikt. Goede wijnen moeten tegen alle uitersten worden beschermd, net als kleine kinderen,' zei hij sentimenteel.

Ik staarde naar Philippe, me verbazend over de verandering die hij had ondergaan. In de duistere wijnkelder leek hij die onbeheerste energie die me zowel bang als opgewonden had gemaakt te hebben verloren. Zelfs zijn stem klonk anders, warm, door de liefde en de kennis, en hij drukte zich amper nog grof uit.

'En stof?' vroeg ik bijdehand toen we een vierde vertrek betraden waar de flessen met een dikke laag stof waren bedekt. 'Willen sommige wijnflessen door een deken van stof warm worden gehouden, en andere niet?'

Hij lachte. 'Zo kun je de gewone wijn van de heel goede wijn onderscheiden. Het meeste van wat boven wordt verkocht, is aangeklede rommel: goed, maar voorspelbaar. Maar het ziet er goed uit, is mooi verpakt en wordt omringd door dure dingen en het juiste soort mensen. Mensen voelen zich dus mooi als ze hem kopen. Weet je waarmee mensen proeven?' vroeg hij ineens.

Ik deed mijn mond open, maar hij beantwoordde de vraag al zelf. 'Met hun ogen,' zei hij met glanzende ogen, terwijl hij tegen zijn slaap tikte. 'Nee, spreek me niet tegen. Wacht tot je de rest van de winkel hebt gezien en kijk of je het dan nog steeds niet met me eens bent.'

We liepen naar het einde van de kelder. Er ging direct een zachtblauw licht branden. Deze ruimte was kouder dan de andere. De wijnrekken zagen er oud en verwaarloosd uit, en de oude bakstenen muren waren ongeverfd en donker van ouderdom. Ik huiverde in mijn sari en sloeg het losse uiteinde stevig om me heen. Hij keek me geamuseerd aan. 'Je vindt deze ruimte maar niets, dat zie ik. Hier bewaar ik mijn lievelingswijnen, de wijnen uit het hooggebergte, gemaakt van druiven uit de Himalaya.'

'Uit de Himalaya?' vroeg ik verwonderd. 'Ik wist niet dat ze daar wijn hadden.'

'Jazeker. Het is hun best bewaarde geheim, een geheim waarvan zelfs de meeste Indiërs godzijdank niets weten.'

'Hoe heb je dan...' vroeg ik, een beetje boos over zijn opmerking.

'Ik heb daar twee jaar in de bergen doorgebracht,' antwoordde hij.

'Twee jaar!' Ik keek Philippe bewonderend aan. Hij was toch in het land van mijn voorouders geweest, en het moest hem zijn bevallen, anders was hij er geen twee jaar gebleven. Ik was ineens trots op mijn erfenis. Er kwamen wel ontelbare vragen in me op. 'W-wat dacht je?' vroeg ik ten slotte, een tikje onsamenhangend.

Philippe liep naar het rek en haalde er een dikke, lelijke fles uit. 'Dit zijn de echte wijnen van het noorden, met een ijzig vuur vanbinnen, gemaakt door de plaatselijke stammen,' zei hij, terwijl hij de fles langzaam ronddraaide. 'Ze hebben een scherpe, frisse smaak, als de heldere blauwe lucht van de bergen. Om de planten onder het ijs in leven te houden, bedekken de plaatselijke bewoners ze met lagen theebladeren en koeienmest, en soms ook met menselijke ontlasting.'

'O nee!' riep ik uit.

'O, jawel. De vrouwen verzamelen de stront in tinnen emmers en spreiden die met hun handen zorgvuldig over de wijnranken uit. Als jij daar had gewoond, had je het ook moeten doen.'

'Waarom doen alleen de vrouwen het?'

'Omdat de mannen het vuile werk aan de vrouwen overlaten. Ze maken de wijn alleen maar en zitten verder als priesters in hun kleine hutjes.'

'Maar dat is niet eerlijk,' riep ik uit.

'Dat is niet waar. Volgens mij heeft deze wijn zijn unieke smaak en zijn speciale muskusachtige aroma te danken aan de vrouwen, die elk jaar negen maanden lang de wijnranken met stront bedekken.' Zijn gezicht begon te glanzen. 'Het waren de sensueelste vrouwen die ik ooit heb ontmoet.'

Ik merkte dat ik de wijn in die flessen dolgraag wilde proeven, zodat ik net zo sensueel als die vrouwen zou worden en Philippe tot mijn slaaf kon maken. Ik moet een geluidje hebben gemaakt, want hij wendde zijn bedachtzame blik van de wijn af en keek me aan. Zijn blik bleef op mijn mond rusten, die halfopen en droog van verlangen was. Ik deed een stap in zijn richting. Hij bewoog niet en bleef naar mijn gezicht kijken. Ik likte langs mijn lippen en dwong mezelf om iets te zeggen. 'Ik zou graag wat van die wijn willen proeven, alsjeblieft.'

Zijn witte tanden glommen toen hij luidkeels lachte. Dat klonk lelijk in die rustige blauwe ruimte. 'De wijn is even goed of slecht als de wijn die je in de eerste kelder hebt gezien.'

'Wat!' riep ik uit. Ik voelde me enorm voor de gek gehouden. 'Maar... maar dat kan niet waar zijn. Dat heb je toch niet verzonnen?'

'Dat heb ik wel,' antwoordde hij. 'Druiven kunnen op een dergelijke hoogte in de sneeuw niet groeien. Druiven hebben de zon nodig, die maakt ze zoet.'

'Maar... maar de ontlasting... Ik dacht...' zei ik zwakjes.

Hij lachte weer. 'Bij die kou bevriest ook mensenstront, net als alle andere dingen.' Hij deed een stap in mijn richting en legde zijn hand onder mijn kin, zodat ik hem wel aan moest kijken. Mijn lichaam werd tegen het zijne gedrukt. 'Maar mijn verhaal heeft je wel opgewonden, hè?'

Ik wendde mijn blik af.

'Dat is toch zo, hè?' Hij pakte mijn haar beet en trok eraan, zodat ik mijn hoofd nog verder moest opheffen. Ik keek hem aan.

Met tegenzin fluisterde ik: 'Ja.'

'Dat wist ik wel!' Ineens liet hij me los. 'Ik wilde weten wat voor soort vrouw je was. Nu weet ik het.'

'Dat is niet waar. Je weet niet waar ik opgewonden van werd,' zei ik verhit. 'Je hebt me een verhaal verteld, maar je weet niet wat in je verhaal, of daarbuiten, me in beroering heeft gebracht. Hoe weet je nu of het niet door het blauwe licht op je gezicht kwam, of door de geur van wijn en hout, of door de kou? Hoe kun je nu weten dat ik niet deed alsof, alleen maar om je een plezier te doen?'

Boos deed hij een stap in mijn richting. Toen veranderde zijn stemming ineens, vliegensvlug, en er verscheen een milde uitdrukking op zijn gezicht. 'Tjonge, nu ga je filosofisch worden, mijn liefje. Verliezers worden filosofisch om net te doen alsof verliezen niet erg is. Het kan me niet schelen waar je precies opgewonden van werd, ik vind het alleen belangrijk dat je het werd. Ik weet dat ik ervoor heb gezorgd dat je iets wilde hebben wat niet bestaat, wat niet kan bestaan en wat je aanvankelijk zelfs walgelijk vond. Ik heb de gave dat ik verlangen bij mensen op kan wekken, en daarom kan ik iedereen krijgen die ik wil, man of vrouw. Daarom kan ik alles doen wat ik wil. Vergeet dat niet.'

Hij kwam weer in beweging en trok mij met zich mee. 'We moeten gaan, we kunnen hier niet nog meer tijd verdoen. Ik moet je de rest van de winkel nog laten zien.'

Toen we terugliepen door de kelders, praatte hij gehaast. 'Om rijk te worden, moet je dromen begrijpen, en je moet dromen in verhalen, en verhalen in dingen kunnen vertalen. Zaken zijn op die vergelijking gebaseerd, en een zakenman begrijpt dat. Mijn vader verkocht bijvoorbeeld badkuipen. Voor hem was dat iets sensueels. Hij was dol op baden. In bad fantaseerde hij over zijn lievelingsactrices, Sophia Loren, Gina Lolobrigida met haar reusachtige tieten, Marilyn Monroe. Dus ontwierp hij badkuipen met binnenin afbeeldingen van die vrouwen, naakt. Op dit idee varieerde hij, en dankzij die fantasie is hij steenrijk geworden. Hij was niet de enige, anderen hebben het ook gedaan.'

Hij hield ineens op met praten en opende een deur aan de linkerkant van de onopvallende grijze gang. Ik keek naar binnen. Na de steriele orde van de kelders deed de rommel hier pijn aan mijn ogen. De inhoud van dozen met fruit en groenten lag over de vloer verspreid. Aan een kant stonden winkelwagentjes met vreemd gevormde wijnflessen. Overal lag pakpapier in een bijzonder lelijke lichtpaarse tint.

'Dit is de afwijzingskamer,' legde Philippe uit. 'Elke bestelling op het gebied van eten wordt eerst op fouten onderzocht.' Hij pakte een kiwi op die vlak bij mijn voeten lag.

'Wat mankeert eraan?' vroeg ik.

'Niets,' antwoordde hij. 'Deze kleine jongen is alleen een millimeter groter dan de gemiddelde kiwi en iets hariger dan zijn broertjes.'

'Dat is idioot,' zei ik ontzet. 'Wat een verspilling!'

'Nee, dat is niet idioot,' zei hij met een geërgerd gezicht. 'Mensen proeven hun eten niet voordat ze het kopen. Ze weten hoe eten eruit hoort te zien, niet hoe het hoort te smaken. Ze zien het op tv, in bladen, en uiteindelijk in de supermarkt. Al lang voordat ze het proeven, hebben ze in gedachten het oordeel van hun ogen al overgenomen.'

Ik keek hem zonder iets te zeggen aan. Ik geloofde hem niet, maar wist niet hoe ik hem van repliek moest dienen. Hij raakte mijn gezicht aan. 'Daarom moet een vrouw er altijd uitzien om op te eten.'

Ik wendde mijn blik af. Maar stel dat ik oud werd, of een ongeluk kreeg? Ik huiverde.

Toen sleepte Philippe me weer mee door de gang. Hij duwde me weer de lift in en drukte op een knopje. De lift bewoog zo onverwacht dat ik tegen hem aan werd geslingerd. Hij lachte vrolijk en drukte me tegen zich aan. 'Vond je mijn magazijn mooi?' vroeg hij, me indringend aankijkend.

'Natuurlijk. Zolang je mij er maar niet opslaat,' antwoordde ik.

De lift stond stil. Hij liet me los en gaf me een zetje. Snel stapte ik de lift uit. We stonden in een andere smalle, door tl-buizen verlichte gang, met aan het einde dubbele deuren van roestvrij staal. Ik staarde er angstig naar, bang dat hij me in deze nietszeggende onderaardse ruimten zou achterlaten. Hij pakte me bij mijn elleboog. 'Wees niet bang, dit is het laatste stukje van mijn ondergrondse koninkrijk.'

Ik deed de deuren open en kwam terecht op een geheel in glas gevatte loopbrug die uitzicht bood op een ruimte die zo groot was dat ik het einde niet kon zien. Het was er erg licht. De muren waren wit en er schenen fluorescerende lampen die geen schaduwen achterlieten. Het was er ongelooflijk schoon en netjes. Het enige geluid was een zacht, laag gebrom. Aan glanzende haken in het plafond hingen enorme karkassen van runderen en schapen die in lappen plastic gewikkeld waren.

'Mijn hemel.' Zoveel vlees had ik nog nooit gezien.

'Genoeg om heel Frankrijk een dag lang te voeden,' pochte Philippe.

Ik voelde dat ik misselijk werd, maar ik kon mijn ogen niet van die nette rijen dieren zonder koppen afhouden.

Hij deed een deur aan het einde van de loopbrug open. Snel liep ik achter hem aan, omdat ik niet alleen daar achter wilde blijven. We liepen tussen glimmende stalen rekken vol vlees door. Achter in de ruimte stonden drie mensen – ik kon niet zien of het mannen of vrouwen waren, omdat ze net als artsen in een operatiezaal van top tot teen in het wit waren gehuld – aan een lopende band, met grote stalen linialen in hun handen. Op de band lagen nog meer karkassen. De drie maten ze op, knikten naar elkaar en drukten op een knop naast zich. Er kwam een ijzeren haak naar beneden en ze maakten het vlees eraan vast. Daarna haalden ze een hendel naar beneden. Het karkas werd opgehesen en naast de andere op de rekken gelegd.

'Waarom is er geen bloed?' vroeg ik ineens aan Philippe. 'Waarom ruik ik niets?'

'Omdat ze al gevriesdroogd zijn. Er wordt onder hoge druk vloeibare stikstof overheen gespoten.'

'En daardoor verdwijnt de geur van het vlees?' vroeg ik verbaasd.

'Natuurlijk. En het blijft heel lang vers,' antwoordde hij trots. 'Daarna wordt het met lasers gesneden, dezelfde die juweliers gebruiken. Speciaal op mijn aanwijzingen gemaakt. Het beste idee dat ik ooit heb gehad.'

We liepen terug. Ik nam nu de tijd en keek naar elk bevroren lijf zonder kop. Elk dier had een prachtige vorm, van de ronding van de schouder tot de gladde welvingen van de buik en dijen. Ik kon het stevige, strakke, jonge vlees bijna onder mijn handen voelen. Ik huiverde, maar dit keer omdat ik opgewonden was. Ik boog me naar Philippe toe en voelde de warmte van zijn lichaam door de zijde heen sijpelen. 'Waar heb je al die volmaakte dieren gevonden?' vroeg ik. 'Ze zijn allemaal even groot en hebben dezelfde vorm.'

Hij keek me glimlachend aan. 'Er ontgaat je niets, hè? Ik ben blij dat ik jou heb gevonden.' Hij kuste me langzaam op mijn lippen. 'Ik heb een mannetje, Alberto, dat het beste vlees voor me uitzoekt. Ik stuur hem zelfs helemaal naar Australië en Argentinië. We accepteren alleen dieren met de juiste vormen. Dieren die niet het gewenste gewicht hebben of waarvan de dijen niet rond genoeg zijn, willen we niet.'

'Maar het vlees is hetzelfde?' vroeg ik.

Hij haalde zijn schouders op. 'Misschien wel. Maar als ze er niet goed uitzien, hebben we er niets aan. We leren onze klanten om het "juiste" uiterlijk te herkennen. De verhoudingen van de Bon Marché zijn een kwaliteitsstempel. Mensen geloven dat.'

'Godzijdank verkoop je niet het juiste menselijke uiterlijk,' zei ik vinnig, en snel liep ik voor hem uit naar de veiligheid van de gang.

Ik hoorde hem lachen. 'Je hoeft je geen zorgen te maken, met jouw uiterlijk is niets mis.'

Ik had het koud.

We liepen terug naar de lift. Toen die naar boven ging, voelde ik me weer iets beter. Toen de deuren opengingen, was het alsof we naar het leven terugkeerden.

Enorme glazen wanden van dertig meter hoog vormden een oogverblindend gordijn van licht, waardoor het tropische oerwoud van kamerplanten nog veel weelderiger leek. Parkieten, kaketoes en kleine, op juwelen lijkende vogeltjes die ik niet kende, vlogen tussen de minibananenbomen heen en weer. Hun gekwetter verstoorde het gestage geklots van stromend water. Een waterval stroomde naar een rotsvijver die was gevuld met rode en witte lotussen. Binnen was het warm, en de lucht was zwaar van een intrigerende mengeling van de geuren van exotisch fruit en bloemen. In de bomen en aan de stellages van wrakhout hingen manden met kleurig fruit. Piepkleine gele banaantjes hingen als waaiers rond een flesgroene ananas. Enorme oranje mango's uit Zuid-India lagen naast passievruchten uit Oost-Afrika, mangoestans uit Indonesië en mandarijntjes uit China. Er waren bougainvilles, een woeste mengeling van karmijnrood, paarsrood en wit, met ertussen witte gietijzeren tafeltjes met hors d'oeuvres, gekonfijte tropische vruchten en marsepein.

Niet alleen het elegante decor, maar vooral de reusachtige hoeveelheden voedsel waren overweldigend. Alles ademde harmonie uit, van het geluid van het water en de vogels tot de bonte kleuren van het eten.

Geen enkel detail was aan het toeval overgelaten. Naast de zwarte kersen stonden bijvoorbeeld grappige strooien mandjes die de klanten konden gebruiken. Ik zag dat een donkere, elegante vrouw een mandje met fruit aan het vullen was. Ze was erg lang, en haar rug, het enige wat ik van haar kon zien, was breed, bijna mannelijk. Haar rode satijnen broek sloot nauw om haar gespierde heupen. Ik wou dat ik net zulke kleren als zij kon dragen en had het gevoel dat ik er in mijn sari, die helemaal geen vorm had, slordig uitzag. De vrouw liep verder naar de meloenen. Ze prikte met haar lange vingers een voor een in de vruchten. Eindelijk koos ze een groot, groen, ovaal exemplaar uit. Ineens draaide ze zich om en zag dat ik naar haar keek. Ze wuifde. '*Salut*, Philippe.'

Ik keek hem aan. 'Is zij niet een of andere beroemdheid?' vroeg ik dom. 'Ik heb het idee dat ik zou moeten weten wie ze is.'

'Natuurlijk. Iedereen weet wie ze is. Het is Elizabeth Bouchon.'

Ik besefte hoe weinig ik wist over de wereld waarin hij me had binnengevoerd. 'Komt... komt ze hier vaak?' vroeg ik aarzelend.

'Zeker, mits ze niet een of andere film over een stam in Zanzibar aan het maken is,' antwoordde hij met samengeknepen ogen. Toen lichtte zijn gezicht op. 'Ik heb eraan gedacht om haar voor een advertentie te gebruiken. Je weet wel, met een zin eronder als: "Wanneer ze geen wormen zit te eten bij de stam Shalli Wak, is ze in de Bon Marché."'

Ik lachte plichtmatig en probeerde haar naam te onthouden.

'Wat denk je ervan?' vroeg Philippe. Hij draaide me om en keek me diep in mijn ogen.

'Het is net een droom,' fluisterde ik. 'Ik had nooit gedacht dat er zoiets verfijnds kon bestaan, iets wat alleen maar is gemaakt om mensen in vervoering te brengen.'

Hij glimlachte en kneep bezitterig in mijn hand. 'Er is niemand die zoiets had kunnen bedenken, behalve ik. Ik ben de enige die zo'n plan kon verwezenlijken.'

Ik bekeek hem met andere ogen. Hij leek heel anders dan de overheersende man die ik kende. 'Het is niet alleen een droom, het is een fantasie die werkelijkheid is geworden,' zei ik.

'Het is veel meer dan een fantasie. Voor de mensen die hier hun inkopen komen doen, is het een obsessie. Ze vertrouwen het eten in andere winkels niet, dat stilt de honger in hen niet, dat is niet mooi genoeg.'

We liepen door en kwamen bij groenten die uitgestald lagen alsof het om vuurwerk ging. Paarsblauwe *brinjals* staken tussen knalgele en rode paprika's omhoog. Rode tomaten en paarse bieten werden omringd door groene en gele courgettes. Elke groente had dezelfde tint, zonder een enkel schandvlekje, en glom van het vocht omdat de sprinklers aan het plafond een nevel van waterdruppeltjes verspreidden. Achter de oprijzende stapels groenten stonden nog meer palmbomen en bougainvilles. Vogels schreeuwden naar elkaar. Het zonlicht stroomde naar binnen en werd door kunstig verstopte spiegels weerkaatst.

Philippe vervolgde: 'In het begin was het gemakkelijk om mensen tot kopen te verleiden: ik hoefde alleen maar met hun verbeelding te spelen. Maar kopen tast de verbeelding aan. Je kunt een verlangen opwekken door er een bepaalde fantasie aan te verbinden, maar dat verlangen houdt op zodra je hetgeen waarnaar je verlangde in je bezit hebt. Daarna ligt niemand er nog wakker van.'

Mijn hoofd begon te tollen. Ik had het gevoel dat ik op wolken liep.

'Mensen kunnen niet eens meer zelf dromen. Ze zijn eraan gewend geraakt dat hun dromen worden veranderd in dingen, in spullen die ze kunnen kopen. Die spullen nemen bezit van hun verbeelding, nemen de plaats van hun fantasie in. Ze krijgen steeds minder verbeelding en hebben niet langer het verlangen om nieuwe dingen te bezitten. Kopen bevredigt niet langer, en ze consumeren steeds minder. Maar de verveling die door de dood van hun verbeelding wordt veroorzaakt, verdwijnt niet. Zonder hun dromen voelen ze zich leeg, ze kunnen zich geen voorstelling van de toekomst meer maken, niet eens meer van een toekomst vol spullen die je kunt kopen en bezitten. Ze zien alleen tijd – ze worden geobsedeerd door de uren, de minuten, de seconden van het leven die verstrijken. Ze raken geobsedeerd door de dood. Dat is het enige waaraan ze kunnen denken. Het is een hysterie die steeds maar toeneemt, omdat hun toekomst zo leeg is.'

Hij zweeg en keek me aan. Ik dacht nog steeds aan wat hij had gezegd. De woorden weerklonken in mijn gedachten. Hij draaide zich om en wuifde naar een korte, grijsharige man in een vreemd model grijs pak. Zijn natte rode mond leek voortdurend te pruilen. 'Simon, *mon cher ami*,' zei hij luid, ineens joviaal, heel anders dan de man die hij zo-even nog was geweest. Hij wendde zich tot mij en fluisterde: 'Blijf hier. Ik ben zo terug,' en liep snel weg. Hij ging vertrouwelijk met Simon staan praten, dicht bij hem. Ze zagen eruit als oude vrienden, dacht ik jaloers. Uiteindelijk gingen ze uit elkaar. Philippe kwam weer naar me toe. 'Een goede vent, Simon. Hij is de kok van La Pirogue.'

Ik sperde mijn ogen open. La Pirogue was het oudste en bekendste nouvelle cuisine-restaurant.

'Simon was een van de eersten die besefte dat de wereld was veranderd. Hij begreep dat mensen vandaag de dag nog maar twee dingen willen kopen, namelijk de eerste levensbehoeften en de obsessies. Hij stond aan de wieg van de nouvelle cuisine, een keuken die bedoeld was om alle zintuigen te verleiden en zo moeilijk was dat niemand wist hoe je het moest klaarmaken. Een tijdje was het heel geliefd, maar het werd nooit een obsessie. Weet je waarom niet?'

Ik schudde mijn hoofd en wist wat hij wilde. 'Nee. Waarom niet?'

'Hij heeft één ding niet helemaal begrepen: als je wilt dat iets een langdurige obsessie wordt, dan moet datgene de tijd uitdagen. Het kostte gewoon te veel tijd om zijn eten te bereiden.'

'Tijd?' vroeg ik, er niets van begrijpend.

'Ja, tijd, want die herinnert ons eraan dat we doodgaan.'

'En waardoor kan een mens tijd vergeten?' vroeg ik. 'Door seks?'

Hij schudde zijn hoofd. 'Nee, zelfs seks is tegenwoordig niet goed genoeg meer om dingen aan de man te brengen. Seks is helaas te veel door de adverteerders gebruikt. Ze eten onze verbeelding op alsof ze sprinkhanen zijn. Maar het antwoord op je vraag,' hij wuifde als een goochelaar met zijn handen, 'zie je overal om je heen: eten. Mensen moeten nu eenmaal eten. En je kunt gemakkelijker eten dan seks hebben, je kunt het alleen of in gezelschap doen. Je kunt eten in plaats van seks te hebben, of je kunt voor, na of tijdens seks eten. Als je seks zat bent, kun je zonder. Als je eten zat bent, moet je het evengoed blijven doen.'

'Maar eten is een levensbehoefte. Daarom is het gewoon, zelfs saai. Hoe kan zoiets een obsessie worden?'

Mijn onbegrip leek hem te plezieren. 'Omdat ik op een dag iets besefte: kopen kan een behoefte van de verbeelding bevredigen. Dat betekent dat een lichamelijk verlangen ook een behoefte van de verbeelding zou moeten kunnen bevredigen. Dat idee stond aan de wieg van deze geweldige winkel.'

'Ik... ik snap het nog steeds niet.'

'Eten,' legde hij met ongewoon veel geduld uit, 'overwint de tijd, omdat er steeds weer wordt gegeten, elke dag, tot de cirkel rond is. En dankzij de wetenschap geloven we dat het volmaakte voedsel als een soort levenselixer de dood kan overwinnen. En ik laat mensen geloven dat het voedsel van de Bon Marché volmaakt voedsel is.'

'Maar wie... Ik bedoel, waar heb je dit allemaal geleerd?'

Hij keek me even aan. 'Het was niet zo moeilijk. Alle ingrediënten voor de obsessie waren al aanwezig. Ik was zo geniaal om ze allemaal bij elkaar te brengen.' Hij spreidde zijn armen uit. 'Ik heb een nieuw, oneindig gebied ontsloten dat de verkoopmachine kan gaan veroveren. Maar dat is niet alles. Ik bied ook bevrediging – eindeloze hoeveelheden – en *soulagement* van de angst om te sterven. Ik heb mensen een vorm van bevrediging gegeven die elke dag kan worden vernieuwd en herschapen. Ineens hoeven ze zich niet langer af te vragen wat ze willen, wat ze begeren, waarover ze moeten dromen. Ineens is het leven niet langer saai. Ik verkoop geen eten, maar een lifestyle. En van elke maaltijd die wordt gegeten, word ik rijker.'

Ik staarde hem aan en probeerde te verwerken wat hij me zoeven had verteld. Maar het bewijs lag overal om me heen. Waar ik ook keek, ik zag beeldschone, prachtig geklede mensen die zich met dezelfde geconcentreerde, serieuze uitdrukking tussen de waren bewogen. Ineens werd ik bang. Hoe zou ik ooit zo'n briljante man als Philippe kunnen bevredigen?

Ik ontdekte dat ik midden in een uitstalling van specerijen stond. Ik barstte in een enigszins hysterisch gelach uit toen ik de bekende Spaanse pepers zag, in alle kleuren, vormen en formaten, die in dikke strengen aan de huiven van houten karretjes hingen. Kaneel, kardemom, rode, gele en oranje paprika's, kurkuma, gember en knoflook lagen in hoge stapels op veelkleurige kruiwagens. Tussen de kruiwagens zaten levensgrote poppen in felgekleurde klederdracht van de landen waaruit de specerijen afkomstig waren, en er stonden stapels aardewerken potten en vreemd gevormde lepels en borden van messing en koper. Ik dacht aan de bedompte achterkamer in de kruidenierswinkel van mijn oom. Ik deed mijn ogen dicht en haalde diep adem, omdat ik de verschillende geuren van die prachtige specerijen helemaal in me op wilde nemen. Ik kon eerst alleen maar een vage, stoffige geur ruiken, maar toen kwamen de geuren van de specerijen aarzelend naar me toe. Maar ze waren schuchter en angstig, het waren niet de krachtige, zelfbewuste geuren die in de winkel van mijn oom de geur van Frans brood helemaal hadden doen verdwijnen. Hier waren de boterachtige geuren van de nabijgelegen broodafdeling vele maken sterker. Fronsend schudde ik mijn hoofd.

'Wat is er?' vroeg Philippe met een angstige blik op zijn gezicht. 'Wat is er mis?'

'Ze ruiken niet. Of bijna niet,' verbeterde ik, omdat ik hem niet wilde kwetsen.

Zijn gezicht lichtte op. 'Nou en?' Hij pakte me bij mijn arm. 'Het ziet er toch allemaal mooi uit? Ik ben de enige in Europa die de Fransen ooit specerijen heeft kunnen aansmeren.'

'Maar ze moeten ruiken. Hoe kun je ermee koken als ze nergens naar ruiken? Dan kun je toch niet weten of het lekker is?'

'Je hoeft niet te ruiken om te kunnen proeven. Wat maakt het uit, zolang ze smaken zoals de bedoeling is?'

Ik begon te lachen. Hij zag er narrig uit, net als een klein jongetje dat heeft gehoord dat hij zijn zin niet krijgt. 'Deze specerijen ruiken nergens naar. Als je de specerijen niet kunt ruiken, dan kun je niet lekker koken. Je kunt ze ook niet proeven, want smaak begint in de neus.'

'In dat geval, liefje, zou ik een hekel aan eten moeten hebben, want ik ruik namelijk helemaal niet zo goed. Dat had ik als klein jongetje al, ik heb nooit goed kunnen ruiken, maar ik heb wel verstand van eten. Vergeet die domme theorieën van je. Er blijkt alleen maar uit hoe onwetend je bent.'

Ik had hem gekwetst, besefte ik. Ineens zag ik hem zoals hij echt was: een zware man van middelbare leeftijd, met ogen die te dicht bij elkaar stonden en een gezicht dat te dik was. Ik voelde medelijden opwellen. Toen ik naar zijn gezicht keek, maakte de woede plaats voor verlangen. 'Je ziet er prachtig uit wanneer je boos bent,' zei hij zacht.

Ik werd me bewust van zijn warme, aan worst herinnerende geur. Die geur rekte zich uit en wilde me omarmen. Ik deinsde achteruit, maar de geur was sneller en omringde me. Ik draaide me om en baande me nietsziend een weg tussen de schappen door, langs de goudkleurige zakken met koffiebonen en kristallen potten met honing in allerlei tinten, van roestrood tot strogeel. Ik dook weg achter een muur van Parmezaanse kazen en kwam terecht in een omsloten, halfronde ruimte. Hier werd ik omringd door een aquarium vol vissen in de prachtigste kleuren, die onafgebroken tussen het karmijnrode koraal door doken en schoten. Het geheel zag eruit als een bewegende muur vol kleuren. Aan haken in het plafond hingen de skeletten van twee enorme vissen, bedekt met zeepok en wier. Ik bleef staan en hapte naar adem.

Plotseling stond er een heel mooie man naast me. Vroeger, op mijn oude school in Nairobi, lazen ze ons op maandag altijd uit de bijbel voor. Deze man zag er precies zo uit als ik me Jezus altijd had voorgesteld, met amandelvormige ogen die de kleur van wilde honing hadden. Ik staarde hem aan, niet in staat om een woord uit te brengen. Hij glimlachte vol begrip en raakte mijn haar aan. 'Gaat het? Kan ik iets voor je doen?'

Verlegen hief ik mijn hand op naar mijn haar. 'Het gaat prima. Dank u.' Ik vroeg me wanhopig af wat ik nog meer kon zeggen. 'De... Dit zijn erg mooie v-v-vissen.' Ik voelde dat ik begon te blozen.

Hij keek me aan en glimlachte langzaam en vrijpostig. 'Ja, ze zijn heel mooi, hè?'

Hij liep met me naar de toonbank en wees naar het uiteinde.

Hij stond zo dichtbij dat ik de zware zilte geur van de vis en het bloed op zijn schort kon ruiken. 'Dat is mijn lievelingsvis. Haai uit de Baltische Zee. Heel zeldzaam, heerlijke vis. Zie je die vijf klauwen aan het uiteinde van zijn vin?'

Ik boog me over de toonbank heen. Hij boog zich over mij heen, zodat zijn lichaam het mijne raakte. We bleven even zo staan. 'Het is een heerlijk gerecht, *madame*,' zei hij temend in mijn oor. Ik hoorde voetstappen naderbij komen, en de man stapte snel opzij. Ik rechtte mijn rug en draaide me om. Het was Philippe.

'Heb je het genoegen van onze speciale dienstverlening mogen proeven?' vroeg hij. Hij liep naar me toe en sloeg zijn arm om mijn middel.

'Hoe... hoe bedoel je?' vroeg ik schuldig.

'Michel kan heel goed verkopen, vooral aan vrouwen. Hij is namelijk niet bang om contact met mensen te maken. Daarom komen de klanten steeds weer terug.' Hij knipoogde naar de man.

Er kwam een vrouw binnen. Ze was ergens in de zeventig en was gekleed in een duur, maar ouderwets pakje van tweed. Ze liep zonder gêne naar Michel toe en sloeg een arm om zijn middel, naar hem spinnend als een aanhankelijk poesje. Hij antwoordde vriendelijk door zijn arm om haar schouders te slaan.

Ik trok me terug, plotseling beschaamd. Philippe merkte het en lachte. 'Volgens Michel zijn vrouwen net vissen. Heb je ze eenmaal aan de haak geslagen, dan kronkelen en draaien en bloeden ze, maar ze lopen niet weg.'

Ik keek weer naar Michel en voelde me misselijk.

'Kom, het is genoeg geweest. Ik breng je naar huis,' zei Philippe onverwacht.

We liepen door de hoofdingang naar buiten. De auto stond langs de stoeprand geparkeerd. Er woei een kille, kwaadaardige wind, die me te pakken kreeg en het uiteinde van mijn sari van mijn schouder blies. Ik sloeg de stof dicht om me heen en merkte dat Philippe me aandachtig gadesloeg. Ik stapte in, leunde achterover tegen de zachte kussens van de bank en deed mijn ogen dicht.

De auto zette zich geluidloos in beweging. Ik wendde me ineens tot Philippe. 'Het werkt alleen als iedereen hetzelfde wil. Maar dat is toch niet zo?'

Hij keek me niet-begrijpend aan. 'Waar heb je het over?'

'Je theorie over verkopen. Niet alle mensen beschouwen eten als een obsessie.'

'Maar ik kan ze van gedachten doen veranderen,' snauwde hij. 'Ik kan ervoor zorgen dat ze alles willen hebben waarvan ik wil dat ze het hebben. Daarvoor hoef ik alleen maar te zorgen dat ik in de kranten kom, in de bladen, en natuurlijk op tv.'

'Maar hoe zit het met mij?'

'Wat is er met jou?'

'Kun je me veranderen in iets wat iedereen wil hebben?'

Hij lachte. 'Ja, heel gemakkelijk, als ik dat zou willen.' Zijn blik gleed naar mijn borsten. 'Maar ik houd je liever voor mezelf, zoals je nu bent.'

Boos ging ik rechtop zitten. 'Waarom? Waarom moet ik blijven zoals ik nu ben?'

Hij ontweek mijn blik en keek even uit het raampje voordat hij antwoordde. 'Kun je dat niet raden?' vroeg hij geërgerd.

Ik schudde mijn hoofd.

Hij hield zijn gezicht vlak bij het mijne. 'Als je zou veranderen, zou je jezelf namelijk verliezen. Jouw cultuur houdt namelijk niet van veranderingen. Jouw volk is er slecht in, en dat zou jij ook zijn.'

Ik schudde mijn hoofd. Ik was het helemaal niet eens met zijn theorie. 'Weet je wel zeker dat ik zo anders ben dan jij?'

'Natuurlijk, *ma belle*. Dat is juist zo opwindend.'

'Waarom?' vroeg ik uitdagend. 'Vind je het niet eng?'

'Nee, waarom zou ik het eng vinden?'

'Omdat ik je misschien wel zou kunnen veranderen en je ook anders dan alle andere mensen zou kunnen maken,' riep ik geestdriftig, walgend van zijn zelfvoldane zekerheid.

Zijn gezicht lichtte op. Hij bulderde van het lachen. 'Nou en? Ik ben niet bang voor veranderingen. Ik weet dat ik anders ben, verdorven zelfs. Ik maak vrouwen gek, zeggen ze altijd. Ben je niet bang voor me?'

'Waarom zijn ze bang?' Ik werd ineens zenuwachtig.

'Ze zeggen dat ik hen pijn doe.'

'Is dat zo?' fluisterde ik.

Hij haalde zijn schouders op. 'Alleen als ik genoeg van ze heb.' Voorzichtig pakte hij mijn kin vast. 'Maar jij bent anders dan de anderen, zacht maar toch zo ontoegankelijk. Ik denk niet dat ik snel genoeg van je zal krijgen.' Met zijn vingers raakte hij mijn lippen aan. 'Je bent net een boeiend nieuw spelletje waarvan ik de regels nog niet ken.'

Ik keek uit het raampje. We staken de Pont Neuf naar de rechteroever over. De bomen hadden herfstkleuren, rood en goud als mijn sari. Ze zagen er vermomd uit, als vrouwen die zich voor een feestje hadden aangekleed. 'En stel dat je die regels nooit leert kennen?' vroeg ik. Ik voelde dat de zweetdruppeltjes op mijn huid parelden.

Hij pakte me bij mijn haar en trok mijn hoofd naar zich toe, totdat onze gezichten nog maar een paar centimeter van elkaar verwijderd waren. 'Maak je geen zorgen, dat lukt me wel,' zei hij vol vertrouwen.

Drie

Na een paar weken had ik het gevoel dat ik Philippe al eeuwen kende, dat ik altijd al bij hem had gewoond. Ik dacht bijna nooit meer aan Maeve, of Bruno, of Annelise. Zelfs Olivier verdween bijna geheel uit mijn gedachten, behalve wanneer ik naar muziek luisterde. Dat deed ik echter bijna nooit meer, omdat Philippe niet van klassieke muziek hield. Ik dacht zelden aan Lotti, of aan mijn tante of oom. Of aan mijn moeder. Ik merkte dat ik me af en toe afvroeg of ze me nu nog zouden herkennen.

Er was één ding uit de zolderkamer van de familie Baleine dat ik miste: een oude wereldbol die op een houten as iets meer dan een meter boven de vloer stond. De globe was te groot om als speelgoed te kunnen dienen, en de kleuren waren behoorlijk vervaagd. De as was stuk, zodat de aarde rechtop stond, als een maan uit een sprookje. Elk land had een andere kleur en de namen van de hoofdsteden hadden een zwart kader. Wanneer je de stekker in het stopcontact deed, lichtte het land dat je met je vinger aanraakte op. Naarmate de tijd verstreek, dacht ik steeds vaker aan de wereldbol. Elke keer wanneer Philippe en ik het vliegtuig naar een vreemd land namen, dacht ik er vol verlangen aan, en mijn vingers jeukten, zo graag wilde ik de omtrek van dat land aanraken.

Ik vertelde Philippe op een ochtend vroeg in Mexico-Stad over de wereldbol, toen we allebei nog steeds wakker lagen omdat we een jetlag hadden. Ik vertelde dat ik 's avonds, nadat ik de kinderen naar bed had gebracht, urenlang met dichte ogen de wereldbol rond liet draaien. Wanneer de bol stopte met draaien, legde ik mijn vinger erop en probeerde ik met mijn ogen dicht te raden welk land het was.

Hij lachte. 'Waarom denk je daar nu aan?' vroeg hij. Hij liet zijn vinger langs mijn sleutelbeen gaan, naar de holte onder aan mijn hals.

Omdat ik nu bedacht hoe klein de wereld was geworden en wist dat de wereld achteraf gezien eigenlijk helemaal niet zo groot was. Ik deed mijn mond open en wilde dat zeggen, maar hij keek niet langer naar mijn gezicht. Hij keek naar zijn hand die het laken steeds verder naar beneden trok en mijn borsten en toen mijn middel ontblootte.

Ik kneep vol geheimzinnigheid mijn ogen tot spleetjes. 'Dat kan ik je niet zeggen.'

Zijn blik ging weer naar mijn gezicht, en hij bleef me verwachtingsvol aankijken. 'Waarom niet?'

'Omdat ik je het dan moet laten zien.'

'Het is dus een spelletje!' riep Philippe alsof hij een klein jongetje was.

'Ja, het is een spelletje.'

Ik vertelde hem niet dat ik dit spelletje altijd samen met iemand, met Bruno, had gespeeld.

Toen ik op een avond in het donker met de wereldbol had zitten spelen, was hij zo stilletjes binnengekomen dat ik hem niet had gehoord. Hij legde zijn handen voor mijn ogen en fluisterde: 'Het land dat je aanraakt, is net je linkerborst. Raad eens welk land het is.' Toen ik het niet raadde, zei hij: 'Het was Kenia, mijn schatje.'

'O,' zei ik, het nog steeds niet begrijpend. 'Hoe kan Kenia nu op mijn borst lijken?'

'Dat zal ik je laten zien.' Met zijn vinger had hij de omtrek van Kenia op mijn borst getekend. Mijn tepel zwol op. Ik had ernaar gekeken met het gevoel dat het lichaamsdeel ver weg was en niet bij mij hoorde. 'En mijn tepel is zeker Mount Kenya,' had ik droogjes opgemerkt. Hij had vrolijk gelachen en mijn tepel in zijn mond genomen.

Ik vond het spelletje niet leuk omdat het de magische omvang van de wereld – met zijn onbekende plaatsen, mensen, talen, dieren en bossen – tot gewone dingen als een dij, een borst, een oor reduceerde. Je kon niet aan je lichaam ontsnappen zoals je aan de wereld kon ontsnappen. Maar de wereldbol en mijn lichaam werden met elkaar vergeleken en wachtten alle twee tot er bezit van werd genomen. Toen ik het spelletje aan Philippe uitlegde, begon hij steeds breder te glimlachen.

Nu ik bij Philippe hoorde, leerde ik de wereld van een andere kant kennen. Philippe had bij de Keniase ambassade in Parijs een paspoort voor me gehaald, een duplicaat van mijn oude paspoort dat nog steeds bij Krishenbhai lag. Het kwam nu vol te staan met visa in allerlei kleuren en maten die ik na vernederende kruisverhoren door hautaine ambtenaren in Parijs wist te verkrijgen.

Wanneer we samen van een reis terugkwamen moesten we door verschillende poorten. De rij voor de zijne was vriendelijk en kort, de mijne traag en vol donkere gezichten. Ik wilde dolgraag een Frans paspoort hebben, zodat ik naast hem door die poort kon lopen. Maar de enige manier om dat te krijgen, was met Philippe te trouwen. 'Wees blij met je *carte de séjour*,' snauwde hij toen ik erover begon. 'Over tien jaar kun je je laten naturaliseren.' Maar ik was ongeduldig en bang. Ik kon me niet eens voorstellen dat ik Philippe vijf jaar lang kon blijven boeien. Als ik een Frans paspoort zou hebben, zou niemand me iets kunnen maken omdat ik dan bij hen zou horen, bedacht ik verlangend. Maar ik stond machteloos en kon alleen maar dromen over de speelgoedglobe.

Waar we ook heen reisden, de indrukken vloeiden in mijn gedachten altijd in elkaar over, overheerst door de geur van Philippe. Die geur ging overal mee naartoe en vulde binnen en buiten de lucht die we inademden tot ik het gevoel kreeg dat ik stikte. De geur omringde me als een muur. Zelfs wanneer hij er niet was, volgde zijn geur me, even luidruchtig en vragend om aandacht als hijzelf – naar de badkamer, en buiten in de straten van de steden die we bezochten. Ik had het gevoel dat ik een lijfwacht had en geen enkele privacy meer. Ik wist zeker dat mensen ons daarom aanstaarden, dat de mannen alleen maar naar me keken en de vrouwen hoorbaar snoven terwijl hun honden blaften.

Op een dag ging Philippe zonder iets te zeggen weg en liet me alleen. Zijn geur verdween langzaam en werd elke dag zwakker. Toen de geur het huis verliet, werden de kamers stil, en de lucht in die kamers leek koud en roerloos. Ik zwierf door de kamers van dat grote, uitbundig versierde appartement dat vol stond met het dure antiek dat hij zo graag kocht en probeerde een vleugje van hem op te vangen – in zijn lievelingsstoel, in zijn studeerkamer, in zijn kleedkamer met de enorme inbouwkasten die nu voor de helft van mij waren. In de badkamer zocht ik tussen de vuile kleren die hij voor zijn vertrek in de wasmand had gegooid. Maar de kleren verdwenen kort na zijn vertrek en werden vervangen door schone, levenloze geuren. Ik zocht zelfs in zijn schoenenkast naar zijn geur.

Toen ik hem nergens anders kon ruiken, ging ik terug naar ons bed en verborg mijn gezicht in zijn kussen. Ik ademde diep in. Daar was de geur, ingebed tussen de vezels van zuiver katoen. De geur was sterker en geconcentreerder, als een geurstof die in de olieachtige basis van een parfum was bewaard. Een paar seconden lang leek het alsof Philippe naast me lag, alsof zijn zware adem de mijne overstemde en zijn benen achteloos over mijn lichaam waren geslagen. Toen zijn geur afzwakte, begon ik me weer zorgen te maken. Stel dat hij nooit meer terugkomt, zei ik tegen mezelf, starend naar het plafond. Stel dat hij me niet meer wil en de chauffeur een briefje laat brengen waarin staat dat ik kan vertrekken? Ik wist zeker dat de chauffeur en de kok op me neerkeken. Dat zag ik aan de amper verhulde blikken waarmee ze me aankeken. Ze wisten dat ik niet zou blijven en deden geen enkele poging met me te praten. Ik ging niet meer uit. Niets interesseerde me nog. Ik wilde niemand zien. Ik kon alleen maar aan Philippe denken.

De dagen werden langzaam weken. Mijn verlangen werd zo groot dat ik 's morgens mijn bed niet meer uit kon komen. De hele dag lag ik in dat lege, nietszeggende bed, beurtelings rillend en zwetend, krampachtig trachtend me te herinneren hoe hij aanvoelde, hoe hij eruitzag wanneer hij 's avonds tegen me praatte. Wat ziet Philippe in me, vroeg ik me keer op keer af. Wat was de kern van mijn charme, waarom had hij voor mij gekozen? Hoe kon ik dat in leven houden als ik niet eens wist wat het was? Die vragen doemden keer op keer in mijn gedachten op, tot ik aan niets anders meer kon denken. En afgezien van die paar vragen leek ik niet meer te bestaan.

Ik drukte mijn gezicht in het kussen. De geur van Philippe was allang verdwenen. Hij was ongeveer twee weken blijven hangen en toen verdwenen. Het was nu meer dan drie weken geleden, en nergens was nog een spoor van die geur te bekennen. Ik lag roerloos in bed en staarde uit het raam. Het licht leek van de muren te weerkaatsen en van het plafond te druipen. Ik kon de kleine lichtdruppeltjes bijna van het plafond zien vallen, als kleine zweetdruppeltjes die ijskoud en meedogenloos mijn vlees bedekten.

Toen ik het ten slotte niet meer kon verdragen, ging ik winkelen. De geur van nieuwe kleren wist mijn angst te verdrijven en bracht Philippe weer tot leven. Naast hem leek iedereen klein en machteloos. In gedachten nam ik onze gesprekken door. Niemand begreep de wereld zo goed als hij. Daarom kon ik geen andere mensen meer ontmoeten. Alleen al de gedachte aan Annelise en Olivier en de inhoudsloze gesprekken van hun vrienden verveelden me. Ik ging dus liever alleen winkelen, met slechts de fantoomstem van Philippe als gezelschap. Aanvankelijk was hij altijd met me meegegaan wanneer ik ging winkelen, wees hij me op de kleren waarin hij me wilde zien en vertelde hij me waarnaar ik moest zoeken. Hij kende mijn lichaam beter dan ik, had ik verbaasd en trots beseft toen hij de eerste keer met de verkoopster had overlegd. Ik ging weer naar de winkels waar hij me mee naartoe had genomen en vond het heerlijk dat de verkoopsters me herkenden. En toen ik betaalde met de Carte Bleue die Philippe me had gegeven, voelde ik me twee keer zo trots; niet alleen omdat ik nu zulke mooie en dure dingen bezat, maar ook omdat uit de kaart bleek dat ik van Philippe was.

Eindelijk kwam Philippe weer thuis, gewapend met cadeautjes en zijn overweldigende honger. Dagenlang kwamen we amper de slaapkamer uit. De lucht in huis veranderde en werd vloeibaar en levend.

Later die week vertelde ik hem over de geur.

We zaten in een restaurantje vlak bij de Avenue George v. Het was een van Philippes lievelingsrestaurants; niet alleen omdat de kok, Jean-Marie, drie Michelinsterren had gekregen en een van de belangrijkste klanten van de Bon Marché was, maar ook omdat de *cailles aux raisins* die ze hier serveerden volgens hem bijna even goed als die van zijn moeder waren.

'Heb je me gemist?' vroeg hij toen we aan een van de tafeltjes in de door glas omgeven binnenplaats gingen zitten.

'In het begin een beetje, maar later vreselijk,' antwoordde ik eerlijk.

Hij deed net alsof hij verdrietig was. 'Waarom in het begin maar een beetje?' vroeg hij met het stemmetje van een klein jongetje. '*Ma belle*, dat is niet goed genoeg. Volgende keer moet ik maar sneller weggaan.'

'Nee, nee, nee. Dat is het niet,' zei ik vlug. Ik kon de gedachte aan zo'n snelle scheiding niet verdragen. 'Alsjeblieft, blijf hier, ik smeek het je.'

Zijn gezicht kreeg een wrede uitdrukking. 'Waarom?'

Ik begon het ademloos uit te leggen. 'Weet je, wanneer je weg bent, houdt je geur me gezelschap, bijna alsof je er nog bent. Dat troost me. Maar na een paar dagen wordt de geur minder. En ik ren door het huis, als een verslaafde op zoek naar een vleugje van je. Ik snuffel in je kast en begraaf mijn neus in je kleren, of in je kussensloop, in onze lakens. Wanneer je geur ten slotte helemaal is verdwenen en niets me meer kan troosten, heb ik het gevoel dat ik gek word, zo erg mis ik je.' Ik vertelde hem niet over de andere geur die me achtervolgde. De geur die zijn geur opslokte – herinnerend aan olie, oude specerijen, kool en urine – zodat ik gedwongen was om mezelf in zware, verhullende parfums te hullen om die lucht te verbergen.

Verwachtingsvol keek ik naar zijn gezicht. Hij keek me niet aan. Hij staarde naar het tafelkleed.

'Philippe?' fluisterde ik met droge keel. Hij wendde zijn gezicht af en keek naar het restaurant. 'Waarom ben je boos op me? Had ik het je niet moeten vertellen?' Mijn stem klonk dun en gespannen, als een elektriciteitsdraad.

Hij keek naar zijn handen en ontweek mijn blik. 'Ik weet niet wat ik moet zeggen. Dat... dat is het mooiste wat iemand ooit tegen me heeft gezegd.'

'Waarom kijk je me dan niet aan?'

Eindelijk sloeg hij zijn ogen op. Zijn ogen glansden van de niet-vergoten tranen. Hij keek me met zoveel liefde aan dat ik het gevoel had dat ik in zijn omhelzing was opgesloten. 'Ik durf je niet aan te kijken omdat ik je dan meteen mee naar huis wil nemen om met je te vrijen,' zei hij met een beverig lachje. 'Ik ben bang dat ik Jean-Marie dan enorm zou beledigen.'

Mijn lichaam werd slap van opluchting, en ik wist zwakjes te glimlachen.

Jean-Marie verscheen, alsof de woorden van Philippe hem te voorschijn hadden getoverd.

'Meneer Lavalle, wat een eer. Ik dacht dat u me was vergeten,' zei hij met een hoge piepstem.

'Ik zal je nooit vergeten, Jean-Marie. Mijn beste klant, de

beste reclame voor mijn eten. Ik neem aan dat men tijdens mijn afwezigheid goed op de Bon Marché heeft gepast? Ik zat in Japan en heb jouw gerechten vreselijk gemist.'

Ik luisterde geamuseerd naar Philippes woorden. Hij zei tegen alle dertig restauranthouders die klant bij hem waren hetzelfde. Wanneer hij met hen praatte, wekte hij de indruk dat hij die woorden voor het eerst uitsprak. De koks waren een stel ijdeltuiten, en hierdoor leken ze Philippe nog meer te mogen.

Jean-Marie stond te stralen. '*Au Japon? Ils n'ont pas la cuisine là-bas. Mais, si vous m'aviez averti, j'aurais produit un repas digne de vous,*' zei hij, duidelijk blijk gevend van een ontzag voor Philippe en een minachting voor exotische keukens, zoals een Franse kok betaamt. Hij negeerde me volkomen.

'Alles wat je maakt, zal me meer dan waardig zijn,' zei Philippe beleefd. 'Wat heb je vanavond voor ons?'

Het tamelijk paarse gezicht van Jean-Marie lichtte op. Hij zette zijn borst op tot hij eruitzag als een pinguïn. 'Als voorgerecht zou ik *la barbe de Barbebleu* willen voorstellen, gevolgd door de bij meneer o zo geliefde *cailles* en jaden eieren in een slangennestje, eigenhandig door mij gemaakt.' Hij stak zijn handen uit om dat te benadrukken. 'En als dessert *une île noire dans un lac de sang*.' Hij vouwde zijn handen netjes op zijn schort over elkaar en liet ze op zijn kleine, maar stevig uitstekende buik rusten.

'Tijdens mijn afwezigheid ben je erg bloeddorstig geworden, Jean-Marie!' zei Philippe lachend. 'Wat is in vredesnaam een zwart eiland in een zee van bloed?'

'Aha.' Jean-Marie trok zijn wenkbrauwen hooghartig op. 'Deze geheimen zult u alleen leren kennen wanneer u het proeft. En zelfs dan zult u niet alles weten.'

Philippe keek hem als een toegeeflijke ouder aan. 'En de wijn?'

'Er staat een goede St. Emilion op u te wachten. Gevolgd door uw geliefde Nuits St. Georges. Voor het dessert heb ik nog een heerlijke wijn die doet denken aan abrikozen, met een nasmaak van walnoten. Die komt uit mijn eigen streek, *au dessous de Bordeaux.* Hij is erg zeldzaam. De wijnbouwer maakt maar honderd flessen, die hij alleen aan vrienden verkoopt. Ik heb twintig flessen, voor bijzondere gasten.'

Jean-Marie was zo enthousiast dat ik mijn maag voelde rammelen. Mijn eetlust kwam weer terug en werd nog eens versterkt omdat ik mezelf tijdens Philippes afwezigheid bijna had uitgehongerd.

Opgewonden richtte ik me tot Philippe, maar zijn gezichtsuitdrukking verbijsterde me. Hij zag er afstandelijk en onbewogen uit.

'Dank je.' Hij knikte hooghartig naar Jean-Marie. Het was een gebaar waarmee hij zijn goedkeuring uitdrukte en Jean-Marie tegelijkertijd duidelijk maakte dat hij kon gaan.

Toen Jean-Marie wegliep, wendde Philippe zich tot mij. Zijn gezicht veranderde. Het werd zachter, en zijn ogen begonnen te glanzen. Ik leunde achterover en genoot van de warmte van zijn achting.

'Vertel me eens, *ma chère*, waar ruik ik naar?' vroeg hij luchtig.

Ik slikte. Dat was geen vraag die ik in het openbaar wilde beantwoorden. 'Kan ik... Wil je dat ik daar nu meteen antwoord op geef?'

Er gleed een schaduw over zijn gezicht, en zijn blik werd killer. 'Natuurlijk wil ik dat,' zei hij geërgerd. 'Anders zou ik het toch niet vragen?'

'Maar... maar in het openbaar?' Het idee maakte me nerveus.

'We trekken hier niet bepaald de aandacht.' Ongeduldig keek hij om zich heen. 'Kijk dan, het restaurant is bijna leeg.'

'Goed.' Ik keek hem lang aan, me concentrerend op zijn intelligente bruine ogen, het grijs in zijn haar, de door vermoeidheid veroorzaakte rimpels in zijn gezicht. Mijn blik gleed naar zijn keel, die zo ongewoon breed en dik was, waardoor zijn hoofd zo klein leek, als de kop van een luipaard. Hij glimlachte gretig naar me, en zijn ogen slokten zachtjes mijn mond op.

Ineens kon ik me niet meer herinneren waar hij naar rook. Ik kreeg een brok in mijn keel van angst.

Ik dwong mezelf om mijn ogen dicht te doen, zei tegen mezelf dat ik rustig moest blijven en het me moest herinneren. Toen ik eindelijk mijn ogen weer opendeed, keek hij net zo naar me als hij naar iets zou kijken wat hij zo-even had gekocht: een blik die zowel hongerig als pochend was, met de zelfverzekerdheid van iemand die iets bezit.

Ik begon te praten. De woorden rolden soepel over mijn lippen. 'Eens even denken. Je ruikt rijk en zwaar en zoet en boterachtig, net als... als...' Ik zocht naar een woord, denkend aan bloed en melk en rozijnen, aan worst. 'N-net als *boudin*,' zei ik verdedigend. Ik hield even op en wierp een snelle blik op hem. Hij werd niet kwaad omdat hij met de beroemde worst gemaakt van bloed, appels en rozijnen werd vergeleken. 'En wanneer we vrijen...'

Hij was als betoverd en keek me ingespannen aan. Hij bewoog zich niet. 'En wanneer we vrijen, wordt je geur sterker, wordt de fruitige geur die net onder je huid ligt nog versterkt. Hij ruikt even gelijkmatig als wijn. De geur krult zich om me heen, tilt me op. Overal om me heen zijn geuren als tropische regenbuien, zweterig en vochtig, als aarde en zout, water en wijn en vis, allemaal door elkaar heen. Jouw geur heeft iets van al die dingen, van dingen die sterven, van dingen die tot leven komen.' Ik hield op, in de ban van mijn eigen beschrijving, terwijl ik een bekend, drukkend gevoel in mijn lendenen bespeurde. Ik kneep mijn dijen stevig tegen elkaar en wenste dat we niet in het restaurant zaten. Ik keek naar Philippe. Hij leek net zo opgewonden. Zijn gezicht was opgezwollen en rood, zijn ogen gloeiden.

Hij stak zijn hand uit en greep de mijne beet. 'Prachtig. Ik wil je nu het liefste meteen meenemen zodat je het me nog eens goed kunt vertellen.' Ineens zag hij er bijna timide uit. Toen tuimelden de woorden uit zijn mond. 'Ik heb je zo gemist toen ik op reis was,' zei hij, nadenkend zijn lippen aflikkend, 'dat had ik niet gedacht, maar nu begrijp ik dat het een beproeving was. En jij hebt gewonnen.'

Terwijl hij herinneringen ophaalde, vermengden verbazing en ongeloof zich op zijn gezicht. 'Niets kon me opwinden, ook de mooiste vrouwen niet.' Hij zweeg even en vervolgde toen met schorre stem: 'Ik dacht de hele tijd alleen maar aan jou, aan je gezicht, aan het gezicht dat je trekt wanneer je onder me ligt, met je ogen dicht, ver weg. Het is grappig,' zei hij, zijn hoofd iets buigend, 'voordat ik jou leerde kennen, had ik helemaal geen belangstelling voor *les femmes exotiques*.'

Die woorden haalden me voor even uit de mist van begeerte die me omringde. Ik voelde me niet erg exotisch meer, gekleed in mijn keurige Parijse kleren, met mijn zorgvuldig gekozen Franse geur.

'Weet je waarom ik wist dat ik jou moest hebben?' Hij bracht mijn hand naar zijn lippen. 'Vanwege de manier waarop je die boterham at.'

Ik deinsde verrast terug. 'Hoe bedoel je?'

Hij boog zich naar me toe. Hartstocht deed zijn stem zwellen. 'Weet je dat niet meer? Je gezicht toen je zat te eten... Ik kan het niet vergeten... Het was zo'n ongelooflijke verandering. Toen je binnenkwam, zag je er angstig uit, bang en hongerig. Toen ik je die boterham gaf, vielen je oogleden over die grote zwarte ogen heen en bestond ik niet meer voor je. Je begon te kauwen. Je keek ernstig, je ging volledig op in het proeven. Het was... primitief. Puur dierlijk instinct.'

Mijn keel werd droog. Ik werd me bewust van de leegte binnen in me die me riep, die zijn lippen doelbewust opeenkneep en weer opende. Hij boog zich voorover en vervolgde met hese stem, waarin het ontzag hoorbaar was: 'Ik voelde hoe hongerig je was. Ik wilde in je hoofd komen, in je keel, ik wilde het eten proeven zoals jij het proefde. Na een paar happen werd je gezicht nadenkend. Je was bevredigd.' Zijn stem werd niet meer dan een fluistering. 'Ineens wist ik dat ik van iets nieuws, van iets vreemds getuige was. Elke keer wanneer ik naar een vrouw keek, zag ik jouw gezicht met die uitdrukking van dierlijk genot. Ik moest je hebben. Ik moest weten waarom je zo keek.'

Op dat moment zag ik vanuit mijn ooghoeken het witte flitslicht van een fototoestel. Ik keek weer naar Philippe. Het leek alsof er een gordijn voor zijn ogen werd neergelaten, maar verder was hij volledig rustig en hield zijn hoofd een tikje schuin. Ik wist niet zeker of hij naar de fotograaf of naar mij glimlachte. Het moment verloor zijn glans.

'Is het toeval dat we altijd in een restaurant worden gefotografeerd, of bel je ze van tevoren om te vertellen dat we komen?' vroeg ik op scherpe toon.

'Kan ik er iets aan doen dat we zo fotogeniek zijn?' antwoordde hij. Hij sperde zijn ogen open om duidelijk te maken hoe verbaasd hij was.

'Wij?' vroeg ik zuur. 'Ik ben misschien wel fotogeniek, maar ze willen jouw foto hebben.'

'Waarom maak je je zo druk? Ik doe toch wat je wilde? Je beroemd maken?'

'Wat voor soort roem is dat?' luidde mijn woeste wedervraag. 'Ik mag niets doen, behalve me op jouw bevel aan- en uitkleden.'

Op dat moment werd de wijn geserveerd. Jean-Marie nam zelf de honneurs waar. Hij opende de fles met een ouderwets mes, omdat hij zich, zoals ik al had gedacht, ver boven de modernere kurkentrekker verheven voelde. Hij opende de fles vaardig en zette de wijn voorzichtig op tafel, zodat die kon ademen. Hij leunde met zijn armen op tafel en begon aan een lang en technisch gesprek met Philippe over de verwachte vooruitzichten van de bordeaux van dat jaar. Daarna praatten ze verder over voetbal en de Tour de France. Mijn gedachten dwaalden af.

Toen schonk Jean-Marie een heel klein beetje wijn in een kristallen glas en gaf het aan Philippe, zodat die zelf kon proeven. Maar Philippe gaf het glas aan mij. 'Hier, proef jij maar,' beval hij. Ik kon voelen dat Jean-Marie naast me verstijfde.

Toen ik het glas aanpakte, kon ik de begeerte van Philippe voelen. Ik hief het glas op naar mijn neus en bewoog de vloeistof zachtjes heen en weer. Toen hield ik mijn neus erboven en liet de dampen mijn neusgaten binnendringen.

De wijn rook tegelijkertijd zoet en kruidig, naar kaneel en nootmuskaat, en zuur en aards. Er was ook een heel klein vleugje kalk op de achtergrond, bijna onmerkbaar. De geur vulde mijn neusgaten, even delicaat en welgevormd als een gazelle. Toen nipte ik aan de wijn. Die gleed als olie over mijn tong en glipte moeiteloos mijn keel in. Onder het zijden jasje kon ik de spier voelen die de verschillende delen bijeenhield. Toen ik de wijn doorslikte, won de geur aan kracht. De warme sappen die zich achter mijn tong hadden verstopt, schoten naar boven, hieven de geur op en verwarmden hem, zodat de dampen in mijn keel oprezen en zich door de donkere holten van mijn neus een weg naar mijn hersenen baanden. Ik zei niets en nam langzaam nog een slok.

Toen besefte ik dat zowel Philippe als Jean-Marie zat te wachten tot ik iets zou zeggen.

Ik knikte kort en probeerde even hooghartig als Philippe duidelijk te maken dat mijn wens was vervuld. 'Hij is in orde,' zei ik met een blik op Jean-Marie.

Hij keek me vol ontzag aan. 'Dank u, mevrouw.'

Toen hij weer weg was, nam ik nog een slok.

Philippe verbrak de stilte. 'Ik heb je aan de wijn verloren, *hein*?' zei hij.

'Ik ben bang van wel,' antwoordde ik luchtig. In de verte zag ik een in het wit geklede gestalte die zich tussen de tafels door een weg naar ons toe baande, met een groot blad in zijn handen. Het leek wel alsof hij op wolken liep. Ik zag hem dichterbij komen. 'En je gaat me weer verliezen,' zei ik tegen Philippe, nog steeds naar de ober kijkend, 'aan het eten.'

De gerechten werd geserveerd, en we zwegen allebei. De baard van *barbebleu* was een warme, romige geitenkaas op een bedje van blauwgroene arugula, met een coulis van blauwe bessen. De scherpe, zilte kaas werd door de met honing gezoete blauwebessensaus veranderd in iets warms en zachts en zoets, maar een zweem van munt versterkte de smaak. En toen nam de enigszins bittere arugula het teveel aan zoet van de saus weg, een smaak achterlatend die zo mooi in evenwicht was dat de adem me werd benomen. Ik gaf mezelf over aan het kunstig in elkaar gezette gerecht.

Philippe zei op ruwe toon: 'Vertel eens wat je voelt. Waar denk je aan wanneer je dat eet?'

Ik hield op, met mijn vork nog opgeheven. 'W-wat bedoel je?'

Philippe begon weer te praten, maar eerder alsof hij het tegen zichzelf had. 'Ik benijd je. Je kunt jezelf nog steeds helemaal verliezen in wat je eet. Zelfs ik besta niet meer voor je. Soms kijk je ook zo wanneer we vrijen. Je ogen zien niets meer en je gezicht begint te gloeien, waardoor je nog veel mooier wordt.'

Ik legde zachtjes mijn vork neer, bang dat ik hem zou storen.

'Waarom ben je nog veel mooier wanneer je niet aan me denkt?' vroeg hij.

Ik hoefde gelukkig niet te antwoorden omdat op dat moment de *cailles aux raisins* op een ouderwetse serveerkar werden gebracht. De ober haalde zwijgend onze borden weg. Daarna zette hij twee zilveren schalen met een deksel voor ons neer. Hij zag er erg jong uit. Ik vroeg me af of hij een student was, en wat hij aan de universiteit studeerde. Achter de ronde bril zagen zijn ogen er zo licht en helder uit. Onze blikken kruisten elkaar, en onmiddellijk keken we allebei de andere kant op. Ik keek naar de tafel en zag dat zijn bruine handen trilden.

Toen de ober weer weg was, keek ik Philippe over de bolle

zilveren deksels aan. Hij leek ver weg. Zijn hoofd zag er klein en breekbaar uit in vergelijking met de grote zilveren deksels van de schalen. Ik pakte het wijnglas op en keek hem door het glas heen aan. Zijn gezicht vertrok en leek in driehoeken en vierkantjes uiteen te vallen.

'Waarom kijk je me zo aan?' vroeg hij.

Ik keek hem snel over de rand van het glas heen aan. De stukjes vielen terug op hun plaats.

'Waarom kijk je ineens zo verdrietig? *Tu m'en veux pas comme esclave*?' vroeg hij plagend. Onder de gladheid van zijn woorden school een bevel: ik moest ophouden zo serieus te doen, ik moest spelen.

'Ik ben niet verdrietig, ik zit alleen maar te denken,' zei ik, nog peinzend over de gedachte aan hem als mijn slaaf.

'Waar zat je aan te denken?' vroeg hij bezitterig.

'Of je mijn gevoelens soms ook hebt opgegeten.'

Hij lachte zelfverzekerd. 'Je gevoelens opgegeten? Wat een onzin!' Zijn blik werd ernstig. 'Denk niet zoveel na. Dat past niet bij je.'

'Denk je dat je door mij te bezitten ook mijn gevoelens kunt bezitten?' drong ik aan.

Iets van het zelfvertrouwen verdween van zijn gezicht. 'Dat is helemaal niet zo,' snauwde hij.

'Misschien heb je gelijk,' zei ik snel. 'Ik stelde me gewoon aan.' Zachtjes raakte ik zijn knie aan. 'Het spijt me. Ik kan er alleen niets aan doen dat ik ga nadenken wanneer ik alleen ben.'

Jean-Marie kwam zelf de kwartels onthullen. Met een sierlijke zwaai tilde hij de deksels van de schalen. Daar lagen ze, twee even grote vogeltjes zonder koppen, vanbuiten knapperig en goudbruin, omringd door een bedje feloranje krokante vermicelli en twee eivormige balletjes spinaziemousse. Ineens voelde ik me heel vol, alsof ik iets hards en zwaars had gegeten.

Philippe viel op zijn gebruikelijke manier op het eten aan. Hij at niet netjes, en al snel vielen er kleine druppeltjes van de donkere wijnkleurige saus op zijn overhemd. Ineens keek hij op en zag dat ik hem zat aan te kijken. Ik glimlachte snel. Hij begon met volle mond te praten. Ik keek naar het halfverteerde voedsel dat vergeten in zijn mond lag. Toen voelde ik me meteen schuldig en keek snel op. Ik probeerde naar zijn hele gezicht te kijken en naar zijn woorden te luisteren.

'Weet je, ik heb het. Eindelijk begrijp ik het,' zei hij. 'Het geheim van mijn succes komt voort uit het besef dat honger in de moderne wereld uitsluitend in het brein bestaat.'

Ik was niet in staat om mijn blik los te rukken van het eten en antwoordde vaag: 'Ruiken begint ook in het brein.'

Vier

Wie Philippe wilde begrijpen, moest zijn relatie met eten begrijpen. Hij proefde het niet, hij verslond het en vergat het vervolgens. Vijf minuten nadat hij een heel viergangenmenu had genuttigd, kon hij zich niet meer herinneren hoe het had gesmaakt. Hij wist niet meer wat het hoofdgerecht was geweest, of het warm of koud was geweest, of hij rode of witte wijn had gedronken, en zelfs niet of hij samen met iemand of alleen had gegeten. En dus had hij altijd honger.

Philippe kon zich niet herinneren wat hij had gegeten omdat hij maar in één periode leefde: het hier en nu. Wat hij wilde, kon alleen op het moment waarop hij het bedacht worden genoten. Zijn verlangen sloeg toe als een bliksemschicht en verdween even snel weer. Daarna moest er weer iets nieuws komen wat de leegte kon vullen.

Philippe wilde me bezitten omdat ik zijn tegenpool was. Ik leefde in een tijd die bijna geheel uit herinneringen bestond. Misschien waren herinneringen altijd wel een genot geweest, een deel van mijn persoonlijkheid, zelfs een deel van mijn genen. Maar bij Philippe werden ze een manier van overleven. De Bon Marché was namelijk een veeleisende minnares. Ze moest elke dag gevoed en schoongemaakt worden, en beschermd tegen diefstal en concurrentie. Ze mocht geen moment uit het oog van de media verdwijnen. Deze taken zorgden ervoor dat Philippe me vaak alleen liet toen de media niets nieuws meer over onze relatie te melden hadden. Wanneer hij weg was, leek het alsof ik ophield te bestaan. De wereld werd leeg en kleurloos, en herinneringen aan hem werden een manier om in leven te blijven. Ik bleef aan onze momenten samen denken en maakte ze in mijn gedachten zo veelomvattend dat ze uren en dagen vulden. Op die manier vergat ik de buitenwereld.

Geuren waren de sleutel tot die wereld. Ik geloofde namelijk vol overgave dat ruiken in het brein begon. Philippe begreep nooit waar mijn passie vandaan kwam, maar hij was er jaloers op. Hij nam dus maar bezit van mijn lichaam, met een vreemde jaloezie die zijn hartstocht iets wreeds gaf. Maar zijn honger naar mij was net als zijn andere verlangens slechts van korte duur. Zodra die was gestild, vergat hij hem. Ik moest voortdurend nieuwe manieren verzinnen om zijn belangstelling vast te houden.

Nu ik had ontdekt hoe vreemd hij in elkaar zat, bedacht ik een paar spelletjes die zijn genot verlengden. Het geurenspel was zijn lievelingsspel. Daarbij omschreef ik hoe zijn verschillende lichaamsdelen roken, op verschillende momenten van de dag, voor, tijdens en na het vrijen. Soms namen we wat cocaïne voordat we aan het spelletje begonnen. Vervuld van lust stortte hij zich dan op me. Daarna lagen we verstrengeld naast elkaar, moe en voldaan. Dan praatten we. Hij vertelde me over zijn werk, zijn reizen naar steden over de hele wereld. Hij deelde het plezier dat zijn werk hem gaf met mij. Het was namelijk het enige wat niet uit zijn herinnering verdween. Ik luisterde naar hem, deed af en toe een suggestie of maakte een opmerking over wat er was gebeurd. Al snel ontwikkelde ons geurenvocabulaire zich tot een geheel eigen taal, puur en onafhankelijk, die geen uitleg behoefde. Ten slotte ging de betekenis van het spel ten onder in eindeloze herhalingen en werd het spel een heilig ritueel op zich.

Omdat Philippe alleen maar in het hier en nu leefde, kon hij niets aanvangen met het genot, of de pijn, van de liefde. Voor de liefde had je namelijk herinneringen nodig. Philippe beleefde zijn momenten zonder herinneringen en zonder schuldgevoelens – maar dat betekende wel dat zijn momenten net lege kamers waren die gevuld moesten worden.

Daarom verzamelde hij antiek, zodat hij het verleden kon vasthouden, en hij zag de toekomst alleen in verhouding tot de Bon Marché, een zelfportret in baksteen en specie. Zijn verklaring van onsterfelijkheid.

Ik zorgde ervoor dat ik een deskundige op het gebied van exotische dingen werd, of het nu om antiek of ongewoon eten ging. Ik volgde een cursus antiek en leerde echt van namaak te onderscheiden. Toen ik genoeg had geleerd, schuimde ik de oude markten van Frankrijk af, in Lyons, Straatsburg en Amiens. Ik ging in België en Zwitserland en zelfs in Duitsland en Oostenrijk op zoek naar dingetjes die Philippe leuk zou vinden. Ik deed de grootste moeite om hun geschiedenis te achterhalen, en wanneer ik niet alles te weten kon komen, verzon ik gewoon iets. Ik vertelde hem verhalen over de dingen die ik voor hem had gekocht, en hij luisterde gretig.

Ik ging op zoek naar de *fournisseurs* van de beste specerijen en regelde speciale, warmte-afgevende lampen die hun kleuren en aroma's beter tot hun recht lieten komen. Maar omdat geur tevens afhangt van vochtigheid, bedacht ik een geparfumeerde fontein die door middel van luchtdruk de geur van regen op droge aarde verspreidde. En ten slotte huurden we de beroemdste nouvelle cuisine-koks in omdat we de exotische specerijen, vruchten en groenten geliefder wilden maken. Zij experimenteerden ermee en vervaardigden een speciaal Bon Marché-kookboek. Dat werd binnen de kortste keren een wereldwijde bestseller, waardoor de winkel nog geliefder werd.

Naarmate Philippe steeds succesvoller werd, besteedde hij ook steeds meer tijd aan het besturen van zijn groeiende rijk.

Om de tijd te doden, begon ik als een bezetene te lezen. Eerst tijdschriften, die zich van een veel alledaagser Frans bedienden en daardoor gemakkelijker te begrijpen waren dan fictie, maar toen mijn Frans beter werd, las ik ook romans, gedichten en alles wat me verder leuk leek. Hierdoor had ik veel meer te vertellen bij zijn thuiskomst. Mijn hoofd tolde van de ideeën.

'Maar wat gebeurt er, Philippe, wanneer de verbeelding van alle mensen op is?' vroeg ik hem op een dag toen we samen in bed lagen. 'Wat dan?'

'Hoe bedoel je?' zei hij. 'Verbeelding kan niet opraken. Het is geen benzine, hoor.'

'Jawel, maar als de verbeelding van mensen voortdurend in beslag wordt genomen door dingen die ze kunnen kopen, dan verliezen ze het vermogen om zelf iets te verzinnen, *n'est-ce pas*?'

'*Et alors*?' Hij luisterde, maar was nu een tikje ongeduldig.

'Uiteindelijk zullen ze dan toch geen verbeelding meer hebben en ook niets meer willen kopen?'

Hij antwoordde niet onmiddellijk. Ik keek hem aandachtig aan. Ten slotte gaf hij toe: 'In theorie is dat mogelijk, ja... maar ik denk niet...'

Ik onderbrak hem opgewonden: 'Stel dat de verbeelding op is, en dat niemand nog iets koopt, wat gebeurt er dan? Zal Europa ten onder gaan? Wat zal ervoor in de plaats komen?'

'Natuurlijk gebeurt dat niet,' snauwde hij. 'Jullie Indiërs zijn zo onlogisch. Zolang er kinderen worden geboren, kan de verbeelding niet opraken.'

Ik glimlachte. Daar had ik ook al aan gedacht.

'Maar worden de kinderen van mensen zonder verbeelding dan wel met verbeelding geboren?' vroeg ik liefjes.

'Natuurlijk. Elke generatie is anders.'

'Maar ze blijven de kinderen van hun ouders. Zo heel anders kunnen ze niet zijn,' hield ik vol. 'Als de ouders verveeld zijn, als die zich niets meer kunnen verbeelden, hoe kunnen hun kinderen dat dan wel?'

'Omdat het biologisch is,' antwoordde hij ongeduldig. 'Ze

worden geboren met verbeelding. Net zoals ze met vingers en tenen worden geboren.' Hij ging rechtop zitten om een sigaret op te steken.

Ik bleef zwijgen, bang dat ik de discussie begon te verliezen. 'Maar er worden voortdurend misvormde kinderen geboren,' zei ik uiteindelijk.

'Als je een opleiding had genoten, dan had je geweten dat ze statistisch te verwaarlozen zijn.'

'Ik vraag me af of de verbeelding van de kinderen sneller wordt gevoed dan die van hun ouders,' zei ik aarzelend.

'Hun verbeelding wordt door andere dingen gevoed, dat is alles,' antwoordde hij. 'Ze zijn minder bang. Daarom zijn hun verlangens sterker, ongeduldiger, en moeten ze stante pede worden vervuld.'

'Maar uiteindelijk zal er niets meer zijn wat hun verbeelding kan prikkelen en zal hun verbeelding ook op zijn. Het is een vicieuze cirkel.'

Hij zweeg. Ik steunde op mijn ellebogen en keek triomfantelijk op hem neer.

Hij keek op naar mijn gezicht. 'Vertel me eens, professor, wat is de oplossing?' zei hij sarcastisch.

'Misschien...' Ik deed net alsof ik er diep over nadacht, terwijl het idee in werkelijkheid al een maand in me had zitten gisten, 'gaat men daarom wel naar een ander deel van de wereld, waar verkopen zich niet op hetzelfde niveau bevindt, waar verkopen de verbeelding nog niet heeft bereikt.'

Hij lachte ineens en zag er weer overheersend uit. 'Kleine idioot, mensen verkopen overal op dezelfde manier. Je gaat naar een ander land om meer te verdienen, dat is alles.'

Philippe was steeds minder vaak in Parijs en bleef steeds langer weg. Ik voelde me voortdurend leeg en geïrriteerd. Ik ging niet meer op jacht naar antiek. Het had geen zin, want Philippe was er toch bijna nooit. De spullen zouden alleen maar in huis rondslingeren en stof vergaren, als getuigen van mijn onvermogen om hem bij me te kunnen houden. Maar dat is mijn schuld niet, dacht ik boos, hij heeft mijn energie gestolen. Ik had geen zin meer om er alleen op uit te gaan. Ik voelde me oud en lelijk. Ik schaamde me te veel om de mensen die ik via hem kende te kunnen zien, uit angst dat ik de stille triomf in hun ogen zou zien. Ik had de moed niet om Olivier of Annelise onder ogen te komen. De wereld buiten de woning herinnerde me eraan dat Philippe niet bij me was. Ik was bang dat ik de onvermijdelijke reclames voor de Bon Marché zou zien, met zijn zelfverzekerde glimlachende gezicht ernaast. Uit frustratie begon ik weer te koken. Deze keer leerde ik echter Frans te koken. Alfredo, de kok van Philippes vader en manager van de Bon Marché in Parijs, leerde het me. Ik dwong hem om me alle gerechten te leren koken die Philippes moeder vroeger had gemaakt. Toen ik die onder de knie had, vroeg ik hem om me nog subtielere en ingewikkeldere gerechten te leren. Frans eten was heel anders dan Indiaas eten. De uitdaging lag niet zozeer in het kruiden en koken van het eten, maar in de timing, en ook in het vinden van de juiste ingrediënten. Ik leerde uit mijn herinnering te koken, en met mijn ogen, mijn zintuigen negerend tot ik zeker wist dat ik de rest goed had gedaan. Daarna begon ik te experimenteren en gebruikte ik mijn kennis over specerijen om nieuwe en steeds weer andere sauzen te verzinnen.

Ik kookte uitgebreide maaltijden en wachtte tot Philippe terug zou komen. En toen hij eindelijk terugkeerde van zijn reizen, zijn feestjes, zijn grote winkelopeningen en zijn avontuurtjes verslond hij zowel mij als het eten.

Zulke momenten duurden echter nooit eeuwig. Philippe was namelijk nooit lang tevreden. Het spel verveelde hem, ik verveelde hem, en de woning die steeds meer mijn wereld was geworden verveelde hem ook. Hij wilde meer hebben, iets wat echt was, iets uit de wereld die mijn vijand was, de buitenwereld. Hij had een nieuwe uitdaging nodig, een nieuw project, een nieuw ontwerp voor de winkel.

'Volgens mij is het tijd om de winkel een nieuw jasje te geven,' zei hij toen we tijdens een van zijn zeldzame dagen in Parijs samen zaten te ontbijten.

'Maar je hebt de afdeling met exotisch eten vorig jaar nog opgeknapt, en de afdeling met huishoudelijke artikelen in Brussel is een half jaar geleden nog gedaan. De winkel in Rio heeft drie maanden geleden nieuwe verlichting gekregen. Hoe ver wil je gaan?' vroeg ik boos. 'Heb je nog niet genoeg gedaan?'

'Genoeg? Genoeg bestaat niet. Wanneer je het genoeg vindt, ga je dood. Je moet voortdurend met iets bezig zijn, anders vergeet de pers je. Maar ik dacht eigenlijk aan de Bon Marché in Parijs. We vergeten haar. Ze wordt oud. Mensen krijgen genoeg van haar.'

'De boekhouding wijst in een andere richting!' merkte ik op scherpe toon op.

'De boekhouding loopt een jaar achter, schatje. Geloof me, ik voel het hier, in mijn binnenste. Mensen beginnen genoeg te krijgen van de Bon Marché. Ze wordt saai.'

'Saai voor jou of voor hen? Je bent nooit in Parijs, hoe kun je dan genoeg van de winkel hebben?'

'Ik hoef niet bij haar te zijn om te weten wat ze nodig heeft. Ze zit in mijn bloed,' zei hij, somber naar het zoutvaatje starend. 'Ik heb haar te lang verwaarloosd. Het wordt tijd om haar weer onder de aandacht te brengen.'

Hoe zit het dan met mij, dacht ik boos, wanneer word ik weer onder de aandacht gebracht? Maar dat kon ik niet tegen hem zeggen. Hij zou alleen maar van mijn pijn genieten. Het zou alleen maar een spelletje voor hem zijn. Alleen zou ik bij dit spelletje niets in te brengen hebben, besefte ik instinctief. Ik kon dus maar beter mijn mond houden. 'Als je de Bon Marché onder de aandacht wilt brengen,' zei ik droogjes, 'dan moet je gewoon adverteren.'

Philippe opende zijn mond om me belachelijk te maken, maar deed hem toen weer dicht. 'Een nieuwe advertentiecampagne,' zei hij op verrukte toon. 'Dat hebben we sinds de opening niet meer gedaan. Wat een goed idee! En daarvoor zal ik maandenlang in Parijs moeten blijven om de zaken te regelen – bij jou,' ging hij minzaam verder, me duidelijk makend dat al mijn pogingen om mijn eenzaamheid te verbergen tevergeefs waren geweest. Ik stond snel op en liep weg.

En zo geschiedde. De reclameman, meneer Binet, werd erbij geroepen. Meneer Binet was een vriend van de familie. Hoewel zijn bedrijf grote successen boekte, had hij zijn gevoel voor humor weten te behouden en liet zich niet van zijn stuk brengen. Wanneer hij belde, nam hij altijd even de tijd om met me te praten. Philippe nodigde hem uit om bij ons te komen eten. Ik was opgewonden omdat we na zo'n lange tijd weer een gast hadden. Ik wilde dat in ieder geval een van Philippes vrienden zou weten dat ik nog bestond.

Om zeven uur ging de bel. De man die voor de deur stond, was niet de oude meneer Binet. Hij was veel jonger, nog geen dertig, en knap. Zijn gezicht lichtte op toen hij me zag.

'*Oui, monsieur? Qu'est-ce que vous voulez?*' Ik zweeg even, me afvragend of de man aan het verkeerde adres was. Jammer, dacht ik, hij ziet er leuk uit.

De man glimlachte naar me. Ik zag dat hij mooie tanden had, wit en recht. 'Ik ben Marc Despres, hoofd ontwerp bij meneer Binet. Hij werd onverwacht weggeroepen voor familiezaken.'

De vrouw van meneer Binet had vast geklaagd dat ze zich verwaarloosd voelde, vermoedde ik, en meneer Binet was gezwicht. Ik keek weer naar de vreemdeling. Hij keek mij ook aan, met een bewonderende blik. Ineens leek de avond een stuk leuker.

'*Tant pis.*' Ik haalde glimlachend mijn schouders op en richtte zo zijn aandacht op mijn blote hals. 'Komt u alstublieft binnen.' Ik voelde dat ik rilde van opwinding. We staarden elkaar aan. 'Het spijt me dat meneer Binet niet kon komen. Ik hoop dat het goed met hem gaat.'

'O, jawel. Het was alleen jammer dat deze afspraak zo onverwacht was. Hij had thuis al een etentje,' zei hij met een onbewogen gezicht.

Ik lachte, en mijn spanning verdween. Hij lachte onbevangen met me mee. 'De pech van meneer Binet is mijn geluk,' zei hij, toen we eindelijk uitgelachen waren. 'Ik heb zoveel over u gehoord. En ik heb foto's van u gezien.'

'Maar dat is al jaren geleden,' zei ik, verbaasd dat hij zich nog steeds de tijd kon herinneren dat de gezichten van Philippe en mij in alle bladen te zien waren geweest.

'Misschien hebben ze u daarom geen recht aangedaan, madame,' zei hij zacht.

'Ik ben niet getrouwd. Zeg maar Leela.'

'Leela? Wat een mooie naam.' Hij hield duidelijk van flirten, stelde ik vast. Ik had het gevoel dat ik nu al een glas wijn had gedronken.

Ineens dook Philippe op, die achtereenvolgens verbaasd en nukkig keek toen ik de jonge man voorstelde. Het was duidelijk dat hij hem te jong vond, en hij was zo agressief als hij maar zijn kon. 'Waarom is Binet zelf niet gekomen, huh? Wij zijn de belangrijkste klant die hij heeft, en hij stuurt een ander. En waarom jij? Wat weet je over de Bon Marché?' Hij wendde zich tot mij en zei in het Engels: 'Ik kan toch niet met deze koter gaan praten? Stuur hem maar weg.'

Ik keek angstig in de richting van meneer Despres. Ik wist bijna zeker dat hij Engels sprak. Maar hij leek helemaal niet aangedaan. Hij sprak Philippe rechtstreeks aan: 'Ik weet tamelijk veel over uw opdracht. Ik heb me er de afgelopen vier jaar om bekommerd.' Hij draaide zich een heel klein beetje om, zodat hij mij ook aansprak. 'U bent uiterst gevoelig. Uit elk recept blijkt uw aandacht voor het kleinste detail, voor hoe eten voelt, smaakt en zelfs ruikt.' De hele tijd hield hij zijn blik op mij gericht. Ik raakte in de war. Wist hij dat ik degene was die de beschrijvingen van het eten had verzorgd?

Philippe gromde, maar was gesust. 'Nou, ik ben blij dat je het goed vond,' zei hij korzelig en liep naar hem toe. 'Ik wist niet dat jij het boek hebt gemaakt. Dat heeft die oude schurk van een Binet me nooit verteld. Maar zo gaat het nu eenmaal op deze wereld, nietwaar? De een doet het werk en de ander strijkt de eer op.' Hij lachte luid en sloeg zijn arm om de schouders van de andere man. 'Misschien moet je toch maar blijven eten. Leela is dol op koken, en ze zou het jammer vinden wanneer er niemand was om alles op te eten.'

Ik voelde me ineens weer lelijk. 'Ik... ik moet e-even naar het eten kijken,' stamelde ik, en ik rende naar de keuken.

Toen ik terugkwam, liet Philippe net zijn laatste aanwinst zien: een art-decospiegel die hij in een chique, maar te dure galerie in Brussel had gekocht. Volgens mij was het ding nep.

'Houdt u van antiek?' vroeg ik aan Despres toen Philippe eindelijk niets meer wist te zeggen.

'Ja, maar ik hoef het niet te hebben. Ernaar kijken is voor mij genoeg.'

'Dan bof je, want je zou het toch niet kunnen betalen,' kwam Philippe tussenbeide.

'Ik hou van antiek vanwege de details,' zei Despres. 'Wanneer je verstand van antiek hebt, leer je beter naar dingen te kijken en kun je de details van het vakmanschap meer waarderen.'

'Waarom zou je je in iets verdiepen wat je toch niet kunt bezitten?' zei Philippe spottend.

'Omdat je er soms niets aan kunt doen,' zei Despres.

'En door ergens verstand van te hebben, kun je het ook bezitten,' voegde ik eraan toe. Ik kon het niet helpen.

'Jazeker.' Hij keek me verrukt aan. 'Wanneer je ergens verstand van hebt, bezit je het voor eeuwig.'

'Denkt u dat echt?' vroeg ik gretig. 'Waarom?'

'Voor eeuwig?' kwam Philippe tussenbeide. 'Dat bestaat niet. We gaan allemaal dood, en daarmee uit, *point final*.' Hij wendde zich tot Despres. 'Genoeg gekletst. Kom, dan gaan we naar mijn studeerkamer om het project te bespreken.'

Hun voetstappen verwijderden zich, en ik hoorde de deur achter hen dichtslaan.

Tijdens het eten bleven ze over zaken praten. 'We worden overal nagedaan, in Lyon, Genève, Tokio. En weet je waarom?' vroeg Philippe, die Despres indringend aankeek.

De jonge man schoof nerveus op zijn stoel heen en weer. 'Omdat het zo'n succes is?'

'Ja. Omdat ik eten opnieuw heb uitgevonden. Ik heb hun eten als sensualiteit verkocht, eten als esthetiek, eten als verleiding. Ik heb een goede maaltijd in een obsessie, in iets wat veel meer dan alleen maar een verlangen is veranderd. Daarom ben ik een symbool van succes geworden.'

Despres knikte soepel, als een echte acoliet, maar zei niets.

Philippe ging verder: 'Maar mijn succes is mijn grootste vijand geweest. Toen ik mijn idee eenmaal had verwezenlijkt, kon iedereen het nadoen, de na-apers, de imitators uit de derde wereld, de dieven. Ik heb het uitgevonden, maar ik krijg geen auteursrechten uitbetaald, zoals jullie in de reclamewereld wel krijgen.'

Mijn gedachten begonnen af te dwalen. Philippes opschepperij verveelde me.

Het eten was bijna niet aangeraakt. De warme gerechten werden langzaam koud, en de geuren werden sterker, werden langzaam zuur en onaangenaam, als bij te lang bewaarde kaas. Ik had er zelf zo hard aan gewerkt. Ik had de kok weggestuurd en het allemaal zelf gedaan. Maar later zou alles worden opgegeten, wist ik. Zodra de gast de deur uit was gewerkt, zou Philippe het verslinden. Ik zag dat Despres heel weinig had gegeten. Mijn blik dwaalde naar zijn gezicht. Ik schrok op toen ik merkte dat hij me zat aan te kijken. We wendden allebei schuldig onze blik af. Ik dwong mezelf om naar Philippe te luisteren.

'Omdat we de na-apers niet voor de rechter kunnen slepen, moeten we veranderen, moeten we verdergaan, moeten we zoeken naar een andere vlag waaronder we alles kunnen verkopen.' Hij zweeg even om adem te kunnen halen. 'Daarvoor heb ik jou nodig. Ik wil dat je iets anders bedenkt, iets waardoor ik wederom de aandacht zal trekken.'

'Natuurlijk...' Despres knikte. 'Ik vind het een eer.'

'Heb je ideeën?' vroeg Philippe direct.

Despres knipperde met zijn ogen. 'Ik weet het niet,' zei hij uiteindelijk. 'Het kost me vanavond moeite om na te denken. Wat vindt mevrouw ervan?'

'Ik?' Ik boog me verbaasd voorover. 'Misschien kun je deze geuren aan de man brengen,' zei ik, wijzend op het onaangeroerde eten. 'Dat zou weer eens iets nieuws zijn.'

'Doe niet zo idioot,' snauwde Philippe. 'Despres zal nog denken dat je gestoord bent.'

'Het spijt me... Het was een grapje...' Ik begon me te verontschuldigen. Nerveus keek ik onze gast aan. Hij keek me met een geschrokken blik aan.

'Wacht eens even, dat is een geweldig idee,' zei hij met een warme glimlach. 'Kunt u er iets meer over vertellen? Hoe zou u dat precies willen doen?'

'O. Ik... ik weet het niet,' zei ik snel, een blik op Philippe werpend. 'Het was dom van me. Ik bedoelde eigenlijk alleen maar dat het eten koud wordt. Meer niet.'

'Nee, nee. Ik weet zeker dat er meer achter zit.' Despres veegde mijn verontschuldigingen van tafel. 'U moet uzelf niet zo naar beneden halen. U hebt een frisse, onbedorven kijk op zaken. U ziet dingen die wij westerlingen nooit zullen begrijpen.' Opgewonden wendde hij zich tot Philippe. 'Geur zou het nieuwe front kunnen zijn, een nieuw soort aanval die niemand ziet, een manier om het onderbewustzijn van mensen binnen te dringen zonder dat ze het in de gaten hebben. Geur is krachtiger dan woorden en beelden. Onbekend, onontgonnen, anders.'

Philippe onderbrak zijn opsomming. 'Als je klaar bent met het haar naar de zin maken, kunnen we het dan misschien weer over zaken hebben? Ik heb het druk en heb niet de hele avond tijd voor gelul.'

'Het is geen gelul, meneer,' zei Despres zacht. 'Het is het verfrissendste idee dat ik ooit heb gehoord. We moeten alleen bedenken hoe we het gaan aanpakken.'

Philippes gezicht betrok. 'Verfrissend? Het slaat nergens op! Het hele idee slaat nergens op. Ik moet aan mijn zaak denken, een zaak die een bepaalde uitstraling heeft – op het gebied van gezondheid en kwaliteit.'

Ik keek Philippe verbaasd aan. Hij was degene die nooit genoeg kon krijgen van het geurenspel.

'Maar zijn mensen niet bang voor sterke geuren? En zullen de geuren juist niet verhinderen dat ze iets kopen?' vroeg ik aan Despres.

'Niet als we het goed aanpakken,' antwoordde Despres geestdriftig. 'We moeten geen geuren gebruiken die te sterk of te gemakkelijk te herkennen zijn. We moeten er een fantasie van maken. Per slot van rekening willen we het idee van geuren gebruiken om iets te verkopen.'

Ineens ergerde ik me. 'Hoe bedoel je, "het idee van geuren"? Een geur is geen idee. Een geur is echt. Alles heeft een geur, en geuren veranderen voortdurend, afhankelijk van hoe iets wordt behandeld. Een geur is een wereld... en ook een herinnering.'

Maar Despres veegde mijn woorden zo van tafel. 'Het concept is uniek, daar gaat het om. De geuren zijn onstoffelijk, ze kunnen licht en aangenaam zijn, je kunt ze helemaal vergeten. Het is belangrijk dat we de eersten zijn die geuren koppelen aan het verkopen van eten, het eten van de Bon Marché.'

Ik wendde me tot Philippe, in de verwachting dat hij de man buiten de deur zou zetten. Maar tot mijn grote verbazing trok hij zijn nietszeggende zakengezicht, met ogen als stenen.

'Hoe zouden we het aan moeten pakken?' vroeg hij.

Het gezicht van Despres werd even uitdrukkingsloos. Hij wendde zich tot mij.

'Misschien door middel van tijdschriften, met die geurstrips die ze ook voor parfum gebruiken,' zei ik spottend.

We waren niet langer drie mensen die door eten en een gesprek met elkaar waren verbonden, maar drie verschillende soorten, met gedachten die steeds sneller elk een andere richting op gingen. Toch ging het gesprek door.

'Voedselparfum! Wat een ontzettend origineel idee! *Madame, je vous salute*,' riep hij uit.

Philippe onderbrak hem droogjes. 'Oké, genoeg. Hoeveel gaat dat me kosten?'

Ik begon te lachen, ik kon mezelf niet meer beheersen. De lach stroomde uit me, waanzinnig en zonder einde, probeerde de leegten om ons heen te vullen en werd als cement over de overblijfselen van het eten uitgestort.

Ten slotte gaf Philippe me een klap en ik hield op met lachen. Ik legde mijn hand op mijn wang om de pijn te verzachten. Snel knipperde ik met mijn ogen. Toen wendde ik me tot Despres. 'Het spijt me.'

Ik stond op en begon de tafel af te ruimen. Alle borden lagen nog vol eten. Despres stond op om me te helpen, maar Philippe hield hem tegen. 'Laat het maar aan haar over. We moeten nog een paar zaken bespreken.'

Toen ik terugkwam uit de keuken, waren ze verdwenen. Ik kon de jonge man in de gang horen praten. Hij klonk nog steeds opgetogen. Philippes stem was een grommende, lage bas. Ik kon er geen wijs uit worden. Ineens lachten ze allebei. Het lachen van mannen: kort en onomwonden. Daarna schraapten ze snel hun kelen.

Ik schonk mezelf nog een glas wijn in en dronk het snel op. Ik wilde nog een glas inschenken, maar de fles was leeg. Ik pakte het wijnglas van de gast, dat nog grotendeels vol was, en dronk dat leeg.

Ik hoorde dat de deur dichtviel. Ik hield mijn adem in. Een paar minuten later hoorde ik Philippe door de gang lopen en toen verdwijnen, buiten gehoorsafstand.

Zachtjes ruimde ik de rest van de borden op. Ik gooide het eten in de vuilnisbak in de keuken en stapelde de borden in de gootsteen op. Ik keek er even naar. Toen draaide ik de kraan open en pakte een schort. Ik liet de gootsteen vollopen met warm water, bond het schort voor en trok rubberen keukenhandschoenen aan. Het geluid van het water kalmeerde me.

Toen ik klaar was met afwassen, pakte ik een fles witte wijn uit de koelkast en ging, gewapend met twee hoge kristallen glazen die eruitzagen als lelies, op zoek naar Philippe. De woning was donker. Ik deed de deur van de slaapkamer open. De kamer was in duisternis gehuld, afgezien van het maanlicht dat door het raam naar binnen stroomde. Philippe lag uitgestrekt op het bed, naakt, met zijn arm onder zijn hoofd.

Ik ging naar hem toe. Hij keek niet op. Ik zette de fles en de glazen naast het bed. 'Ik heb je lievelingswijn meegenomen. Wil je een beetje?'

Hij negeerde me.

Ik schonk een glas in en nam kleine slokjes. De wijn smaakte dun en groen, naar kruisbessen en pas gemaaid gras. Ik voelde dat de vloeistof door de lagen voedsel in mijn mond sneed en de herinneringen aan het eten van mijn smaakpapillen veegde. Straks zou de wijn naar mijn hoofd stijgen en ook mijn herinnering aan deze avond uit mijn gedachten bannen.

'Het was een rare avond, vond je niet?' vroeg ik voorzichtig. 'Een grappige man.'

Eindelijk zei Philippe iets. 'Hij is dom,' snauwde hij. 'Ik begrijp niet waarom Binet hem niet ontslaat.'

Hij pakte het glas wijn dat ik vasthield en nam kleine slokjes. Ik begon me uit te kleden.

'Meneer Binet moet veel vertrouwen in hem hebben, anders had hij de opdracht voor de Bon Marché niet mogen doen.'

'Hij is gek.'

'Het was helemaal niet zo'n slecht idee, om voor de nieuwe

campagne voedselparfum te maken,' zei ik op luchtige toon. 'Ik dacht dat je het wel wat vond.'

Philippe snoof. 'Wat? De geur van eten gebruiken om iets te verkopen? Dat zou nooit werken. Geuren zijn smerig. Alleen een zieke geest kon zoiets bedenken. Ik wilde dat alleen niet zeggen omdat ik je ten overstaan van die man niet in verlegenheid wilde brengen. Hij zat zo openlijk te flirten dat ik er misselijk van werd. Het was walgelijk om te zien hoe hij naar jou zat te kwijlen. Ik wil dat de man met wie ik werk een man is, geen vleier. Voedselparfum!'

Ik hoorde het ontzet aan. Waarom heeft hij mij dan, dacht ik. 'Maar waarom niet? Waarom zou het niet werken? Je hoort mij altijd graag over geuren praten.'

Hij zweeg even. 'Dat is anders.'

'Waarom? Waarom is dat anders?'

'Dat is persoonlijk.'

'Maar je vindt het fijn,' hield ik vol. 'Dat weet ik.'

Hij keek me verveeld aan. 'Misschien is dat wel zo. Maar dat komt omdat ik anders ben. Gewone pleziertjes, van het soort waarvan Europeanen genieten, kunnen me niet meer bevredigen.'

'Het is helemaal niet abnormaal om gevoelig voor geuren te zijn. Dat is natuurlijk,' hield ik vol.

'Geuren zijn net vuil. Sommige mensen vinden het lekker. Ze denken dat het natuurlijk is. Maar vuil is niet begerenswaardig... en je kunt er geen biologische aardappelen mee verkopen.'

'Geuren zijn niet net vuil,' zei ik boos. Ik stond op.

Hij trok me naar zich toe. 'Doe niet zo idioot. Geuren zijn vies, vuil, onuitgesproken. Daarom zijn ze opwindend, erotisch, wild als jij.' Terwijl hij sprak, wreef hij over mijn buik, trok mijn ondergoed naar beneden en greep mijn billen vast. 'Maar je kunt de orde der dingen niet veranderen, liefje. Anders ontstaat er chaos.' Hij pakte mijn hand en vouwde die om zijn penis.

'Mensen zullen nog denken dat je gek bent en je in een inrichting stoppen.' Ik voelde dat ik langzaam verdween, tot er niets meer van me over was dan een slappe hand die een zachte, glibberige steen vasthield. Philippe legde zijn hand op de mijne en hield die stevig vast terwijl hij heen en weer bewoog, totdat hij hard werd. Hij praatte de hele tijd. 'De orde der dingen mag niet worden bedreigd, sommige dingen moeten verborgen blijven.'

'Philippe!' riep ik uit, niet langer in staat zijn woorden aan te horen. 'Alsjeblieft, dat kan niet waar zijn. Ons genot is niet vies.' De duisternis voelde aan als een deken, die alles op zijn plaats hield. Eronder smolt mijn lichaam weg in een poel van vuil.

Hij keek lange tijd op me neer. Ten slotte zei hij: 'Mijn liefje, je bent een kleine wilde. En wilden hebben geen moraal. Daarom weet je me na al die jaren nog steeds op te winden. Je hebt de deur naar een geheime plek geopend. Je woont daar, in je kleine hol vol geuren, seks en ontbinding. Je zwelgt erin. Ik begrijp niet wat je hartstocht voedt, het moet wel een ziekte zijn, anders had het nooit zo lang kunnen duren.'

Mijn hoofd begon te bonzen. Mijn blik richtte zich naar binnen.

'Nee, nee, nee,' begon ik te kreunen. Er steeg een vreselijke lucht vanonder mijn huid op, een lucht die uit een riool in Nairobi kwam waar de dode honden werden achtergelaten.

Zijn hand raakte voorzichtig mijn gezicht aan. Ik dook voor hem weg. Ineens verscheen zijn gezicht boven het mijne. Hij keek me gespannen aan.

'Zo bedoelde ik het niet. Ik vind het leuk dat je liever mij hebt dan zo'n jonge hond als Despres,' zei hij, zijn neus in mijn haar begravend.

'Laat maar zitten,' zei ik. Ik draaide mijn rug naar hem toe en rolde me op mijn zij. Hij ging naast me liggen. Ik had het gevoel dat ik in de val zat.

Ik vroeg me somber af hoe ik verder met hem zou kunnen leven. Hij trok met zijn vinger een spoor over mijn rug.

'Draai je nu maar om. Ik heb het je vergeven.'

Wat heb je me vergeven, vroeg ik me verwonderd af.

'Draai je om. Ik wil naar je kijken,' beval hij met schrille stem. Hij pakte mijn haar beet en trok mijn hoofd naar achteren.

'Hou op. Je doet me pijn,' schreeuwde ik, terwijl ik naar zijn hand sloeg.

Hij liet me ineens los. 'Draai je om,' beval hij op zachte toon.

Langzaam draaide ik me om.

'Dat is beter.' Hij glimlachte naar me. Zijn blik gleed over mijn gezicht. Ik probeerde ook te glimlachen, maar mijn kaken waren als verstijfd.

'Vertel me nu maar wat ik wil horen,' zei hij met een kinderstemmetje.

Ik keek naar zijn gezicht. Het straalde van verwachting.

'Wat moet ik je vertellen?'

'Je weet wat ik wil horen,' zei hij pruilend.

Ineens begreep ik het. Hij wilde het geurenspel spelen. Hij wachtte tot ik zou beginnen. Ik zag het spel beginnen.

'Ik wil die woorden horen...' Hij likt zijn lippen af.

'Welke woorden?' vraag ik hem.

'De woorden van geuren,' antwoordt hij gretig. Het ritueel krijgt me langzaam in zijn ban. De woorden duiken in mijn gedachten op.

'Woorden zoals...' Hij houdt op.

'Woorden zoals...' Ik doe zijn kinderstemmetje na, '... zoals dat je oksels een scherpe, gillende geur hebben die klinkt als tandwielen op metaal. En zal ik je vertellen dat je adem ruikt naar benzine die over een lichaam wordt gegoten en met een lucifer wordt aangestoken, zodat het vlees sist en het vet zich tijdens de brand met de benzine vermengt. En je...'

Ik zwijg. In zijn ogen is een afwezige, glazige blik verschenen. De magie van het spel heeft hem zo in zijn greep dat hij niet eens heeft gemerkt dat ik andere woorden heb gebruikt.

'En mijn...' zegt hij ter aanmoediging, terwijl hij me over mijn billen aait.

Ik wil een manier vinden om hem te kwetsen. 'Dat weet ik niet meer,' zeg ik.

'Hoe bedoel je, dat weet je niet meer? Zeg het. Zeg die woorden,' buldert hij.

'Je hebt geen bijzondere geur. Je ruikt net als iedereen. Ik heb het allemaal verzonnen, woord voor woord.'

Hij kijkt me aan alsof hij me nog nooit eerder heeft gezien. Zijn gezicht betrekt. 'Je liegt,' fluistert hij. 'Je liegt, hè?'

'Nee. Ik lieg niet.'

'Dat kun je niet hebben verzonnen. Dat bestaat niet.'

'Jawel. Dat heb ik wel gedaan.'

Zijn gezicht ziet eruit alsof het in stukken uiteen zal vallen.

Langzaam trekt hij zijn hand terug. Nog voor zijn hand mijn gezicht bereikt, weet ik al dat hij me zal gaan slaan. Maar hij verrast me door me een stomp in mijn buik te geven. Ik voel dat mijn adem in een teug uit mijn lichaam ontsnapt en trek in een reflex mijn knieën op. Hij slaat me telkens weer. Hij gaat op zijn knieën zitten en stompt me in mijn maag, in mijn ribben, in mijn gezicht, op mijn oren, in mijn ribben en weer in mijn maag.

Hij beukt nu met zijn vuist in mijn gezicht, een keer, twee keer, drie keer. Mijn hoofd zwaait door de kracht van zijn klappen van links naar rechts. Hij gaat me vermoorden, denk ik dof, me afvragend wanneer mijn nek zal breken en hopend dat dat snel zal gaan.

Ineens houdt hij op. Hij drukt zijn gezicht tegen het mijne en begint te huilen. Ik voel dat zijn tranen in mijn ogen stromen en dat het vocht zich in de holten ophoopt. Speeksel loopt uit zijn mond, en door zijn hete, vlezige adem beslaat mijn huid.

Zijn zware lichaam trilt en de trillingen dringen mijn lichaam binnen en worden erdoor opgenomen. Ik blijf stil liggen totdat ik zeker weet dat hij in slaap is gevallen. Ik kruip onder hem vandaan en stap uit bed. Ik pak mijn kleren en loop de kamer uit, de deur zachtjes achter me sluitend. Wanneer de deur in het slot valt, hoor ik dat hij zich omdraait en mijn naam mompelt. Ik kijk niet om.

Deel vier

Een

Op het Gare du Nord, waar de treinen aankomen, is een *terrasse de café* dat die naam niet verdient. Het is namelijk geen echt terras – het is niet echt open, maar ingesloten door gekruiste stalen balken en platen tin en glasvezel die de treinen naar het noorden buitensluiten. Het dak is grijs geverfd en weerspiegelt de kleur van de gure novemberhemel. Onder dat dak gaan treinen en mensen op bevel van een verveelde, geslachtsloze stem naar binnen en naar buiten. De stem klinkt alleen opgewonden bij het aankondigen van de supersnelle TGV's en wordt dan hard en indringend, als stoom in een ketel.

De knaloranje tafeltjes om me heen, die allemaal onbezet zijn, steken fel af tegen het grijze plaveisel en de rookbruine muren van het café achter ons. Achter de glazen deuren kan ik de schimmige gestalten aan de bar zien. Hun armen gaan tegelijkertijd omhoog wanneer ze hun glazen van de bar pakken en aan hun monden zetten.

Ik kom elke dag in dit café, al twee maanden lang, sinds ik Philippe heb verlaten. Mijn gedachten draaien wanhopig in kringetjes rond.

Aanvankelijk bleef ik bij hem uit de buurt om hem te straffen. Ik was niet zozeer gekwetst door wat hij me had aangedaan, maar door het idee dat mijn pijn hem zo weinig kon schelen. Ik wist dat hij me nooit zou hebben geslagen als hij me niet als een bezit zou hebben gezien, als een ding zonder eigen wil of leven.

Maar dat was mijn schuld, besefte ik. Lang voor die laatste avond had ik immers al niet meer het gevoel gehad dat iemand me nodig had, en dus had ik niet langer het gevoel dat ik leefde. Ik lag zes dagen op mijn hotelkamertje in bed te wachten totdat hij me zou missen.

Op de zevende dag ging ik terug. Ik was zwak van de honger en had amper genoeg geld voor de metro. Philippe was niet thuis. Hij zat in Argentinië, vertelde de kok me met een onbewogen gezicht. Met zijn vierkante lijf versperde hij me de weg.

'Wanneer komt hij weer terug?'

'Dat heeft hij niet gezegd.'

'O,' zei ik. Ik probeerde langs hem heen te lopen, maar hij wist van geen wijken. Hij haalde een brief uit zijn zak. 'Hij heeft dit voor u achtergelaten, mevrouw.'

Ik pakte de brief uit zijn uitgestoken hand en maakte hem open. De brief, die van zijn advocaat, meneer Albin, kwam, was kort en bondig. Er werd medegedeeld dat meneer Lavalle geen contact meer met mejuffrouw Patel wenste te hebben. Dat ze binnen drie dagen na ontvangst van de brief haar persoonlijke bezittingen uit zijn huis weg diende te halen, daar deze anders vernietigd zouden worden. En dat er ter compensatie van het geleden ongemak een bedrag van vijftigduizend franc op haar rekening zou worden gestort. Tevens werd vermeld dat, mocht ze ooit trachten om contact met meneer Lavalle op te nemen, haar Franse verblijfsvergunning zou worden ingetrokken. Ik kon niet geloven dat ik het Frans goed had begrepen. Ik las de brief nog een keer, zorgvuldig, woord voor woord. Maar de inhoud bleef hetzelfde.

Ik keerde dus weer terug naar het anonieme hotel. De bar beneden zat vol met de gebruikelijke bezoekers: handelslui, toeristen, immigranten en mensen van de spoorwegen. Bij de receptie zat dezelfde donker getinte Italiaan te telefoneren. Hij stelde geen vragen toen hij me mijn sleutels gaf. Hij keek me met een onverschillige blik na toen ik de trap opliep.

Toen ik alleen op mijn kamer was, ging ik op hetzelfde grijze bed uit het raam liggen kijken. Voor het eerst viel het uitzicht me op: rails, met erachter een eindeloze grijze muur, onderbroken door ramen waarvoor felgekleurde Afrikaanse bou-bous fladderden. Daarna viel ik in slaap.

In het holst van de nacht werd ik wakker. Het was steenkoud in de kamer. Het raam stond open, het maanlicht stroomde naar binnen en vormde een groot vierkant van licht midden op het bed. Ik stond op en deed het raam dicht. Ik telde de sporen. Het waren er dertien. Ze glansden in het maanlicht, een buitenaards landschap, plat en symmetrisch, zonder geheimen of ziel.

De volgende dag belde ik het huis. Ik praatte met de nu openlijk hautaine kok en gaf hem het adres van het hotel. Ik hoopte dat Philippe hem zou bellen en naar me zou vragen. Misschien was een week te kort; misschien duurde het wel langer voordat je iemand ging missen. Ik keek naar de zwijgende telefoon naast mijn bed en wachtte tot die ging rinkelen. De onberispelijk witte muren keken me boos aan, als een vreemde. Ineens drong het tot me door dat het hart van Philippe even kil was als die muren. Alleen had mijn verlangen naar hem, naar alles wat hij vertegenwoordigde, me verblind. Nu was er niets meer.

Ik kom elke dag om kwart over acht bij het café aan. Elke dag ben ik in het zwart. En ik heb een zwarte tas bij me met aan één kant een plaatje van de Eiffeltoren erop. Aan de andere kant staat in krullerige gouden letters 'I love Paris'. Het is een tas die is bedoeld voor toeristen, die voor toeristen is gemaakt en die door toeristen of door mensen met de verbeelding van een toerist worden gekocht. Ik heb de tas van een Sri Lankaan, of misschien was het wel een Indiër, op het metrostation gekocht, een aantal meters onder de grond. Hij rook naar geparfumeerde haarolie en de metro en deed me aan mijn oom denken. Ik heb de tas gepakt en liep snel de trap op. Op straat aarzelde ik. De geur van Épicerie Madras drong mijn neusgaten binnen, en ik werd verscheurd door verlangen, schaamte en spijt. Toen herinnerde ik me de L-vormige achterkamer.

Die dag ging ik niet verder, en de dag erna en de dag daarna ook niet. Ergens in de tussentijd ontdekte ik het café. 'Ben je in de rouw?' vroeg de serveerster met de wasbeerogen op de derde dag aan me. Het was me opgevallen dat ze op veilige afstand van me bleef. Misschien rook ze het. Ik haalde mijn schouders op. Na een korte pauze knikte ze tevreden, met de gedachte dat die rampspoed haar bespaard was gebleven. 'Er komen hier veel mensen zoals jij.' Ze keek me onderzoekend aan, precies zoals ze ook naar een tv zou kijken. 'Ik wist het wel.' Zonder mijn bestelling op te nemen liep ze weer weg. Ik keek haar zwijgend na. Nog maar een maand geleden zou ik zijn opgesprongen en tegen haar gaan schreeuwen, of ik zou gewoon weg zijn gelopen. Nu bleef ik waar ik was, roerloos, wachtend.

Ten slotte kwam ze terug om mijn bestelling op te nemen. Maar eerst liep ze nog naar de bar, leunde over de toog en fluisterde iets tegen de droevig uitziende barman. Haar ellebogen lieten een vettig spoor achter op het zilverkleurige bovenblad dat hij altijd zo schoon hield. Ik zag dat ze me een zijdelingse blik toewierp en haar hoofd schudde. De barman antwoordde niet. Hij zette zijn pet af en sloeg zijn ogen neer, alsof hij ooit ook iemand had verloren. Ik zag dat hij een aardig gezicht had. Ik wilde tegen hem zeggen dat het alleen de eerste keer pijn doet, wanneer het verlies nog iets nieuws is. Daarna wordt het een aflevering uit een serie, zonder berouw of herinneringen of geschiedenis. Op die manier denk ik nu aan Philippe. Neutraal, als een nummer.

Elke dag ga ik van mijn kamer bij het Gare de l'Est naar het Gare du Nord. Om precies tien voor acht verlaat ik mijn kamer. De wandeling hierheen duurt twintig minuten. Eerst moet ik het spoor oversteken. Daarna loop ik door vergeten straten, tot ik eindelijk bij de spoorbrug aankom die naar het station leidt.

Ik wacht even voordat ik het station betreed en denk aan de eerste keer dat ik dit grootse station zag. De zilveren sporen leken aan kilometerslange draden te hangen die zich eindeloos naar het noorden uitstrekten. Die aanblik windt me altijd op. Misschien kom ik daarom wel elke dag terug. Of misschien komt het wel omdat de Gujarati een nomadisch volk zijn, zoals mijn vader altijd schertsend zei. Ons volk legde de spoorwegen in Afrika aan. En daarvoor bouwde het schepen.

Mijn eerste treinreis was in de trein waarin ik werd geboren, op weg naar Mombasa waar mijn oom de dokter woonde. 'Altijd even ongeduldig,' zei mijn moeder altijd. 'Ze wist niet hoe snel ze ter wereld moest komen.' De treinen die ik als kind in Kenia heb gezien, waren van hout en hobbelden heen en weer over de rails, met wagons die altijd uit balans waren omdat er 's nachts zoveel dieren tegenaan waren gebotst. Vaak waren dat gnoes, maar een keer vond een kleine neushoorn de dood, en nachtenlang bleven de vaardigste blanke jagers bij de trein wachten tot de moeder haar gram kwam halen. Maar ze was hen allemaal te slim af door net buiten bereik van hun wapens te blijven. Elke nacht zaten ze te wachten tot ze dichterbij zou komen. Op een nacht verdween ze. Misschien was de pijn over. Of misschien vergeten neushoorns dingen eerder dan mensen. Mijn ouders en ik konden daar uren over praten. In mijn dromen zag ik de kop van de neushoorn die met haar hoorns tegen de houten wanden van de wagon beukte. Elk jaar wanneer we naar Mombasa gingen, vertelde mijn vader ons dat verhaal. We gingen altijd in de schoolvakantie met het hele gezin op pad. Behalve in het laatste jaar, toen hij besloot om in Nairobi te blijven om een oogje op de verbouwing te houden en werd vermoord. En mijn moeder bleek een nog slechter geheugen dan een neushoorn te hebben. Ik lach hardop, waardoor mensen geschrokken opkijken.

Op dat moment wordt er omgeroepen dat de trein uit Duinkerken aankomt.

Duinkerken? Ik kijk op. Die naam klinkt bekend, als een

stem uit het verleden. Ik vind het mooi klinken en vraag me af waar het ligt. Ik stel me voor dat het in een dal tussen lage heuvels ligt. Ik zeg de naam tegen mezelf: 'Duinkerken.' Het klinkt geruststellend. Ik vraag me ineens af of het aan zee ligt.

'Je kunt daar de boot nemen,' zegt de vrouw tegenover me. Terwijl ze praat, deint haar grijze hoofd op haar magere nek op en neer. Ik kijk haar afwezig aan. Haar dunne lichaam lijkt opgedroogd, als een wortel, en ze gaat in een of andere harige stof gekleed.

'Welke boot?' vraag ik op doffe toon.

'De boot uit Duinkerken, natuurlijk. De boot naar Engeland.' Ze gaat dromerig verder: 'Mijn man heeft me een keer meegenomen naar Engeland.' Bij dat woord loopt er een rilling over mijn rug. Ik herinner me de loze belofte van mijn moeder om me te komen halen. Mijn opwinding verdwijnt echter snel. Ze wil me vast niet zien. Ze heeft een nieuwe man, een nieuw leven. En ik heb bijna geen geld meer. 'Mijn moeder.' Ik spreek die woorden hardop uit. Ze klinken nu vreemd.

'Wat zei je?' vraagt de vrouw geërgerd. 'Je sprak toch geen Duits, hè? Ik hou niet van Duitsers. Ze blijven nooit in hun eigen land, ze willen altijd naar het land van een ander.'

De serveerster komt terug met een kopje zwarte koffie dat ze voor de oude vrouw neerzet.

'Ze is toch niet Duits, hè?' vraagt de oude vrouw op luide toon en wijst naar mij.

'Nee. Ze is in de rouw,' antwoordt de serveerster.

'Wat? Dat kan niet. Ze probeert je voor het lapje te houden, zodat je medelijden met haar krijgt en ze niet hoeft te betalen. Buitenlanders, huh.'

Ik zie dat de serveerster weer wegloopt. Haar haar staat stijf van de lak en haar heupen zwaaien tijdens het lopen heen en weer boven haar zware gespierde benen. 'Waar ligt Duinkerken?' roep ik haar achterna.

'Het is niets bijzonders,' schreeuwt ze terug, boven het geraas van een net vertrekkende trein uit. En ze voegt er iets aan toe wat ik niet kan verstaan, iets wat als 'industrieel' klinkt. Het volgende woord gaat ook in het gegil van de fluit ten onder. Ik buig me voorover en probeer haar te verstaan. Eindelijk zwijgt de fluit. 'Wrakhout' – het laatste woord drijft terug in de plotselinge stilte. Wat bedoelt ze daarmee, vraag ik me af. Maar voordat ik het haar kan vragen, is ze alweer naar binnen gelopen en fluistert iets tegen de barman met het gerimpelde gezicht.

Ineens heb ik weer zin om de zee te zien. Ik maak mijn tas open en betaal mijn rekening van elf franc. Geen fooi voor de serveerster, besluit ik. Ik kom hier niet meer terug. Dan pak ik mijn reistas en ga op zoek naar het bord met vertrektijden.

De trein naar Duinkerken is een TGV die via Lille rijdt. Dat verbaast me, omdat de stem 'Lille' niet met de gebruikelijke TGV-zangerigheid heeft aangekondigd. Ik onderwerp de trein aan een zorgvuldig onderzoek, maar de oranje en zilveren lijnen en de stompe, kogelvormige neus met de motor laten geen ruimte voor twijfel. Door die neus, die er aan beide uiteinden hetzelfde uitziet, lijkt de trein op een Chinese nieuwjaarsdraak. Ik stap in en ga op zoek naar mijn zitplaats. De trein vult zich met vermoeid uitziende passagiers. De oranje en zilveren zitplaatsen proberen me te verleiden. Ik probeer iemands blik te vangen zodat ik mezelf ervan kan overtuigen dat ik niet droom. De andere passagiers kijken door me heen alsof ik doorzichtig ben. Er loopt een vrouw in een olijfgroene jurk en een strak gezicht door het gangpad, met een koffer en een tas in haar handen. Ze kijkt naar haar kaartje en dan naar mij. Ze knijpt haar lippen nog verder opeen. Het ziet ernaar uit dat ze de zitplaats naast me heeft. Ze legt haar bagage voorzichtig in het rek boven onze hoofden. Dan gaat ze zitten, legt haar handen stijfjes in haar schoot en slaat haar enkels in precies de juiste hoek over elkaar. Ze ziet eruit als een schooljuffrouw. Ze heeft haar kleine oogjes samengeknepen tot harde spleten en kijkt me aan.

'Waar gaat deze trein heen?' vraag ik aan haar.

Ze geeft zonder te kijken antwoord, vanuit haar mondhoek. 'Naar Duinkerken, via Lille.' Ze trekt haar neus op wanneer ze het woord 'Lille' uitspreekt.

'Gaat u naar Lille of naar Duinkerken?'

Ze snuift.

De verwarming in de coupé staat aan, maar ik houd mijn armen tegen mijn lichaam en sla mijn jas dichter om me heen. Onder mijn jas ben ik nog veel warmer. Langzaam komt het zweet in mijn oksels en op mijn rug te staan. Het prikt een beetje. Ik wrijf met mijn rug tegen de stoel. En ik doe mijn knieen uiteen, waardoor ik de vrouw naast me raak.

De mond van de vrouw verstrakt en haar neusvleugels trillen boos. Maar ze zegt niets.

Ik doe nog een poging. 'Is Lille een mooie stad?'

Ze draait zich om en kijkt me recht aan. Haar gezicht komt tot leven omdat ze een kleur van woede krijgt. 'Hoe weet je dat ik in Lille woon? Wie ben je?'

'Ik... ik weet het niet,' antwoord ik. 'Ik was gewoon...'

Maar ze staat al op, en ik zit tegen haar brede, zachte heupen te praten.

Ze pakt haar tas uit het bagagerek en loopt drie rijen verder naar voren. Ze buigt zich naar voren en vraagt aan de man op de andere zitplaats of de stoel naast hem vrij is. Dan glimlacht ze dankbaar en legt ze, na een laatste blik op mij, haar tas in het bagagerek. Terwijl ze gaat zitten, is ze al snel aan het praten en bewegen haar dunne lippen vertrouwelijk.

De trein heeft het station al verlaten. Hij maakt geen geluid en schudt in tegenstelling tot de meeste treinen niet heen en weer. Mijn lichaam beweegt niet, alsof ik in een vliegtuig zit. Ineens staan er geen huizen meer naast het spoor en rijden we tussen akkers door. De snelheid van de trein is niet te voelen, alleen maar te zien. Door de roerloze stilte heb ik niet het gevoel dat ik reis, maar dat ik in een bioscoop zit. Het landschap verandert als in een tekenfilm; de bomen, de heggen en de huizen vervagen en lopen naadloos in elkaar over wanneer de trein aan snelheid wint. Mijn hoofd begint pijn te doen omdat ik me zo inspan om alles te onderscheiden. Wanneer ik de aanblik niet langer kan verdragen, doe ik mijn ogen dicht. Langzaam zakt het angstige gevoel in me weg. Ik val in slaap.

Wanneer ik weer wakker word, verlaat de trein Lille. Ik zie dat de afstand tussen het station en de trein groter wordt, en dan rijden we weer tussen de akkers door. Het licht van de avond verzacht het landschap. De trein gaat sneller rijden en de kleuren lopen weer in elkaar over. Bleek wit wordt roze, en beide kleuren verdwijnen in het blauw, dat steeds sterker wordt. Ik merk dat ik naar buiten kan kijken, mits ik niet langer naar onbeweeglijke lijnen en vaste vormen zoek, maar me op de kleuren concentreer.

Een stem kondigt aan dat we Duinkerken naderen. Ik moet weer in slaap zijn gevallen, want ik word wakker van de vreugde in de stem van de omroeper. Het is het eerste vrolijke geluid dat ik sinds lange tijd heb gehoord. De trein loopt snel leeg. Ik zie dat de passagiers de coupé verlaten, maar ik blijf zitten omdat ik niet weet wat ik moet doen. Ik ben voor het eerst alleen in een vreemde stad. De conducteur loopt voor het laatst door de trein, maakt de slapende passagiers wakker en kijkt of niemand zijn bagage onder de banken heeft laten liggen.

Hij komt bij mijn zitplaats aan. Hij blijft staan en kijkt fronsend op me neer. 'Kom, je moet eruit.'

Ik kijk hem wezenloos aan.

Hij kijkt verbaasd. 'Moet je nergens heen? Je vrienden staan vast op je te wachten.'

Ik sta op en loop snel naar de deur, maar hij merkt hoe onzeker ik ben en loopt achter me aan, ondertussen zitplaatsen afvegend en rommel oprapend.

Vanuit de deuropening kijk ik naar de lage, loodgrijze hemel van Duinkerken. Die ziet er onbuigzaam, maar niet onaangenaam uit – net als het portret van mijn opa dat altijd tegenover de voordeur van ons huis in Parklands hing. Hier en daar steken de lange nekken van kranen af tegen de lucht. Ze strekken zich als bottige handen uit tussen de pakhuizen en fabrieken met korte dikke ovens – voor het smelten van ijzer en het gieten van staal – en lange, dunne schoorstenen. Maar er komt geen rook uit de schoorstenen, en in de fabrieken is het stil. Na het eindeloze maar vertrouwde kabaal van het Gare du Nord is de stilte van het station beangstigend. Tegen de onmetelijke ruimte van de lucht boven ons lijkt het kleine station niet groter dan een lucifersdoosje. Industrieel wrakhout, zei de serveerster. Ik haal diep adem en sla mijn jas dicht om me heen.

De man helpt me uit te stappen en loopt samen met mij over het bijna verlaten perron naar het stationsgebouw en de uitgang. Ik loop met hem in de pas.

'Woont u hier, meneer?' vraag ik.

'Nee, ik woon hier niet,' antwoordt hij kortaf. Wanneer we het stationsgebouw naderen, licht zijn gezicht op. Ineens wendt hij zich glimlachend tot mij. 'Ik hou van Duinkerken. Het doet me denken aan mijn jeugd, voor de oorlog. Vroeger gingen we hier altijd op vakantie naartoe. Mijn familie komt uit Lille.' Zijn accent is even vlak als het land waar we doorheen zijn gereden, maar klinkt aan het einde van de zin een tikje zangerig.

'Dit landschap, het is zo plat,' zeg ik, 'en de hemel is zo groot. Het lijkt wel alsof die al het land heeft opgegeten.'

Hij glimlacht en knikt, opkijkend naar de lucht. '*Et oui*,' zegt hij grommend.

Ik voel me beter. 'Ik ben hier voor het eerst,' beken ik. 'Wat is hier te zien?'

Hij kijkt me verbaasd aan. 'Je bent toch geen toeriste?' roept hij uit. 'Niet in dit jaargetijde. Het is bijna november.'

'Ik ben geen echte toeriste. Ik woon in Parijs.'

'Aha.' Met een bijna afstandelijke blik kijkt hij aandachtig naar me, naar de gouden oorbellen, de kasjmieren jas en de dure sjaal van Hermès. 'Ik ken jullie Iraniërs wel,' zegt hij ineens. 'Jullie geven de voorkeur aan de stranden in het zuiden.'

'Nee, ik ben sinds ik een kind was niet meer aan het strand geweest. '*Mon... mon mari n'aimait pas les plages*,' lieg ik. Maar het is niet helemaal een leugen. Philippe hield niet van het strand, hij was bang voor huidkanker. Maar hij ging wel naar Zuid-Frankrijk. Hij bleef het grootste deel van de dag in het hotel en ging alleen naar buiten om te winkelen, om reusachtige maaltijden in de oude haven te eten en om 's avonds naar grote feesten te gaan. Ik huiver bij de gedachte aan hem.

De conducteur begint weer te praten. De woorden tuimelen zijn mond uit. '*Et oui*, de stranden van je jeugd. Daar keren we altijd naar terug, wist je dat?' Hij glimlacht sentimenteel. 'Ik heb heel veel collega's die hier na hun pensioen zijn gaan wonen. Het is niet duur, en de stranden zijn bijna de mooiste van heel Frankrijk. Ik zou graag hetzelfde doen als het eenmaal zover is, maar mijn vrouw houdt niet van de stranden van het noorden. Ze zegt dat er hier te veel wind is.'

'Wind?'

'O ja, hier waait het altijd.'

Ineens word ik me bewust van de wind. Ik merk dat het hier ondanks de fabrieken fris ruikt en dat het straffe briesje me de adem beneemt die in Parijs als stoom uit mijn mond zou zijn gekronkeld, want het is hier koud. Ik draai mijn gezicht naar de wind toe en haal diep adem. Nu ruik ik het zout en het roestende ijzer en de olieachtige ondertonen van verf.

De conducteur gebaart in de richting van de horizon. 'Daar ligt de haven. Maar daar is niets meer, alleen nog maar verlaten pakhuizen. Vroeger werden hier de grootste schepen ter wereld gebouwd.'

Ik kijk waarheen hij wijst en zie wat er ontbreekt: de ankerplaatsen voor schepen zijn leeg, de verlaten pakhuizen hebben geen ruiten meer, op de kaden is geen mens te zien. Het lage weeklagen van de wind die door kabels blaast, voegt muziek toe aan het uitzicht op de dood van de industrie.

We lopen naar de uitgang. Bij de poort blijft hij staan. 'De boulevard is die kant op.' Hij wijst met zijn pet in de tegenovergestelde richting van de verlaten fabrieken. 'Bij de hoofdingang kun je de bus naar de stad nemen of je kunt langs de boulevard General de Gaulle naar het strand wandelen.' Hij zwijgt even en kijkt me nadenkend aan, alsof hij probeert te raden waarom ik hierheen ben gekomen. 'Het seizoen loopt op zijn einde, en er zijn nog maar weinig toeristen. De meeste restaurants zijn dicht. Probeer Restaurant de la Gare, dat ligt in de Rue Palombine, de tweede straat rechts, die evenwijdig aan zee loopt. En in Maison d'Agnes, een eindje verderop in de straat, verhuren ze kamers.'

Ik bedank hem en neem het pad dat langs de zee voert. De boulevard is een dunne streep grijs cement, met langs de zeezijde een lage grijze muur. Ik volg het paadje dat langs gebouwen voert die eruitzien als sociale huurwoningen: klein, vierkant, grijs en bruin geschilderd. Deze maken later plaats voor kleine twee-onder-een-kapwoningen in vrolijke kleuren met kleine kwetsbare tuintjes.

Aan de andere kant van de muur is de zee ver en traag, een donkerder grijs dan de lucht. Tussen mij en de zee strekt het strand zich breed en plat uit. Het zand is grijsbruin met groene vegen. Het verbaast me hoeveel dit strand verschilt van dat in Mombasa waar mijn broertjes en ik altijd speelden. Hier zijn geen palmbomen. Er zijn helemaal geen bomen. De zijkanten van de gebouwen worden niet opgevrolijkt door felroze bougainvilles. Door de eindeloze, lege ruimte voel ik me een overwinnaar. Ik ben er trots op dat ik leef, en dat ik tegen de alomtegenwoordige wind vecht.

Ik duw tegen de wind, en de wind duwt tegen mij. We worstelen samen. Ik krijg het warm en begin onder mijn jas en dikke trui te zweten. Ik knoop mijn jas los en laat de wind blazen. Heel even kan ik mijn eigen zweet ruiken. Dan pikt de wind mijn geur op en verscheurt hem met zijn tanden.

Ineens licht de hemel op. In het uiterste westen, boven zee, breekt de zon door het wolkendek. Het licht aarzelt even voordat het de zee in duikt. Het strand verandert van kleur, het zilvergrijs wordt platinawit, het bruin een gouden brons. Het donkergrijze zand krijgt een rode tint. Ik sta versteld van de breekbare schoonheid van deze veranderingen. Een seconde later is het voorbij. De zon verdwijnt achter de horizon en de wolken grijpen de macht weer.

De oprukkende duisternis herinnert me eraan dat het avond wordt en dat ik de hele dag nog niets heb gegeten. Ik loop langzaam door, op zoek naar Rue Palombine.

Tegen de tijd dat ik bij het café ben, woedt er een kleine storm in mijn maag. Ik duw de deur open en word begroet door stemmen, waarvan sommige een rustig gesprek voeren en andere een verhitte discussie beslechten. Het café is klein en donker, en de klanten, vooral mannen, drommen samen rond de bar. Het eetgedeelte is leeg, op een eenzame eter aan een tafeltje bij het raam na. Ik mag aan het tafeltje naast hem plaatsnemen.

Hij zit zo dichtbij dat ik hem bijna kan aanraken. Hij eet een worst. Ik kijk er hongerig naar. De worst is gehuld in een strak, doorzichtig vel. De vork prikt door het vel. Het mes in de vaste hand met de blauwe aderen snijdt er netjes doorheen. Het plakje gaat linea recta naar de bijna liploze mond die zich in de schaduw van de grote, uitstekende neus bevindt.

Hij kauwt luid. Zijn lange, afhangende kin ketst tegen zijn nek en maakt een onopvallend, intiem geluidje: flap, flap, flap.

Ik buig me geboeid naar voren. Onze ellebogen raken elkaar.

'Het spijt me,' zeg ik, en ik deins achteruit.

'Het geeft niet,' zegt de oude man glimlachend. 'Nu kan ik met je praten.'

Ik kijk hem verbaasd aan.

Zijn glimlach wordt breder. 'Weet je, het draait allemaal om contact tussen mensen. Je hebt me aangeraakt, en nu kunnen we met elkaar praten.' Hij steekt zijn hand uit en raakt met opzet mijn wang aan. 'Het is heerlijk om contact met mensen te hebben, vooral met jonge mensen.'

Ik deins terug, verbaasd, maar ook een beetje geschrokken. Ik heb geen zin in de last van contact met deze vreemde oude man die er geen been in ziet om met vreemden te praten.

'Waar dacht je aan toen je me aanraakte?' vraagt hij op onderhoudende toon.

Die vraag overvalt me. 'Ik...' Mijn geest is leeg. 'Ik ben het vergeten...' Ik schud mijn hoofd. 'Het was niet erg belangrijk.'

'Nee, vertel me eens, wat was het?' dringt hij aan.

'Wat is uw mooiste herinnering?' vraag ik ineens, van onderwerp veranderend.

Hij leunt achterover en denkt even na. 'Vrijen met mijn vrouw, in het jaar voor ons huwelijk.' Hij knikt in zichzelf. 'Ja, dat waren mijn mooiste jaren.'

'En wat gebeurde er toen u met haar getrouwd was?'

'We begonnen een restaurant. Ik kookte, zij bediende en maakte schoon.' Hij kijkt om zich heen. 'Maar het is niet goed om altijd maar op één plek te blijven. Een mens moet reizen, blijven veranderen.' Hij kijkt me met een intense blik aan. Ik knik bemoedigend. 'Daarom reis ik en eet ik in heel veel verschillende restaurants: grote, kleine, slechte, middelmatige en zelfs goede. Ik heb drie dochters. Ze kunnen alle drie goed koken. Ze moedigen me aan om te reizen. In ons kleine dorpje in de Alpen worden we afgestompt omdat we alleen maar elkaar en de koeien zien. De mensen en de koeien beginnen op elkaar te lijken.'

'Waar ik vandaan kom, daar ruilen ze koeien tegen vrouwen,' grap ik.

'Echt?' Hij neemt nog een hapje van zijn worst en kauwt erop. 'Menselijke koeien. Misschien verschilt jouw volk wel niet eens zoveel van het mijne.' Hij lacht luid om zijn grapje en pakt zijn wijnglas. '*Santé*,' proost hij, zijn glas naar me opheffend voordat hij een slok neemt.

Ik pak mijn glas en volg zijn voorbeeld. Ineens smaakt de kir beter. Ik glimlach naar hem.

Hij kijkt me aandachtig aan, met een ondeugend lachje rond zijn lippen. 'Maar ik durf te wedden dat jullie geen eenzame koeien hebben,' zegt hij, en hij lacht triomfantelijk.

'Hoe bedoelt u?' Mijn lach klinkt een tikje geërgerd. 'Eenzame koeien bestaan niet. Ze maken altijd deel uit van een kudde.' Ik drink nog wat kir.

'Menselijke koeien zijn altijd eenzaam,' zegt hij somber. 'Het is een nieuw ras. Misschien hebben jullie ze nog niet.' Hij pakt zijn karaf met wijn. Die is leeg. Ik pak de mijne en schenk hem een glas in. Hij bedankt me en neemt een flinke slok. Dan begint hij weer te praten. Zijn stem komt amper boven het rumoer aan de bar uit.

'Uiteindelijk wordt eentonigheid eenzaamheid. En we wikkelen onszelf daarin. Met de eenzaamheid komt het vergeten, en alles is grijs en grijzer. In ons dorp hadden we een schilder. Elke dag deed hij een druppel witte verf in een pot zwarte verf en maakte een schilderij. Wanneer hij klaar was, ging hij voor een oude camera op een statief staan en maakte hij een foto van zichzelf en het schilderij. Dat deed hij elke dag. Elke dag deed hij nog een drupje wit bij het zwart. In het begin bleven de doeken zwart, maar toen begonnen ze langzaam te veranderen. Eerst werden ze donkergrijs, maar toen werd de kleur steeds lichter en werd de schilder omringd door grijstinten die zich eindeloos uitstrekten.' Hij snijdt nog een stukje van de worst af. Ik drink mijn kir op en begin aan de wijn.

'En? Hoe eindigt het verhaal?' vraag ik ongeduldig.

'Het heeft geen einde. Hij schildert nog steeds iedere dag hetzelfde,' antwoordt de oude man eenvoudig.

'O.' Ik ben teleurgesteld. 'Waarom hebt u me dit verhaal verteld?' vraag ik op scherpe toon.

Hij kijkt me wezenloos aan. 'Waarom?' Hij begint weer kakelend te lachen. 'Dat weet ik niet. Dat ben ik vergeten.' Hij houdt op omdat hij moet hoesten. Wanneer hij uitgehoest is, veegt hij met het servet dat hij om zijn hals heeft geknoopt zijn voorhoofd af. Hij zucht. 'Ik vergeet tegenwoordig snel dingen. Maar ik heb er iets op gevonden. Ik bewaar de rekeningen van restaurants die ik heb bezocht altijd in mijn rechterjaszak en mijn treinkaartjes in mijn linkerzak. Mijn dochter Isabelle zet me af op het station in Martigny. Daar drink ik een kir in het Restaurant de la Gare, tegenover het station. Zo geef ik het startpunt van mijn reis aan. Vanaf dat moment houd ik een oogje op al mijn rekeningen. En als de naam van het restaurant niet op de rekening staat, dan laat ik hem opschrijven. Op die manier weet ik waar ik ben, waar ik geweest ben, wat ik vandaag en gisteren heb gedaan.' Hij knikt in zichzelf. 'Een heel doelmatig systeem.'

Ik luisterde vol afgunst naar hem. De oude man is zonder zijn herinneringen gelukkiger. Misschien weet hij dat wel, misschien kan hij daarom vrijuit met anderen praten, omdat hij weet dat hij hen toch wel weer vergeet, net zoals hij mij zal vergeten en alleen de naam van het restaurant zal onthouden.

Zonder verder iets te zeggen, eet hij zijn eten op, verdwaald in zijn wereld zonder tijd. Dan staat hij onverwacht op en vertrekt. Zijn bord is schoongeveegd. De karaf is leeg. Tussen het bord en de karaf ligt de rekening, een tikje groezelig en nog niet betaald, met de naam van het restaurant er duidelijk opgeschreven. Ik pak de rekening en ren naar buiten. 'Meneer!' roep ik hem achterna. Maar de wind pakt mijn woorden af. De oude man wordt opgeslokt door de duisternis.

De volgende morgen ziet de boulevard er heel anders uit. De cafés hebben hun gestreepte luifels opgetrokken en de draaimolen draait op de klanken van een accordeon zijn rondjes. Het trottoir is vol mensen. Niet de modieus geklede, zelfbewuste mannen en vrouwen die je in Nice of Cannes ziet, maar mensen van uiteenlopende leeftijd en omvang, oude mannen met gerimpelde gezichten en mollige vrouwen in donkere kleren en hoofddoekjes. Alleen de jonge meisjes zien er mooi uit, maar hun schoonheid lijkt hier vergankelijk. De oude mannen en vrouwen lijken hier op hun plaats. Sommigen zitten op het lage muurtje en kijken naar de zee, met gezichten die droevig noch blij zijn. Anderen staan op een kluitje te roken, zonder oog te hebben voor hun omgeving, maar dat komt alleen maar omdat ze daartoe behoren. Aan de ene kant is een groepje oude mannen jeu de boules aan het spelen. Een klein kind fietst voorbij en schreeuwt van pret, achternagezeten door een hondje. Daarna volgt de moeder. Ze draagt een sjofele zwarte jas en duwt een gammele kinderwagen voort.

Het waait vanmorgen iets minder hard, en de wind fluistert alleen maar zijn klachten. Ik kijk naar de zee, ervan gescheiden door een groot vlak honingkleurig zand. De zee ziet er dromerig, veraf en blauw uit. De enorme, wolkeloze lichtblauwe hemel hangt boven het strand en verandert de schoorstenen en de kranen in de haven in onschuldige kleine speldenprikjes.

Het zand is heel zacht en glijdt onder mijn voeten weg. Daarom trek ik mijn schoenen en sokken uit, net zoals ik als kind altijd in Mombasa deed. Het zand voelt warm, hoewel de lucht koud is. Ik loop over het strand, weg van de stad.

De mensen verdwijnen het eerst uit het zicht, daarna de huizen, terwijl het strand smaller wordt en de kliffen het zicht op het land erachter ontnemen. Bovenop groeit lichtgroen en geel wild gras, waardoor het strand troosteloos lijkt. Het gras buigt in de wind. Zijn sussende stem overstemt de verre roep van de zee. De geur van roest en zout dringt mijn neusgaten binnen.

Ik blijf wandelen, niet langer vreemd, niet langer uitheems. De kliffen maken plaats voor enorme duinen. Het landschap bestaat nu uit een en al zachte rondingen.

Ten slotte ga ik weer terug. De vloed is opgekomen en de zee bedekt meer dan de helft van het strand. Meeuwen komen aangevlogen en gaan op het zand zitten. Er zijn nu veel minder mensen op de boulevard. De vrolijk gekleurde parasols van de cafés zijn weer ingeklapt. Ik ga op de borstwering zitten die het strand van de boulevard scheidt en veeg met mijn handen het zand van mijn voeten. Ze zijn ijskoud en gevoelloos. Ik wrijf ze tussen mijn handen, en langzaam raken ze weer doorbloed. De rust van de omgeving neemt langzaam bezit van me. Ik blijf stil zitten en durf me niet te bewegen, uit angst dat het gevoel weer zal verdwijnen.

Hij komt zo stilletjes naar me toe dat ik pas weet dat hij er is wanneer ik het geluid hoor en warme, verse urine ruik. Ik probeer direct mijn tas te redden, maar het is al te laat. Die is doorweekt. Ik kijk er vol walging naar. Dan wend ik me tot de hond.

'Hé, wat ben je aan het doen?' schreeuw ik naar hem. De hond houdt onmiddellijk op met pissen en verstijft, met één poot nog steeds opgeheven. Het is het vreemdste schepsel dat ik ooit heb gezien. Korte, sterke achterpootjes met massieve dijen, zoals bij een buldog, zijn verbonden met een kromme rug en een elfachtig middel. De staart is niet krom, maar recht en harig, en staat als een zwaard stijf uit. 'Ksst,' zeg ik tegen de achterpoten, heen en weer geslingerd tussen walging en angst, maar zelfs ik hoor hoe zwakjes dat klinkt. Maar de hond snapt het. Hij zet zijn poot neer, draait zich om en kijkt me met grote, droevige ogen verontschuldigend aan. Hij heeft ook een gekke kop, met een rimpelig voorhoofd en een platte wipneus, zoals bij een buldog, maar hij heeft, in tegenstelling tot een buldog, ook grote flaporen die naar voren vallen.

De hond kijkt naar me op, en zijn bezorgde frons wordt dieper. Dan komt hij langzaam op me af, hij kwispelt aarzelend. Ik blijf doodstil staan. Hij duwt zachtjes met zijn kop tegen mijn benen en kijkt dan naar me op, smekend om mijn vriendschap. Wanneer hij tegen me aan leunt, voel ik hoe sterk hij is. Ik kijk naar zijn kop. De haren zijn erg kort en zien er schoon uit. Ik steek mijn hand uit en raak zijn kop aan. De vacht voelt zacht aan, als fluweel. Ik begin hem te aaien. De hond drukt zich dichter tegen me aan. Op dat moment zie ik pas de andere honden.

Ineens word ik omringd door een bonte verzameling van bruine, zwarte en witte honden die elkaar om mij heen achternazitten. Sommige hebben sierlijke lijven, maar andere zien er zo raar uit dat ik mijn ogen amper kan geloven. Wanneer de wind even stopt om adem te halen en het korte tijd stil is, hoor ik het suizende geluid van rubberen banden op beton en grind. Het geluid wordt sterker. Ik kijk op en zie vanuit de verte een rolstoel tamelijk snel naar me toe komen. De man die erin zit, schreeuwt woedend: 'Blandine, Leo, Castel. *Qu'est-ce que vous faites?* Hoe vaak heb ik jullie al gezegd dat jullie geen vreemden lastig mogen vallen?'

De honden houden op met spelen. Ze draaien zich allemaal vol verwachting om in de richting van het geluid. Mijn vriend, de hond die op mijn tas heeft geplast, kijkt me verontschuldigend aan en loopt langzaam naar de voorhoede van de roedel.

De rolstoel blijft voor ons staan. Hij is groot en robuust, met dikke, stevige wielen. Er zit een steviggebouwde man in, met grote schouders en bovenarmen en een enorm rond hoofd. Hij spreekt mijn vriend aan: 'Leo, ik heb toch tegen je gezegd dat je geen vreemde mensen bang mag maken? Waarom ben je vandaag zo ondeugend?'

Leo loopt naar hem toe en legt zijn grote zware kop op zijn schoot. Meteen gaat de hand van de man naar de kop van de hond en hij begint hem achter zijn oren te kriebelen en daarna lager, in zijn nek en op zijn borst. Ik sla hen aandachtig gade. Een gedeelte van mijn geheugen legt vast hoe een hond geaaid dient te worden.

De stem van de man klinkt anders wanneer hij de hond aait. Hij kijkt nog steeds boos, maar zijn stem klinkt lager en heeft zijn schrilheid verloren. De andere honden bemerken de verandering, rennen naar hem toe en bespringen zijn rolstoel, elkaar verdringend omdat ze zo graag zijn handen willen likken. Ik voel me weer eenzaam en ben bijna jaloers op de man in de rolstoel.

Dan denkt Leo weer aan mij. Hij draait zich om, kijkt me aan en kijkt dan weer naar zijn baasje. 'Leo, blijf hier,' roept de man op waarschuwende toon. Leo doet een stap in mijn richting.

'Leo,' roep ik aarzelend, terwijl ik mijn hand uitsteek. Hij neemt nog een stap en zijn hondengezicht lijkt op te klaren. Dan hoor ik de rolstoel bewegen. De man parkeert zichzelf tussen Leo en mij in. Hij kijkt me boos aan en zegt: 'Probeer jij soms mijn hond te stelen?'

'Natuurlijk niet,' antwoord ik gekwetst. 'Hij heeft op mijn tas geplast.'

'Op je tas geplast, die is goed,' zegt hij, zijn neus ophalend.

'Het is echt zo,' zeg ik. 'Kijk maar.' Ik hou de tas omhoog.

Hij bekijkt hem zwijgend. Dan zegt hij: 'Leo is een erg dure hond. Was jouw tas duur? Zo ziet hij er niet uit.'

Ik kijk naar de tas. Die lijkt nu een vod. De andere honden hebben er ook mee gespeeld. 'Niet echt, maar...'

'De plas van mijn hond is waarschijnlijk honderd keer meer waard dan jouw tas,' valt hij me in de rede, een breed gebaar met zijn arm makend. 'Leo is uniek.'

'Daar gaat het niet om. Het is de enige tas die ik heb.'

Hij knijpt zijn ogen tot spleetjes. 'Wil je soms beweren dat jouw tas ook uniek is? Wat een gelul.' Hij rolt naar me toe en steekt een priemende vinger naar me uit. 'Ik heb die hond gefokt, ik heb hem geschapen. Leo leeft, begrijp je dat? Een tas is een ding.'

Ik geef het op. 'Je hebt gelijk. Het is een enig beest. Dat zijn ze allemaal.'

'Vind je ze leuk?' vraagt hij. Ik knik. Hij vervolgt: 'Voordat ik mijn benen verloor, was ik hondenuitlater.' Hij wijst naar zijn dijen, die door een lichtblauwe lap worden bedekt. 'Ik liet de honden van andere mensen uit. Ik gaf niet om ze, het was gewoon een baan. Soms wreef ik het bloed van een loopse teef op mijn benen en dan liepen de reuen me overal achterna, zonder dat ik ze aan hoefde te lijnen. Ik liep met de honden op mijn hielen door de stad, als de rattenvanger van Hamelen. De mensen staarden me allemaal na! Het was een goede reclame. Tot ik op een dag bij het uitlaten iets te dicht in de buurt van een mijn kwam, een van die mijnen die de Duitsers hebben laten liggen. Ik zag hem toen een van de honden, een slecht afgerichte Afghaanse windhond, ernaartoe rende en er speels tegenaan tikte. Ik rende niet weg, maar was zo stom om naar die hond toe te rennen, en de mijn ontplofte. Ik werd van het klif geblazen en kwam op het strand terecht, met de overblijfselen van mijn benen om me heen. Zo hebben ze me gevonden.'

Ik weet niet wat ik moest zeggen. 'Nou, in ieder geval leef je nog,' mompel ik ten slotte.

'Natuurlijk,' zegt hij met een bitter lachje. 'Het was het beste wat me ooit is overkomen.' Hij knikt in de richting van de honden. 'Ik ben hondenfokker geworden. Kijk maar. Ze zijn het levende bewijs van mijn genialiteit.' Hij kijkt vanuit zijn stoel naar me op.

'Je genialiteit? Dat snap ik niet. Het zijn allemaal bastaarden. Die zijn toch niets waard?'

Hij barst los: 'Het zijn geen bastaarden! Het zijn mijn eigen creatieve scheppingen. Ik heb ze bedacht en tot leven gewekt.'

'Natuurlijk,' zeg ik sarcastisch.

'Ik verkoop een pup voor meer dan jij in je hele leven kunt verdienen,' beweert hij boos.

'Hoe weet jij nu hoeveel ik kan verdienen?' sputter ik tegen. 'Je kent me helemaal niet. En wat jou betreft, je honden zijn allemaal...' Ik zwijg even, zoekend naar het juiste woord. '... allemaal vergissingen.'

'Wat weet jij van hondenfokken?' vraagt hij boos.

'Niet veel, maar ik herken een verhaal als ik er een hoor.' Ik laat me van het muurtje glijden en strijk mijn kleren glad. Nu hij me ziet opstaan, pakt Leo mijn hand met zijn bek beet.

'Zeg tegen je hond dat hij me los moet laten.'

Hij lacht. 'Dat kan niet. Je zult met ons mee naar huis moeten gaan.'

'Hij moet ophouden!'

'Ik kan er niets tegen doen. Leo gaat zijn eigen gang.'

'Alsjeblieft, kun je hem niet overhalen?' smeek ik.

Hij haalt zijn schouders op. 'Leo laat zich niet snel overhalen wanneer hij heeft besloten dat hij iemand graag mag.'

Met tegenzin geef ik toe.

We lopen in een grote stoet via de boulevard de stad uit, met de man in de rolstoel voorop. Als een rattenvanger.

Zijn huis is een grijze sociale huurwoning naast de boulevard. Het staat er eenzaam, met de achterkant naar de stad en de voorkant naar de verlaten haven en de zee gericht.

Hij doet de deur open en rolt naar binnen. We lopen hem achterna. De honden blaffen en janken van opwinding en Leo houdt nog steeds mijn hand vast. Ik kom in een grote kamer terecht die tegelijkertijd als keuken en slaapkamer dienstdoet. Door de enorme ramen is de zee alomtegenwoordig.

Zodra ik binnenkom, word ik me bewust van de geur van honden die in het huis hangt. Een hete, geconcentreerde geur die anders is: warm, zweterig, vlezig en zurig tegelijk. Ik trek mijn neus op, niet zeker wetend of ik de geur lekker vind, maar omdat hij zo natuurlijk is, kan ik hem evenmin vies vinden.

Hij schenkt een glas wijn voor me in en geeft het aan me.

'Ga maar op het bed zitten,' zegt hij. 'Ik heb zo zelden bezoek dat ik de meubels maar de deur uit heb gedaan. Nu hebben de honden de ruimte.'

Ik kijk naar de honden die overal om me heen in de kamer liggen, met hun tongen uit hun bekken, en begin te lachen.

'Ik woon hier vanwege de honden,' geeft de man toe, die met me mee lacht. 'Ze kunnen zoveel lawaai maken als ze willen, zonder dat ik bang hoef te zijn dat de buren het horen. En ik hoef me ook niet druk te maken om de lucht – 's winters kan het hier met twintig honden aardig stinken. Maar daarom ben ik graag hier, midden in de wind.' Hij kijkt me aan. 'Je vindt die lucht toch niet erg, hè? Ik kan wel een raam opendoen, als je wilt.'

'Nee, ik vind het niet erg. Maar het moet wel eenzaam zijn, hier in je eentje.'

'Ik ben niet in mijn eentje,' zegt hij op barse toon. 'Ik heb mijn honden.'

'Maar honden zijn geen vervanging voor mensen.'

'Mensen? Welke mensen?' zegt hij gnuivend. 'Toen ik mijn benen nog had, had ik mensen nodig. Nu besef ik dat ik hen niet meer nodig heb. Dat is een andere leugen die ik heb ontmaskerd. Niemand heeft andere mensen nodig. Je hebt alleen iets nodig waarvan je kunt houden.'

'Maar...' werp ik tegen. Leo komt naar me toe en likt mijn hand.

De hondenman lacht. 'In zekere zin heb je gelijk, deze honden zijn vergissingen. Ik had een bijzonder vruchtbaar teefje dat loops werd toen ik ziek was. Alle honden wisten dat en dekten haar. Ik had niet de moed om ze iets te verbieden wat ik zelf niet kon doen. En dit was het resultaat.' Hij gebaart naar zijn vreemd gevormde honden, en zijn gezicht wordt teder. 'Niemand anders wilde ze hebben, dus heb ik ze allemaal gehouden.' Leo loopt naar hem toe en likt zijn hand. Hij speelt met Leo's oren en de hond sluit genietend zijn ogen. Zijn vreugde wordt weerspiegeld in de blik van zijn baasje.

'Ben je gelukkig met dit leven?' vraag ik aan hem.

'Nee, gelukkig niet, maar ik heb geleerd om er tevreden mee te zijn.'

Ik kijk naar hem in zijn rolstoel met Leo naast zich en glimlach.

Hij ziet de glimlach en denkt dat ik om hem lach. 'Je gelooft me niet, hè?' zegt hij boos. 'Je denkt dat een man zonder benen wel ongelukkig moet zijn. Dat hij alleen maar bestaat zodat mensen medelijden met hem kunnen hebben.' Zijn gezicht vervormt van woede. 'Je bent op de vlucht geslagen en je bent gelukkig. Je denkt dat je je problemen hebt opgelost. Dat heb je mis. Ze zijn slimmer dan jij. Ze achtervolgen je als bloedhonden, gelokt door je geur, ze jagen je voortdurend op, totdat je uitgeput bent. Maar je kunt niet stoppen, je kunt niets anders dan vluchten, en vluchten moet je, tot je sterft. Nou, ik ben al een keer bijna gestorven, dus nu ben ik wijzer geworden.' Hij laat zijn stem zakken en fluistert: 'Maar elke wijze man heeft zijn nar nodig, dus jij bent de mijne. Welkom.' Hij begint te lachen, een luid, lelijk geluid.

Ik begin zachtjes te huilen. De hondenman kijkt me met groeiende bezorgdheid aan en rolt uiteindelijk naar me toe.

'Het spijt me, ik wilde je niet van streek maken. Ik laat me soms te veel gaan, het ligt niet aan jou.'

'Nee, nee. Het is goed,' verzeker ik hem. 'Jij hebt me niet aan het huilen gemaakt, dat deed ikzelf.'

Hij zegt niets, maar zijn gezicht spreekt boekdelen. Wat heb je in vredesnaam meegemaakt? Dat is toch niet te vergelijken met wat ik heb meegemaakt?

Ik schaam me, en langzaam drogen mijn tranen op. Ten slotte steek ik mijn hand uit en raak zijn schouder aan. 'Ik ben blij dat ik je heb ontmoet,' zeg ik, hem in zijn ogen kijkend.

Zijn wangen en oren worden rood. 'Zo. Waarom, omdat je nog nooit eerder een man zonder benen hebt ontmoet?' vraagt hij bars.

'Nee. Omdat jij me duidelijk hebt gemaakt dat ik niet langer kan vluchten.'

Twee

De volgende dag ging ik terug naar Parijs. Op het Gare du Nord zag alles er nog hetzelfde uit als voor mijn vertrek. Dezelfde grauwheid, de bijna onzichtbare laag luchtvervuiling die de schaduwen zachter maakte en de lucht rokerig en dicht als katoenwol deed lijken. Maar het raakte me niet langer. Ik ging naar een café en belde Olivier.

Hij nam zoals altijd op toen de telefoon voor de vierde keer overging. '*Allô?*' Hij klonk nog steeds hetzelfde.

'Olivier, ik ben het, Leela.'

'Leela?' Zijn stem klonk verbaasd en vragend.

'Mag ik langskomen?'

Er viel een lange stilte. Ten slotte zei hij: 'Kom maar om vijf uur.'

Om kwart voor vijf stond ik in de straat voor zijn woning. De grijze dag veranderde langzaam in een schemering zonder schaduwen. De zware grijze wolken hingen zo laag dat het leek alsof ze de toppen van de smalle witte gebouwen raakten. Het was zachtjes gaan motregenen.

Ik keek omhoog. De gordijnen waren open en het licht in zijn woonkamer was aan. Straks zou ik weer in die kamer zijn, warm en welkom.

Toen ik de houten trap naar zijn woning opklom, hoorde ik luide klassieke muziek. Ik greep de leuning stevig beet toen halfvergeten herinneringen tot leven werden gewekt. Ik bleef naar de muziek staan luisteren en begon Olivier overal om me heen te voelen.

Maar deze muziek was anders, en tijdens het luisteren begon ik me ongemakkelijk te voelen. Dit klonk heel anders dan alles wat Olivier me vroeger had laten horen. Er was een verborgen duisternis, die als de stank van onvergetelijke herinneringen over het vrolijke melodietje hing en het belachelijk maakte. Ik nam de laatste paar treden naar de overloop en kwam weer oog in oog met de klopper in de vorm van een leeuwenkop te staan. Olivier hield niet van deurbellen. Die sneden door de muziek heen, zei hij. Ik trok nerveus mijn jurk recht. Zonder enige waarschuwing stierf de muziek weg en liet een vreselijke spanning achter.

Ik greep de klopper vast en klopte twee keer. Maar op dat moment barstte de muziek weer los – blazers, hoorns en strijkers trokken allemaal samen een muur van geluid op. Ik vroeg me af of ik nog een keer moest kloppen. Nu was er echter een zachtere melodie begonnen, die ik niet wilde onderbreken. Ik wachtte nog even, en toen ik alleen nog maar cello's en hobo's kon horen, klopte ik nog een keer. De muziek hield onverwacht op. Voetstappen kwamen naar de deur. Ik hoorde het slot klikken. Toen zwaaide de deur open.

Olivier stond breeduit in de deuropening, afgetekend tegen het warme, gelige licht. Ik voelde me overweldigd toen ik hem zag. Hij leek op de een of andere manier langer en indrukwekkender. Ik kon geen woord uitbrengen en wachtte tot hij iets zou zeggen. Hij leek ook met stomheid geslagen en bleef staan waar hij was en staarde naar me. Ik keek hem onzeker aan en probeerde de uitdrukking op zijn gezicht te ontcijferen. Maar zijn gezicht bevond zich in de schaduwen en verried niets.

Uiteindelijk was ik de eerste die iets zei. 'Olivier. Dankjewel dat ik mocht komen.'

Hij schoof een klein stukje opzij maar wilde de veiligheid

van de drempel niet verlaten. 'Je hoeft me niet te bedanken,' zei hij ongemakkelijk. 'Wat wil je van me?'

Door zijn antwoord raakte ik in de war. 'N-niets.' Ik keek hem onzeker aan. Toen dacht ik aan de doos met gebak die ik voor hem had meegenomen. 'Ik heb een paar amandelcroissants voor je meegebracht.' Ik wist dat dat zijn lievelingsgebak was.

Aarzelend pakte hij de doos aan. Hij vroeg me niet binnen.

We stonden elkaar daar onzeker aan te kijken.

Ten slotte verbrak Olivier de stilte. 'Kom binnen,' zei hij koeltjes. Hij deed een stap opzij en trok de deur verder open.

Ik liep de ooit zo vertrouwde kamer binnen. Er leek niets te zijn veranderd. Op de houten vloeren lagen dezelfde Perzische tapijten in blauw en bruin. Aan het plafond hing dezelfde ouderwetse blauwe kroonluchter die ik altijd zo mooi had gevonden. De boekenplanken puilden uit en er lagen nog meer boeken in stapels op de grond. De kussens van de bank lagen slordig in een hoek, precies zoals Olivier ze graag neerlegde wanneer hij een middagdutje deed. Ik ademde de bekende geur in, een mengeling van tabak, citroen en munt, die zo bij het huis hoorde. Verlegen keek ik naar Olivier.

'Ik ben mijn goede manieren vergeten. Wil je een kopje thee? Of geef je misschien de voorkeur aan koffie?' zei hij.

De amper verhulde minachting in zijn stem was net een zweepslag. 'Zeg dat niet! Je lijkt wel een vreemde,' jammerde ik.

Hij lachte droogjes. 'Je loopt na drie jaar mijn huis binnen. Je laat je vrienden zonder iets te zeggen in de steek. Je woont samen met een man die voor niets of niemand respect heeft, zelfs niet voor jou. En dan kom je hier langs, in de verwachting dat...' Hij hield plotseling op. Zijn gezicht werd rood. 'O, laat maar zitten.'

'Ik had gehoopt dat je zonder te oordelen naar me zou luisteren,' zei ik op waardige toon. 'Maar dat was vast te veel gevraagd.' Langzaam liep ik in de richting van de deur.

Ik greep naar de deurknop, maar zijn stem hield me tegen. 'Weet je, een veldslag is pas afgelopen wanneer de vijand dood is. Je kunt nu nog niet weggaan.'

Een vlaag van hoop schoot door me heen. Ik liep snel naar hem toe. 'Olivier, ik ben naar je toe gekomen omdat je mijn vriend was.'

Olivier trok een ongelovig gezicht.

Ik vervolgde, zoekend naar woorden: 'Ik kwam vandaag naar je toe omdat deze woning mijn toevluchtsoord was toen ik bij de familie Baleine woonde. Je hebt me altijd verwelkomd, je liet me muziek horen en je liet me deel van jouw wereld uitmaken. Je hebt me nooit uitgelachen omdat ik weinig wist, of gelachen wanneer anderen me bespotten.'

'En dat heb je je gisteren gerealiseerd en daarom kwam je ineens hierheen om me dat te vertellen,' onderbrak hij me met woedende stem. 'Hoe is dat zo gekomen? In een droom?'

'Ik ben naar jou toe gekomen omdat ik me verloren voel,' zei ik. 'Je zag iets in me waar je om gaf. Wat was dat?'

Oliviers gezicht verzachtte. 'O, Leela, hoe heb je zo stom kunnen zijn?' Hij trok me in zijn armen. Ik had het gevoel dat ik thuiskwam.

Ik weet niet hoe lang we daar zo hebben gestaan. Ik moet half in slaap zijn gevallen toen ik het trillen van zijn stem voelde die iets tegen de bovenkant van mijn hoofd mompelde.

Ik keek op. Ik kon alleen zijn kin en zijn neus zien. 'Wat is er?' vroeg ik.

Hij deed enigszins verlegen een stap naar achteren. 'Zullen we een kopje thee gaan drinken?'

Ik lachte. De spanning verdween langzaam. 'Ja, dat lijkt me lekker,' antwoordde ik blij.

We gingen samen naar de keuken. Ik ging aan het kleine tafeltje zitten en keek toe hoe hij zich zelfbewust door de kleine ruimte bewoog. Ik bewonderde de manier waarop hij de verse muntblaadjes van de stengels plukte en ze in de dikke theepot van Meissener porselein gooide. De keuken was netjes en opgeruimd. Alle dingen hadden hun vertrouwde plek; de kruiden, de koperen pannen, de antieke koffiemolen waaruit Oliviers voorliefde voor oude voorwerpen bleek. Maar ze hadden niet het ijzige raak-me-niet-aan-uiterlijk van antiek; ze zagen er gebruikt en geliefd uit, het waren van die alledaagse dingen die er alleen maar mooier en waardevoller op worden wanneer ze worden gebruikt. Ik zag die kleine details nu pas, en misschien zag ik Oliviers leven nu wel voor het eerst als iets wat met een bijzonder rijk verleden was verbonden, en niet als iets uit het hier en nu. Hij goot het water in de theepot. De geur van munt vulde de keuken.

'Ik hoop dat je geen bezwaar hebt tegen kruidenthee,' zei hij verontschuldigend. 'Ik weet dat je om deze tijd liever zwarte thee drinkt, maar die is op. Zelf drink ik die niet.'

'Maar je dronk met mij altijd zwarte thee.'

Hij glimlachte een tikje schaapachtig. 'Dat deed ik voor jou,' zei hij, en hij voegde er toen snel aan toe: 'Om je gezelschap te houden.'

'Natuurlijk.' Ik huiverde van opwinding. We glimlachten naar elkaar.

Tijdens het theedrinken praatten we over andere dingen. Hij vertelde me wat hij de afgelopen paar jaar had gedaan.

'Ik geef nu een paar uur per week les aan mijn oude École de Commerce,' zei hij verlegen.

Ik was verbijsterd. 'Je bent een professor,' zei ik vol ontzag.

'Nog niet, ik ben alleen nog maar docent. Ik studeer nu voor mijn doctorstitel. Misschien word ik op een dag nog wel professor, maar ik weet nu nog niet zeker of ik dat wel wil.'

Ik zweeg en probeerde me hem voor te stellen voor een klas vol studenten, in de enige collegezalen die ik kende, de smerige zalen van de Universiteit van Nairobi met hun vieze banken en aantekeningen die door de ruimte vlogen. Ik schudde mijn hoofd. Nee, hij gaf natuurlijk op een heel ander soort school les:

schoon, mooi, zonnig. Ik keek op en zag dat hij aandachtig mijn gezicht bestudeerde.

'Waar denk je nu aan?' vroeg hij met een bezorgd gezicht.

Ik zweeg even. 'Ik dacht aan hoe de dood van mijn vader alles voor me heeft veranderd.'

'Je vader is dood!' Hij klonk geschokt.

'Heb ik je dat nooit verteld?'

'Natuurlijk niet. Ik dacht dat je was weggelopen omdat je familie je tot een huwelijk wilde dwingen.'

Ik lachte ruw. Zijn oren werden rood.

Hij keek naar de theepot, maar toen ineens weer naar mij. 'Wat is je dan wel overkomen? Vertel me eens de waarheid.'

'De waarheid?' Zelfs toen ik die woorden uitsprak, gaf het me een onecht gevoel. De waarheid leek alleen in de wereld van Olivier, waar alles hetzelfde bleef, logisch. Mijn wereld was me zo vaak ruw ontnomen. Hoe kon ik nu weten wat de waarheid was? Maar toen ik naar hem keek, wist ik dat ik het in ieder geval omwille van hem moest proberen. Misschien zou de waarheid vanzelf naar buiten komen, nu ik instinctief wist dat ik de juiste oren had gevonden.

'Goed,' zei ik. 'Ik zal het proberen.'

Aanvankelijk sprak ik met horten en stoten, maar toen steeds sneller, tot ik niet meer kon stoppen.

Toen ik klaar was met mijn verhaal, was de keuken in duisternis gehuld. We zaten zwijgend bij elkaar. Het licht uit de andere kamer verzachtte alles een beetje. Ik had een leeg gevoel, maar dat was niet onplezierig: het was een aangenaam, afwachtend gevoel. Alsof ik er eindelijk klaar voor was om opnieuw te beginnen, om mijn leven met goede dingen te vullen, dingen die ik deze keer zelf had gekozen. Olivier stond op en deed het licht boven onze hoofden aan.

'Nee, alsjeblieft. Dat is te fel,' wierp ik tegen. Hij deed het meteen weer uit.

'Wat wil je nu gaan doen?' vroeg hij vriendelijk.

De angst vulde weer mijn hart. 'Hoe... hoe bedoel je?'

'Wil je iets drinken? Of zullen we nog wat *tisane* nemen?' vroeg Olivier.

Hij kon er niets aan doen, hij was altijd de perfecte gastheer. 'Ik zou graag een glaasje wijn willen,' antwoordde ik, terugdenkend aan de avonden waarop we samen wijn hadden gedronken en naar muziek hadden geluisterd. Toen dacht ik aan de muziek die ik had gehoord toen ik de trap opliep, en even kreeg ik een ongemakkelijk gevoel.

'Wat voor muziek draaide je toen ik aankwam, Olivier?'

Zijn gezicht kreeg kort een nietszeggende uitdrukking. Toen herinnerde hij het zich weer. 'O, Prokofjev. De Zesde Symfonie... eerste deel.' Hij knikte in zichzelf. 'Een geweldige componist. Origineel. De Zesde was zijn laatste. Die werd maar één keer in Rusland opgevoerd, in 1947, kort voordat zijn muziek werd verboden.'

'Verboden?' vroeg ik. 'Waarom werd hij verboden? En door wie?'

'Door Stalin. Voornamelijk omdat die zijn muziek te moeilijk vond voor de sovjetarbeider.'

Ik was ontzet en zei niets. Mijn blik moet mijn gevoelens hebben verraden, want Olivier glimlachte plotseling vol medeleven. 'Ja, dat was vreselijk. Hij had namelijk een paar jaar eerder Parijs verlaten en was naar Rusland teruggekeerd.'

'Parijs?' zei ik ongelovig. Waarom zou iemand Parijs willen verlaten? 'Werd hij door de vreemdelingenpolitie het land uitgezet?'

'Natuurlijk niet. Hij was een geweldige componist. Iedereen was al vol lof over zijn werk.'

'Waarom dan?'

'Omdat hij zijn vaderland, zijn thuis, niet kon vergeten,' antwoordde Olivier. 'Hij was een Rus.' Hij haalde twee kristallen glazen met lange stelen te voorschijn en schonk de rode wijn in.

Ik voelde me niet op mijn gemak. Misschien was de muziek daarom wel zo verontrustend. Misschien had hij zijn land gehaat, maar er ook van gehouden, net als ik. Maar uiteindelijk was hij teruggekeerd. Ik zou nooit terug kunnen keren, omdat Kenia mij of mijn familie niet meer wilde hebben.

Olivier vatte mijn zwijgen als medeleven op. 'Wil je het nog een keer horen?'

Ik wilde nee zeggen, maar door de gretigheid in zijn stem deed ik dat niet. Ik knikte zwijgend. Glimlachend gaf hij een glas wijn aan. Hij zette het andere glas op tafel en zette de stereo weer aan.

De eerste noten muziek – luid, koperen trompetgeschal dat het begin van een jacht leek aan te kondigen – verbraken de stilte in de woning. Er liep een rilling over mijn rug. Toen klonk er een sterke, prachtige melodie. Het leek wel een lied dat een overwinning bejubelde, en ik werd onmiddellijk gegrepen door de triomf van de muziek, die vervolgens nog sterker door de hoorns werd vertolkt. Toch had de melodie ook iets wreeds, een gevoel dat sterker werd toen de klanken ten einde kwamen. Ik huiverde.

Olivier kwam terug. Hij bleef even in de deuropening staan, een lange schaduw die door het licht in de andere kamer werd omlijst. Ik keek naar hem en werd getroffen door zijn lengte. Ineens klonken er trombones, en Olivier, die in mijn commandant veranderde, en ik, zijn hulpeloze bewonderende soldaat, werden allebei weggevoerd op een golf van bloeddorst en onzekerheid. De muziek werd gejaagder. Olivier ging naar de donkere hoek van de keuken. De melodie was nu overal, slingerde zich koortsachtig om me heen en voerde me mee naar zijn hart. Toen barstte het geluid los in een strijd tussen de dissonante bas en rietblazers en strijkers en bekkens en pauken. Langzaam stierf de muziek weg. Ik merkte dat ik mijn adem had ingehouden en ademde nu langzaam uit.

Ineens verscheen Olivier weer. Zijn gezicht werd verlicht

door de kaars die hij in zijn hand had. Op dat moment klonk er een tweede melodie. Die was droevig, en na de strijd uit het eerste deel op de een of andere manier troostend. Ik voelde me ineens erg licht, beroofd van alle gevoelens. Ik keek naar Olivier, die zijn wijnglas pakte en me aandachtig gadesloeg. We glimlachten, en ik voelde een golf van geluk door me heen stromen omdat het moment zo volmaakt was. Toen kreeg hij een nietszeggende uitdrukking op zijn gezicht omdat zijn geest opging in de muziek. Ik keek droevig toe hoe hij zich van me terugtrok.

Plotseling kwam de eerste melodie terug en zette weer de aanval in, dezelfde sterke en vreselijke gevoelens opwekkend: angst, opwinding, woede, wreedheid en verlangen. Ineens voelde ik me alleen, gevangen in de draaikolk van mijn emoties, niet in staat om te ontsnappen. Maar zelfs toen de gevoelens onverdraaglijk werden, kwamen de echo's van de tweede melodie weer stukje bij beetje terug. Even werd de spanning binnen in me hierdoor verminderd, net lang genoeg om me aan die andere duistere gevoelens te onderwerpen.

De muziek eindigde op een vreemde, emotieloze manier. Ik had het gevoel dat ik iets vreselijks had meegemaakt en het had overleefd. Ik keek naar Olivier die aan de andere kant van het tafeltje zat en vroeg me af wat de muziek bij hem opriep. Zijn gezicht was rustig, geboeid maar niet afwezig, zoals ik me voelde. Maar voordat ik het aan hem kon vragen, brak het volgende deel in een geweldige strijd van instrumenten los. Ik wierp nog een steelse blik op hem, me herinnerend dat ik precies op dit punt de klopper had gepakt en had aangeklopt. Hoe zou mijn leven zijn verlopen als ik voor mijn ontsnapping aan de familie Baleine hulp bij Olivier had gezocht in plaats van direct in Philippes bed te duiken? Zouden we dan inmiddels oude geliefden zijn geweest? Ik werd overvallen door verdriet over wat had kunnen zijn en liet mijn hoofd zakken, zodat Olivier mijn gezicht niet kon zien.

De muziek klonk nu ook anders. Vriendelijker. Ik luisterde, getroffen door de pure schoonheid en vrede. Maar toen veranderde dat ook. Er vielen meer instrumenten in – hoorns, trombones – en de muziek werd donkerder en wanhopiger. De vrede die ik voelde, verdween. Ik luisterde aandachtiger, terwijl het gevoel dat ik getuige was van een of andere vreselijke tragedie steeds sterker werd. Ik begon te huiveren. Dat gevoel kende ik maar al te goed. Ik kon alleen maar stil blijven zitten en het gadeslaan. Ik deed mijn ogen dicht en voelde dat de wanhoop bezit van me nam. Ineens voelde ik dat Olivier zijn warme hand op de mijne legde en die stevig vastpakte. Ik deed mijn ogen open, en zijn gezicht leek te trillen omdat ik hem door een waas van tranen zag.

'Moet ik het afzetten?'

'Nee, laat het aanstaan.' Ik keek naar hem en vroeg me weer af waarom hij zulke muziek mooi vond. Wat voor tragedie had hij meegemaakt? Hij had toch alles?

De muziek kwam tot een einde, en ik voelde me beter. Het derde deel begon met een zorgeloze, onschuldige melodie. Ik luisterde ernaar, met een ongewoon, afstandelijk gevoel, en toen er een andere melodie klonk die een weerspiegeling van het wrede zelfbewustzijn van de eerdere delen leek te zijn, was ik niet verbaasd.

De twee melodieën leken met elkaar te dansen, glipten in en uit elkaars omhelzingen. Toen kwam het prachtige lied uit het tweede deel heel even terug, om daarna weer in de aanzwellende woede van de oorlogszuchtigere klanken te verdwijnen. Ik luisterde geboeid, niet langer gescheiden van de muziek, maar er evenmin in gevangen. Mijn gevoelens waren verdwenen en er was alleen nog maar muziek. Maar degene die de muziek omlijstte en de ruimte schiep waarbinnen die muziek kon bestaan, was Olivier, met zijn hand op de mijne aan de door kaarslicht verlichte tafel in de keuken die naar munt rook.

De muziek kwam ineens luid tot een einde. De stilte die

volgde, was bijna beangstigend. Ik kon me niet bewegen. Ook Olivier zag er droefgeestig uit. De kaars sputterde en doofde. Dat verbrak de betovering. Hij stond op en deed het licht aan. Deze keer protesteerde ik niet. Het licht voelde geruststellend. Hij pakte de wijnfles en schonk onze glazen weer vol. 'Zullen we in de andere kamer gaan zitten?'

We gingen naar de woonkamer. Hij deed de elektrische haard aan en kwam naar me toe. Ik stond nogal verdwaasd midden in de kamer. Ik kon de wanhoop van de muziek nog steeds binnen in me voelen.

'Wil je iets anders horen? Iets vrolijkers misschien?' vroeg hij met een glimlach vol zelfkennis.

'Waarom luister je naar zulke muziek? Vind je het echt mooi?' vroeg ik ineens, niet in staat mezelf nog langer in te houden. Ik wist zeker dat het antwoord van belang was.

Hij keek verlegen. Een blos kroop langzaam van zijn nek naar zijn oren omhoog. Ik ging op de bank zitten en trok hem naast me neer. Hij ging ongemakkelijk op de rand van de kussens zitten. Hij zag er opgelaten uit. Ik voelde me even nerveus, maar probeerde het niet te laten merken. Ik nestelde me gerieflijk in de roodbruine bekleding en gaf hem tijd om te antwoorden. We zorgden ervoor dat we elkaar niet aankeken.

Toen hij echter niets zei, probeerde ik hem uit zijn tent te lokken. 'Die Prokofjev klinkt zo chaotisch, zo verwarrend. Je hebt het me nooit eerder laten horen.'

Hij keek me recht aan. 'Misschien kwam dat wel omdat ik daar nooit de behoefte toe voelde wanneer ik bij jou was.' Hij sloeg zijn ogen neer. 'Ik weet het niet. Het is al zo lang geleden.'

Ik wist dat hij loog. Omdat ik het nog wel wist. Ik wist nog precies welke muziek hij me had laten horen. De namen was ik misschien vergeten, maar de muziek, en welke gevoelens die bij me opriep, was ik nooit vergeten.

Hij nam het woord weer, snel, alsof hij niet wist hoe vlug hij van de woorden af moest komen. 'Ik heb het opgezet om rustig te worden. Na jouw telefoontje kon ik niet meer werken.'

'Hoe kun je er rustig van worden? Die muziek zit vol wanhoop en zo'n... zo'n vreselijke eenzaamheid.'

Zijn gezicht werd pijnlijk levendig. 'Muziek maakt dat je je gevoelens kunt verdragen omdat ze er een vorm, schoonheid door krijgen. En dus word je vanbinnen rustig, hoe droevig of wanhopig de muziek ook is. Dat moet je toch ook hebben gevoeld, Leela. Waardoor denk je dat je tranen zijn opgedroogd?'

Als vanzelf legde ik mijn hand op mijn wang. Hij had gelijk. Olivier had me met een paar woorden verteld wat het geheim van de muziek was. Mijn bewondering veranderde in dankbaarheid toen ik besefte wat hij me had gegeven. 'Maar dat kwam door jou, Olivier,' barstte ik heel emotioneel uit. 'Jij zorgde ervoor dat ik de muziek kon horen. Je was degene die de schakel tussen de muziek en de pijn vormde en ervoor zorgde dat er vrede kon zijn.'

Zijn gezicht werd ongelooflijk levendig, en ik vroeg me af hoe ik hem ooit lelijk kon hebben gevonden. En toen, hoewel ik niet eens had gemerkt dat hij zich had bewogen, vonden zijn lippen de mijne.

Later hield hij mijn lichaam tegen het zijne aan en bleven we zwijgend half zitten, half liggen op de bank. Ik was blij dat ik leefde en voelde me heel ontspannen. Het was een vreemd gevoel, alsof ik heerlijk had gegeten of prachtige muziek had gehoord of iets beeldschoons had gezien. Toen het gevoel langzaam wegebde, als luchtbellen die van het wateroppervlak verdwijnen, merkte ik dat ik iets voelde wat veel dieper ging. Het was niet zozeer een gevoel, maar eerder het ontbreken ervan. Mijn angst was verdwenen.

Ineens zei ik: 'Weet je, ik heb drie jaar geleden voor het laatst naar klassieke muziek geluisterd.' Ik wilde dat hij wist dat een deel van mij altijd aan hem had toebehoord, dat ik hem nooit had verraden. 'Ik kon met Philippe nooit naar muziek luisteren.'

‘Ssst.’ Hij sloeg zijn armen steviger om me heen. ‘Spreek zijn naam niet uit. Je gaat nooit meer naar hem terug.’

Ik keek hem aan. ‘Nee, nooit. Dat heb ik in Duinkerken al beseft.’

Hij keek me vragend aan. ‘Duinkerken? Waarom? De stranden daar zijn net kerkhoven. Ze hebben geprobeerd om er een toeristenoord van te maken, maar het is nooit echt populair geworden. Het water is koud, het waait er, en de stranden zijn nog steeds bezaaid met bunkers en mijnen uit de Tweede Wereldoorlog. Duinkerken kan nooit aan zijn geschiedenis ontsnappen.’

Ik keek hem zwijgend aan en dacht aan het strand met de verlaten fabrieken en de slechtgebouwde huizen. Maar ik had het gevoel dat hij het mis had. De stranden waren misschien wel droevig, en zeker onherbergzaam, maar ze waren ook sterk en vol leven. ‘Ben je de laatste tijd nog in Duinkerken geweest?’

Hij schudde met een ernstige blik zijn hoofd. ‘Nooit. Het doet me te veel aan de gekte en waanzin van de oorlog denken. Op die stranden zijn te veel mensen gestorven. Ik denk dat ik ze niet eens wil zien.’ Hij lachte grimmig. ‘Daarvoor waarschuwt Prokofjev ons met zijn muziek.’ Zijn gezichtsuitdrukking veranderde en hij keek bedachtzaam. ‘Wat toepasselijk. Jouw Duinkerken, zijn muziek.’

‘Het was net zoals de muziek,’ zei ik zacht. ‘De kinderen speelden op het strand, de oude mannen liepen buiten en de vrouwen ook, de zon scheen en de lucht was ongelooflijk helder. Toch kon ik ondanks al die dingen voelen dat de geschiedenis haar schaduw over het strand wierp. Het was prachtig, Olivier,’ zei ik gretig. ‘Het gaf een diepte aan het strand die je in andere plaatsen niet vindt. Daar kun je ontsnappen aan de druk om altijd maar vrolijk te moeten doen. Daar kun je vrij zijn. Net als in de muziek.’

Hij zei niets, en ik begon me zorgen te maken. Ineens kuste hij me teder op mijn voorhoofd. ‘Wil je met me mee naar Duinkerken gaan?' vroeg hij, me diep in mijn ogen kijkend. 'Ik wil het graag met jou naast me zien.'

Ik glimlachte, maar sloeg, typisch vrouwelijk, mijn ogen neer, zodat hij de vreugde in mijn blik niet kon zien. 'Als jij me over de geschiedenis wilt vertellen, waar je zoveel van weet,' zei ik, 'dan kan ik ook het gevoel hebben dat ik er deel van uitmaak. Net als jij.'

Drie

Kort na mijn terugkeer in Parijs werd het echt winter. Ik ontdekte dat er in mijn goedkope hotelkamertje in de buurt van het Gare de l'Est geen goede verwarming was en vaak ook geen warm water. Ik wilde niet bij Olivier intrekken, omdat ik niet in mijn oude gedrag wilde vervallen. Ik wilde dat alles anders zou worden.

Met de hulp van Olivier vond ik een betere kamer op de zesde verdieping van een negentiende-eeuws appartementengebouw. Ik wist niet wie er nog meer op mijn verdieping woonden. Het leek een vormeloze groep studenten en obers die allemaal zelden thuis waren. Het enige wat voor mij belangrijk was, was dat de kamer in de buurt van Oliviers woning lag.

Wanneer ik bij hem was, had ik het gevoel dat ik midden in de wereld stond. De koude winterse duisternis bleef bij hem buiten de deur en bood een omlijsting voor ons geluk. We bleven binnen, hadden genoeg aan elkaars gezelschap, gingen niet vaak uit en zagen zelden andere mensen. We zaten gewoon samen naar muziek te luisteren of te praten, of samen te lezen of zelfs tv te kijken. De enige die we in ons wereldje toelieten, was Annelise. Ik was aanvankelijk bang om haar weer te zien. Maar toen ze op een avond kwam eten, maakte ze mijn geluk compleet. Annelise maakte per slot van rekening deel van ons verleden uit, en het leek niet meer dan passend dat zij degene was die van ons samenzijn een feit maakte.

Ik ging op zoek naar een baan, maar dat was moeilijker dan ik had gedacht. Aanvankelijk wilde ik als kok gaan werken, maar ik kreeg te horen dat ik niet over de juiste opleiding beschikte. Ik solliciteerde bij verschillende supermarkten en modezaken naar de functie van inkoper, maar daar wilden ze iemand met een economische opleiding. Toen probeerde ik de leveranciers van de Bon Marché, van wie ik velen persoonlijk kende, maar de een na de ander weigerde me bij hen te laten werken. 'Begin zelf iets,' zei een van hen vriendelijk tegen me. 'We zijn een familiebedrijf, we nemen geen buitenstaanders aan.'

Ik voegde me bij de hordes werklozen die bij bibliotheken en kiosken rondhingen en de kranten uitplozen op zoek naar een baantje. Maar men had ook voor deze banen, zelfs die van receptioniste, liever Franse ingezetenen. Ik was dus weer aangewezen op de borden met kleine advertenties in de supermarkten en werkte om de week als oppas of werkster. Het verdiende redelijk en ik had genoeg werk, totdat ik op een dag vroeg klaar was met oppassen en besloot om nog even een kopje thee bij Olivier thuis te drinken. Olivier zat buiten Parijs voor een onderzoek, dus ik maakte de deur met mijn eigen sleutel open. Zodra ik binnen was, rook ik een onbekend parfum. Ik verstijfde. Terwijl ik me afvroeg wat ik moest doen, kwam de eigenares van die geur met een kop thee in haar hand de keuken uit. Ze uitte een klein 'Oh' toen ze me zag. Toen herstelde ze zich en glimlachte naar me. 'Maar natuurlijk, je bent de nieuwe werkster van mijn broer. Ik moet eerlijk bekennen, het huis is veel schoner dan de afgelopen keer toen ik in Parijs was.' Zonder me verder aan te kijken, zei ze: 'Ik ben de zus van Olivier. Let maar niet op mij, ik zal je bij het schoonmaken niet in de weg lopen.'

Ik bleef staan waar ik stond, niet in staat om me te bewegen. Toen keek ze me recht aan. Afstandelijkheid en toen schaamte waren van haar gezicht af te lezen. 'O, je bent vast Leela! Olivier heeft me over je verteld.'

Ik merkte dat ik geen woord kon uitbrengen. Ik draaide me om en rende naar buiten.

Daarna sloot ik mezelf in mijn kamer op. Ik deed de gordijnen dicht en bleef op bed liggen, stinkend en zwetend. Ik wilde niet eens mijn tanden poetsen. Langzaam werd ik me gewaar van een vreemde, zware geur die bezit van de kamer nam. Ik was echter zo apathisch dat ik me niet kon bewegen. Ik kon alleen maar nog meer beddengoed boven op me leggen om te voorkomen dat de lucht mijn lichaam zou binnendringen. Toen Olivier terug was, probeerde hij me te bellen, maar ik nam niet op. Ten slotte kwam hij zelf naar me toe en bonsde op de deur. Hij dreigde dat hij de politie zou bellen en de deur zou laten openbreken als dat nodig was. Ik gaf mijn verzet dus maar op.

Zodra hij me zag, verdween de glimlach van zijn gezicht. 'Hoe gaat het met je zoektocht naar de ideale baan?' vroeg hij.

Ik wendde mijn blik af. 'Die heb ik nog niet gevonden. Je leidt me af.'

'Mooi.' Hij lachte. 'Je weet tenminste nog wat belangrijk is.'

'Hoe bedoel je? Denk je soms dat ik dat niet weet?'

Olivier keek me met een vreemde blik aan. 'Wist je dat een baan hebben de maatschappij meer schade kan berokkenen dan werkloos zijn?' zei hij.

'Wat?' Ik was niet in de stemming om belerend te worden toegesproken.

'Dat is echt zo. Iemand die langer dan vier jaar een uitkering heeft, kost de staat minder dan een fabrieksarbeider met een volledige baan.'

'O ja? Waarom heb jij dan geen uitkering?' vroeg ik uitdagend, me nog steeds ergerend.

'Dat hoeft niet. Mijn vader heeft goede investeringen gedaan.'

'Wat heerlijk dat je zo'n vrijgevige familie hebt,' zei ik sarcastisch. Ik hoorde de ironie, vol zelfkritiek, in zijn woorden niet.

Ineens pakte hij mijn schouders beet en schudde me door elkaar. 'Hou nu eens op om zoveel medelijden met jezelf te hebben, Leela. Daar word je lelijk van.'

Ik was nog steeds geschrokken. Voorzichtig liet hij me los. 'Je weet dat ik je altijd zal helpen, Leela. Waarom vertrouw je me niet?'

Ik gaf geen antwoord.

'Ik zou je aan een paar van mijn vrienden kunnen voorstellen,' bood hij aarzelend aan.

Ik greep de tafel vast. 'Nee, het gaat wel,' zei ik.

Daarna ging ik weer naar buiten, maar alleen naar het huis van Olivier. De buitenwereld was nog te bedreigend. Daar werden de winnaars van de verliezers gescheiden, en ik wilde Olivier niet verliezen. Ik drong er dus op aan dat we binnenbleven en bedreef wanhopig de liefde met hem, tot we allebei lichamelijk en geestelijk uitgeput waren. Olivier begreep niet waarom ik niet naar buiten wilde en hoewel hij me uiteindelijk mijn zin gaf, kon ik aan zijn blik zien dat hij bezorgd was.

In maart liep mijn verblijfsvergunning af, de *carte de séjour* die Philippe voor me had geregeld. Ik wist niet hoe ik dat aan Olivier moest vertellen omdat ik bang was dat ik in zijn ogen dezelfde afstandelijkheid zou zien als bij zijn zus. Ik was doodsbang dat de politie me midden in de nacht uit het huis van Olivier zou komen halen. Door de onverwachte lentewarmte liep half Parijs ineens op straat, en dat maakte mijn wanhoop alleen nog maar groter. Uiteindelijk besloot ik Annelise om hulp te vragen.

Ze zei dat ze met me kon gaan lunchen in het Café des Artistes naast het Louvre.

Ik was aan de vroege kant. Terwijl ik op Annelise zat te wachten, bedacht ik hoeveel er voor haar was veranderd. Ze was niet langer een freelance journaliste die moest vechten om rond te komen en voortdurend uit pure nervositeit op haar nagels liep te bijten. Ze was redactieassistente bij de *Elle* en had haar eigen rubriek. Haar nieuwe zelfvertrouwen uitte zich in tien centimeter meer rond haar heupen, die ze trots met zich meedroeg. Maar ze droeg ook nog steeds kleren in bonte kleuren en grote oorbellen. En ze stond altijd klaar om op luide toon haar beklag te doen.

Annelise verscheen, alsof ik haar door aan haar te denken te voorschijn had getoverd.

We begroetten elkaar en ze wendde zich vervolgens tot de rondscharrelende gerant. 'Raoul,' zei ze kirrend, 'ik heb voor de lunch een tafel gereserveerd.'

We liepen achter zijn rechte rug aan naar een tafeltje in het midden van de zaal. Bijna onmiddellijk kwam een jonge ober onze bestelling opnemen.

'Vertel eens, waar wilde je het met me over hebben?' vroeg Annelise. Ze leunde gretig over de tafel heen.

Ik werd zenuwachtig en vermeed haar blik. 'Annelise, ik moet een baan vinden.'

Ze kneep haar ogen tot spleetjes. 'Waarom?' vroeg ze op scherpe toon. 'Ben je niet gelukkig bij Olivier? Hij is in zijn eentje meer waard dan honderd Philippes.' Het laatste woord spuwde ze bijna uit. Ik vroeg me af of ze iets over hem wist wat ze me niet had verteld en wilde het haar bijna vragen, maar ik besloot het niet te doen. Ik wilde dat deel van mijn leven vergeten.

'Annelise, denk je dat ik dat niet weet? Ik wil juist vanwege Olivier een baan. Ik kan niet met hem naar bed gaan en van hem verwachten dat hij de rest van zijn leven voor dat voorrecht betaalt. Dan zal hij toch nooit respect voor me hebben?'

Annelise haalde haar schouders op. 'Wat heeft een baan nu met liefde te maken? Als iedereen zo dacht als jij zou niemand in Frankrijk nog verliefd worden. Niemand kan vandaag de dag makkelijk een baan vinden, zelfs een Fransman met goede connecties zoals Olivier niet. Er zijn niet genoeg banen. Heb je gezien hoeveel mensen er op een baantje als verkoper afkomen?'

Ik knikte droevig.

Ze kneep even in mijn hand. 'Maak het jezelf niet zo moeilijk. Laat die baan toch zitten, in ieder geval tot je gaat trouwen en staatsburger wordt.'

'Hoe kun je nu zeker weten dat Olivier met me wil trouwen?' barstte ik geërgerd los. Ik had het gevoel dat ik in de val zat.

'Natuurlijk trouwt hij met je als je dat wilt. Hij helpt dolgraag randfiguren.'

'Hoe bedoel je?' vroeg ik met een enigszins akelig voorgevoel.

'Waarom denk je dat hij voor ons heeft gekozen? Een Duitse immigrante en een Indiase vluchtelinge?'

'Hoe bedoel je? Hij is een vriend van Maeve, en zij is geen randfiguur...'

'Maeve zou door de familieleden van Olivier als *declassé* worden beschouwd. Hij komt uit een van de oudste families van Straatsburg, hoor.'

Ik wendde mijn blik af, wensend dat ik Annelise kon laten ophouden.

Mijn aandacht werd getrokken door een man die naar ons tafeltje toe kwam. Hij had een zeker ongedwongen zelfverzekerdheid die me jaloers maakte – het was alsof hij iedereen in het restaurant kende en alle mensen met hem bevriend waren. Ik nam aan dat hij een kennis van Annelise was. Ik keek de andere kant op en wachtte tot hij haar zou aanspreken.

Tot mijn grote verbazing keek hij echter naar mij. 'Hebben wij elkaar vorig jaar niet bij Philippe Lavalle thuis ontmoet?' vroeg hij, vol vertrouwen dat hij het bij het rechte eind had. Ik voelde even een vlaag van paniek, maar die ebde weer weg toen ik me herinnerde wie hij was. Het was de jonge assistent van meneer Binet, Marc Despres, in wiens bijzijn Philippe me zo had vernederd. Na alles wat er later die avond was gebeurd, was ik hem helemaal vergeten. Tot op dit moment. Ik keek onzeker op. Mijn gezicht werd rood van schaamte. 'Natuurlijk... Ik weet het nog.'

'En hoe is het met meneer Lavalle? Jammer dat ik hem mis

ben gelopen.' Hij keek om zich heen, alsof hij verwachtte dat Philippe op zou duiken.

Annelise wendde zich tot hem en keek hem aan. 'O, die zal vandaag niet met ons mee-eten,' zei ze lachend. 'En wie bent u?'

'Marc Despres,' zei hij met een charmante glimlach.

Annelise keek hem hongerig aan. 'Ik ben Annelise Schwartz. Ik ben journaliste. En wat doet u?'

Hij glimlachte nog breder en keek met opzet naar de lege stoel tussen ons in.

'Neemt u alstublieft plaats,' luidde Annelises uitnodiging, 'en vertel ons alles over uzelf.'

'Het is me een genoegen. Ik hoor thuis in de reclamewereld,' zei hij met een quasi-spijtige blik.

'En wat is daar mis mee? Zonder mensen zoals u zou er geen journalistiek zijn. Vertelt u me eens...' Ze boog zich naar hem toe en liet haar stem samenzweerderig dalen: 'Bent u goed in wat u doet? Zo niet, dan moet ik u verzoeken te vertrekken. Ik hou niet van mislukkingen.'

Ik kromp inwendig ineen en wierp hem een angstige blik toe. Onze blikken kruisten elkaar, en hij knipoogde snel. Ik ontspande me en keek toe hoe hij Annelise om zijn vinger wond. Door het succes had zijn jongensachtig knappe gezicht een zelfverzekerde glans gekregen. Hij droeg een olijfkleurig, opvallend gesneden pak met brede revers en heel veel zakken, en een zalmkleurig overhemd. Het was een combinatie die alleen een man die heel zeker wist dat vrouwen hem aantrekkelijk vonden zou durven dragen.

'Mijn beste mevrouw, zou ik hier zitten als ik een mislukkeling was? Zal ik het u bewijzen door een fles champagne te bestellen?'

Annelise leek even in verwarring gebracht. Hij glimlachte snaaks naar haar. 'Even serieus, ik ben kortgeleden mijn eigen bedrijf in mediamanagement begonnen, dus het is me een genoegen om u te leren kennen.'

Annelise lachte en wierp hem een flirtende blik toe. 'Ik zal u beter moeten leren kennen voordat ik kan bepalen of het genoegen voor mij net zo groot is.'

'In dat geval zal ik die champagne bestellen en die met u drinken. Ik heb straks een afspraak met een klant, maar die is nooit op tijd.'

'Werkt u niet meer voor meneer Binet?' vroeg ik.

'Nee, ik ben een half jaar geleden bij hem weggegaan, net nadat ik u had ontmoet, en ben samen met een oude studiegenoot uit Argentinië mijn eigen pr-bedrijf begonnen.'

'Het is heerlijk om voor jezelf te werken.' Ik was jaloers.

'Wat doet uw bedrijf precies?' kwam Annelise ineens tussenbeide.

'We zorgen ervoor dat een bedrijf dat pas in een land is gestart de aandacht trekt. Van de pers, de tv, de radio, van iedereen die belangrijk is. Zoals u al zei, dankzij de journalistiek kan men zaken verkopen. We nemen journalisten erg serieus.' Hij keek aandachtig naar Annelise.

'Reclame is informatie, en u rekt dat idee zo ver mogelijk, hè?' merkte ik op ruwe toon op.

Hij wendde zich stralend tot mij. 'Precies. Dat was precies wat ik dacht toen ik met dit bedrijf begon.' Hij keek me waarderend en belangstellend aan. 'Wat doet u nu? Werkt u nog steeds voor meneer Lavalle?'

Ik kreeg het ineens koud. Het was alsof ik midden in een bundel licht stond. Voordat ik echter een antwoord kon bedenken, antwoordde Annelise, die maar al te graag zijn aandacht wilde trekken: 'Leela is op zoek naar een baan. Weet u misschien iets?'

Hij keek me weer aan, deze keer met een inschattende blik in zijn ogen. 'Aan wat voor soort werk denkt u?'

Weer antwoordde Annelise voor me. 'Iets in de pr zou echt ideaal zijn.'

Hij bleef heel erg stil zitten. 'Zou u voor een bijzonder klein en hardwerkend bedrijf willen werken, waar de geur van geld nog ver te zoeken is?'

'Natuurlijk wil ze dat. Leela is dol op uitdagingen. Hoort u eens hoe goed ze Frans spreekt! Niemand gelooft toch dat het niet haar moedertaal is?'

De komst van de ober die ons eten bracht, betekende een welkome afwisseling. Toen de ober weer weg was, trok Annelise het gesprek naar zich toe, onsamenhangend babbelend over verschillende opvallende gebeurtenissen die de afgelopen paar maanden hadden plaatsgevonden en over mensen uit de mediawereld die ze allebei kenden. Het was een gesprek waarin geen plaats voor mij was. Ik zat daar maar, me steeds meer buitengesloten voelend, en wenste dat de lunch voorbij was.

Ten slotte kwam de ober ons melden dat de gasten van meneer Despres waren gearriveerd.

Hij pakte het visitekaartje dat Annelise hem toestak. Toen wendde hij zich tot mij. Ik keek opgelucht op en toverde bij wijze van afscheid een beleefde glimlach op mijn lippen.

'We zijn sinds kort in onderhandeling met een Amerikaanse kok, de pionier van de Indiase nouvelle cuisine in Amerika. Hij wil in Europa een restaurant openen. U zou perfect zijn. Hebt u zin om aan die opdracht te werken?'

Ik greep mijn vork stevig beet om te voorkomen dat mijn handen zouden gaan trillen. Omdat ik mijn stem niet vertrouwde, knikte ik alleen maar. Mijn hoofd tolde.

Hij glimlachte tevreden. 'Waar kan ik u bereiken?'

Mijn handen trilden zo dat ik amper kon schrijven, maar hij deed net alsof hij het niet merkte.

'*À bientôt*!'

We zagen dat hij zich tussen de tafeltjes door een weg baande naar twee mannen in nette donkere pakken die op hem stonden te wachten. Ze leken niet erg op hun gemak, maar toen hij bij hen kwam, hen bij de ellebogen pakte en wegvoerde, begonnen ze te glimlachen en zich te ontspannen. Ze gingen met zijn drieën buiten in het zonnetje zitten.

Annelise wendde zich tot mij. 'Nou, je kent interessante mannen,' zei ze lachend. 'Hij is een behoorlijke charmeur. Waar heb je hem ontmoet?'

'Hij was Philippes reclameman z'n assistent,' mompelde ik onelegant.

'O ja? Dat verbaast me niets. Hij weet hoe hij iets moet krijgen wat hij wil hebben.' Ze knikte in zichzelf en keek me toen scherp aan. 'Je kunt heel wat leren van een man als hij, je moet hem alleen nooit vertrouwen.'

'Wat? Ik dacht dat je hem aardig vond.'

'Marc Despres? Hij is net als deze *chèvre*,' zei ze, terwijl ze het laatste stukje kaas in haar mond stopte. 'Wanneer de grond te heet onder zijn voeten wordt, smelt hij weg. Maar ik denk dat hij heel erg vastbesloten kan zijn als hij iets graag wil. En ik denk dat hij wil dat je voor hem komt werken.'

Ik kon er niets aan doen, ik moest wel lachen. 'O, Annelise, je bent uniek.'

Ze keek vergenoegd. 'Nee, dat ben jij,' zei ze ruw. 'Ik ben gewoon gek.' Ze dronk haar glas wijn leeg en pakte haar tas. 'Ik moet nu terug naar kantoor, maar jij kunt wel blijven zitten en nog een kop koffie nemen. Je weet nooit wie je hier nog tegen kunt komen!'

Ze legde een biljet van vijfhonderd franc op tafel en stond op.

'Annelise, dat is veel te veel,' wierp ik tegen.

'Doe niet zo gek. Je kunt niet van een werkloze verlangen dat ze de lunch betaalt.'

Vier

Marc belde pas elf dagen later. Ik zat al die tijd naast de telefoon te wachten, heen en weer geslingerd tussen hoop en ongeloof.

'Liefje, ik heb de hele week aan je gedacht. Hoe gaat het met je?' zei hij overdreven.

Ik greep de hoorn stevig beet, zodat mijn hand niet meer zo zou trillen. 'G-goed. Het gaat goed,' stamelde ik.

'Ben ik te laat? Heb je al iets gevonden wat *te passione*?'

Ik slikte. 'Nog niet. Ik ben met andere dingen bezig geweest.'

'O ja? Wat dan? Je gaat toch niet weg, hè?'

Ik lachte. Hij klonk echt bezorgd. 'Nee. Gewoon... dingen.'

Hij lachte. 'Nou, waarom kom je morgenmiddag niet even langs bij mij op kantoor?'

Hij gaf me een adres in de geliefde buitenwijk Neuilly. Toen ik daar aankwam, zag ik tot mijn verbazing dat het een ouderwets negentiende-eeuws woonhuis was. Hij zag mijn blik en legde uit: 'Ik heb nog geen kantoor, maar ik mag zolang de woning van mijn ouders gebruiken.'

'Het is prachtig,' zei ik met een bewonderende blik op de stoffering van duur blauw brokaat en het smaakvolle porselein dat her en der in de ruimte stond. Ik vroeg me af wat voor soort mensen zijn ouders waren. Alles in de woning zag er zo oud en zelfbewust uit. Even zelfbewust als de man die voor me zat.

'Ik wilde vanmiddag op zoek gaan naar een nieuw kantoor,' zei hij plotseling, zijn haar uit zijn ogen strijkend. 'Heb je zin om mee te gaan? Per slot van rekening kom je voor me te werken, toch?'

Mijn hart maakte een sprongetje, maar toen zonk de moed me weer in de schoenen. Ik moest hem eigenlijk vertellen dat mijn verblijfsvergunning verlopen was. Ik slikte en keek hem aan. 'Dat zou ik heel graag willen,' mompelde ik.

In de lift op weg naar beneden merkte ik dat hij me met een frons tussen zijn ogen stond aan te staren. Ik wist zeker dat hij me naar mijn *carte de séjour* zou gaan vragen. Mijn mond werd droog. 'Is er iets mis?' wist ik uit te brengen.

'Je kleren.'

'O.' Ik voelde me opgelucht en toen beschaamd. Ik keek naar het bijzonder eenvoudige blauwe pakje dat ik droeg. 'Wat is er mis mee?'

'Ik hoop niet dat je het me kwalijk neemt dat ik zo eerlijk ben,' zei hij ten slotte, 'maar ik vind het jammer dat zo'n mooie vrouw in de mode van vorig jaar loopt.'

Ik had ineens het gevoel dat ik naakt was. Mijn huid gloeide.

'Zou je... zou je het erg vinden als ik met je ging winkelen?'

Herinneringen aan Philippe kwamen in alle hevigheid terug. 'Waarom?' vroeg ik achterdochtig.

Hij glimlachte naar me, en ineens wist ik wat me al die tijd dwars had gezeten. In tegenstelling tot andere Fransmannen glimlachte hij te vaak, waarbij hij een ongewoon recht en spierwit gebit liet zien.

'Wees alsjeblieft niet beledigd. Ik vind je bijzonder. Ik wil dat je er bijzonder uitziet. Anders. Uniek.' Hij streelde elk woord en liet het als een belofte klinken. Maar ik merkte het amper en voelde alleen maar opluchting omdat hij me nog steeds wilde hebben.

De lift stopte. We stapten uit. Hij voerde me mee naar een klein café-restaurant aan het einde van de straat. Zodra we waren gaan zitten, probeerde ik hem te vertellen dat mijn verblijfsvergunning al maanden geleden was verlopen. Maar toen het eerste woord aarzelend over mijn lippen kwam, onderbrak hij me al en begon te vertellen over een project waaraan hij me wilde laten werken, voor een keten van restaurants die *fusion food* serveerden. Zijn enthousiasme was aanstekelijk en ik was maar al te ontvankelijk. Ik besloot hem pas over mijn *carte de séjour* te vertellen wanneer ik mezelf bij het project onmisbaar had gemaakt.

Eindelijk hield hij op en keek me verwachtingsvol aan. Ik voelde me ineens schuldig, wendde mijn blik af en zei: 'Je hebt me nog niet verteld welke functie je voor me in gedachten had.'

Hij glimlachte. 'Ik weet al wat je voor de Bon Maraîcher deed. Je zou een belangrijke bijdrage aan het project kunnen leveren.'

'Maar wat kan ik volgens jou precies voor je doen?' vroeg ik.

'Ik wil dat je me helpt om deze man in een geweldige kok te veranderen. Zijn eten is goed, maar het eten dat ik die avond bij meneer Lavalle heb geproefd, was uniek. Ik heb het nooit meer kunnen vergeten.'

De herinnering aan die vreselijke avond overspoelde me. Ik huiverde en keek naar buiten.

Marc vatte mijn zwijgen op als een aarzeling. 'Ik weet dat het in jouw ogen misschien niet zo belangrijk lijkt. Maar dit project is nog maar het begin, dat beloof ik je. Hierna kun je op mijn kantoor aan je eigen projecten gaan werken. We zouden...' Hij haalde diep adem. '... partners kunnen worden.'

'Partners?' Ik keek hem vol ongeloof aan. 'Waarom wil je dat?'

Hij bloosde. 'Omdat ik je nodig heb.'

'Mij? Waarom heb je mij nodig?'

Hij keek ongemakkelijk en gaf geen antwoord. Toen zei hij ernstig: 'Ik heb een probleem, weet je. Ik val niemand op, ik ben gewoon een Fransman zoals er zoveel zijn. Bruin haar, bruine ogen, bleke huid. Saai. Maar jij,' zei hij met een bewonderende blik, 'bent onvergetelijk. Met je Indiase schoonheid, je grote geheimzinnige bruine ogen.' Hij zweeg even. 'Ik wil je het gezicht van mijn bedrijf maken.'

Deel vijf

Een

Marc wist heel goed wat hij deed. Binnen de kortste keren was ik de fusionkoningin van Parijs. Ik kookte natuurlijk niet, dat deed 'Bob', de New Yorkse kok die geen gevoel voor humor had. Hij was half-Vietnamees, half-blank en geadopteerd door rijke Zweedse ouders die in Californië waren gaan wonen om aan de hoge belastingen in hun eigen land te ontsnappen. Bob ging op zijn zestiende van school en nam een baantje aan als afwasser op een cruiseschip dat over de Stille Oceaan naar Japan voer. Hij leerde koken omdat hij een hekel aan afwassen had. Toen hij vier jaar later via India naar Amerika terugkeerde, opende hij een restaurant in New York waar hij fusion serveerde, zoals hij het noemde. Daar had Marc hem ontmoet. Ik had al snel door dat Bob in het gunstigste geval een middelmatige kok kon worden genoemd: hij wist niet hoe hij met specerijen om moest gaan. Voor Marc was dat echter geen probleem. Bob zelf was namelijk niet mooi of exotisch genoeg en daarom regelde Marc voor ons tweetjes een kookprogramma op tv. Bob mocht zo uitzinnig doen als hij maar wilde, minstens twee keer in de uitzending woedend worden en het halfgare eten over mij, zijn onhandige hulpje, heen gooien. Het ging erom dat we eten maakten dat er ontzettend mooi uitzag. Ik kreeg de taak om de gerechten te 'ontwerpen' die Bob op tv zou maken.

Dankzij het programma boekten de fusionrestaurants meteen succes. Binnen een paar weken was Marcs bedrijf beroemd en werd het dankzij Annelise in de pers omschreven als 'een van de succesvolste kleine bedrijven van Europa', gespecialiseerd in 'ongewone opdrachten'. Marc wilde per se mijn kleren uitkiezen en nam me overal mee naartoe, aangekleed als een exotische paradijsvogel. Al snel was mijn gezicht weer in de bladen te zien.

Totdat de dag aanbrak waarop ik mijn problemen met mijn *carte de séjour* niet langer voor Marc kon verbergen. De productiemaatschappij wilde weten hoe en op welke rekening het geld moest worden overgemaakt.

'Hoe heb je zo stom kunnen zijn? Waarom heb je me dit niet eerder verteld?' barstte hij uit toen ik de situatie aan hem had uitgelegd.

'Ik heb het geprobeerd, maar ik raakte zo meegesleept door het werk dat ik het... vergat. Kun je niet gewoon een nieuwe voor me regelen?'

'Ben je gek?' Hij keek me vol walging aan. 'Ik kan de vreemdelingendienst moeilijk vertellen dat een van de nieuwste Franse tv-sterren een illegaal is. Dan zou ik de bak ingaan.'

Ik was ontzet. 'Dat wist ik niet. Kun je helemaal niets doen?'

Hij wierp me een kille blik toe. 'Nee, nu is het te laat. Ze zouden te veel lastige vragen gaan stellen.'

Hij ontsloeg me echter niet, maar zorgde ervoor dat de tv-producent mijn loon aan een vriendin van hem overmaakte. Vervolgens nam die vriendin het geld op en gaf het aan Marc, die het weer aan mij gaf – na aftrek van commissie. Marc zei dat het niet meer dan redelijk was dat de 'vriendin' voor haar diensten werd beloond. Toch bleef het riskant. De belasting lette altijd op afwijkingen. Hij zei dat ik dankbaar moest zijn. En dat was ik ook. Heel erg dankbaar. Ik ging de boekhouding doen en deed alle klusjes op kantoor. Toen ik daar niet meer tevreden mee was, nam ik meer werk op me en ging ook meer onderzoek doen.

Toen ontdekte Marc hoe ik me nog nuttiger kon maken. Toen de tv-serie was afgelopen, stond ons bureau niet meer in het middelpunt van de belangstelling. Marc ontdekte dat iets ongewoons of exotisch je tot een bepaald punt kon voeren, maar niet verder. Hij besloot de meer gevestigde namen te benaderen. Hij stelde een lijst van onopvallende bedrijven op en begon die 'over te halen' om meer geld aan publiciteit te besteden, waarbij hij mij als lokaas inzette. De toekomstige klanten, niet bijster succesvolle managers die waren weggepromoveerd naar de pr-afdeling, voelden zich altijd gevleid door mijn aandacht. Ik gaf hun het gevoel dat ze belangrijk waren, zodat ze maar weinig aanmoediging nodig hadden om over zichzelf te vertellen. Het duurde nooit lang voordat ze mij waren vergeten en helemaal opgingen in hun verhalen. Wanneer hun verhalen zo pijnlijk werden dat ze niet meer verder konden gaan, wendden ze zich dankbaar tot mij. 's Morgens wrong Marc hun dankbaarheid tot en met de laatste druppel uit, terwijl ik me in de schaduwen terugtrok.

Ik haatte wat ik deed, maar hoewel ik mezelf haatte, boeiden de verhalen van de mannen me. Wanneer ik naar hen zat te luisteren en deelgenoot van hun levens en hun gevoelens werd, vergat ik in wezen dat ik een illegale vreemdelinge was.

Toen ik het niet langer kon verdragen, probeerde ik er met Marc over te praten. Hij schonk me echter alleen maar een charmante glimlach en raadde me aan om met Olivier te trouwen. '*Et voilà*, dan heb je je Franse paspoort en zijn je problemen voorbij.' Maar wat Olivier aanging, was ik vastbesloten. Ik zou Olivier niet gebruiken. Niets mocht onze liefde bezoedelen, vooral niet iets vernederends als dit. In Nairobi trouwden alleen secretaresses, van het soort dat in de goedkope hotelletjes in het centrum als prostituee iets bijverdienden, met blanke mannen om een paspoort te bemachtigen. Ik kon toch niet een van hen worden? Hoe zou ik kunnen leven met de wetenschap dat Olivier dacht dat ik alleen met hem getrouwd was om een paspoort te krijgen? Ik probeerde dit aan Marc uit te leggen, maar hij haalde nonchalant zijn schouders op. 'Zo is het leven, *ma belle*, soms moet je water bij de wijn doen.'

En dus deed ik water bij de wijn. Alles stond in het teken van overleven. Ik dacht niet meer aan de toekomst. Ik leefde van het ene project naar het andere en wachtte tot de dag aanbrak waarop Marc genoeg van me zou krijgen en me zou ontslaan. Ik hield als een havik al zijn bewegingen in de gaten en probeerde elke handeling van een betekenis te voorzien.

Zes maanden werden negen maanden, en toen was het al een jaar. Ik beloofde mezelf dat ik snel zou opstappen. Na nog één feestje. Misschien zou ik op het volgende feestje wel een belangrijke minister ontmoeten die ik persoonlijk om een paspoort kon vragen. Ik weigerde echter halsstarrig om Olivier deelgenoot van mijn zorgen te maken.

De spanning van een dubbelleven begon zijn tol te eisen. Ik kookte niet meer voor Olivier. We gingen zelfs niet meer samen uit eten. Ik had er geen tijd meer voor. Mijn avonden waren vol. Er ontstond een stilte tussen ons, een stilte die zwaar was van pijn. Alleen de muziek bleef, een krachtige draad die ons samenbond op een manier die woorden overbodig maakte.

Ik begon last van nachtmerries te krijgen.

Twee

Op een dag versliep ik me en kwam pas na twaalven op kantoor aan. Ik had een lange, vermoeiende nacht achter de rug waarin ik tevergeefs had geprobeerd om de slaap te vatten, totdat ik een slaappil nam en akelig levensechte dromen me terug naar een lome slapeloosheid trokken. Ik droomde weer dat ik een rat was. Ik was op de vlucht voor een metro en viel in een donker gat. Ik viel maar door, totdat ik uiteindelijk boven op een veelkleurige wereldbol landde die als een bezetene om zijn as draaide. Omdat ik geen grip op het harde oppervlak kon krijgen, gleed ik voortdurend weg. Telkens wanneer ik me even met mijn teen wist vast te houden, lichtte het land onder mijn pootjes op. Ik kon me echter niet vastklampen en gleed steeds weer verder naar een andere plek, waardoor ik steeds uitgeputter raakte. Ik had die droom al veel vaker gehad, maar deze keer werd ik wakker omdat ik van de globe viel.

De Spaanse receptioniste keek op toen ik het kantoor binnenwandelde. Ze perste haar lippen afkeurend opeen en keek op haar horloge. Ik deed net alsof ik het niet zag en liep de trap op naar mijn werkkamer.

Ik bereikte de veilige haven die mijn kamer was. Snel deed ik de deur dicht en leunde ertegenaan, terwijl ik met de ogen van een vreemde naar de kamer keek. Alles was netjes en ordelijk: papieren in keurige stapeltjes, pennen en potloden in hun eigen bakjes, mijn post op het vloeiblad voor me, en de computer en het toetsenbord keurig evenwijdig aan de randen van de tafel.

Ik hing mijn jas op en zette de computer aan. Terwijl ik wachtte tot het apparaat was opgestart, dacht ik aan alle dingen die ik gisteren vergeten was te doen. Ik pakte de telefoon en draaide het nummer van Marc, maar hij was in gesprek. Ik richtte me weer op de computer en bladerde door de lijst met bestanden, me afvragend hoe het bestand ook alweer heette dat ik hem gisteren had moeten geven. Geen enkele naam kwam me echter ook maar enigszins bekend voor.

In gedachten nam ik stap voor stap het gesprek met de Amerikaanse klant van gisteravond nog eens door. Hij werkte voor een bedrijf dat apparatuur produceerde waarmee restaurants geurloos konden worden gehouden. Toch had hij een shirt gedragen waarop in grote zwarte letters I LOVE GARLIC stond. Hij was ingenieur en beschreef elk apparaat dat hij had uitgevonden liefdevol tot in het kleinste detail, van de speciale afzuigventilatoren voor keukens tot en met het materiaal voor ovens. De hele avond had hij me geen enkele keer aangekeken. Uiteindelijk had Marc aangegeven dat ik weg kon gaan, en dat had ik gedaan. Had Marc vandaag een afspraak met hem? Had Marc daarom gezegd dat ik vanmorgen best wat later op kantoor mocht komen? Hoe kon hij geld verdienen aan apparatuur die eten van zijn geuren beroofde? Waarom zou iemand reukloos voedsel willen eten? Ineens herinnerde ik me hoe het bestand heette waarnaar ik op zoek was.

Ik tikte het woord *papaja* in en het bestand verscheen op het scherm. Door de vernuftige veelkleurige grafieken, de ronde diagrammen, de stroomschema's en de dichtbedrukte tekstkolommen zag het document eruit als een leerboek. Ik ging naar het einde van het document. Het woord *Conclusie*, met eronder een leegte, staarde me aan. De geluiden van het kantoor drongen steeds minder tot me door toen ik met elke zenuw trachtte na te denken. Het tikken van het klokje op mijn bureau klonk steeds luider, totdat het leek alsof er op pauken werd geramd. Ik gaf het op. Mijn hoofd voelde aan als de binnenkant van een Afrikaanse trommel, en de ritmes van de trommelaar werden steeds wilder. Ik moest ophouden. Even pauze nemen.

Ik liep door de korte gang naar de werkkamer van Marc. Zijn secretaresse stond op en plantte haar grote lichaam midden voor zijn deur. 'Hij is met mensen in een bespreking,' zei ze ernstig. Ze klonk alsof ze ervan genoot.

'Wat voor mensen?' vroeg ik gejaagd. 'Waarom mag ik niet naar binnen?'

'Hij zei tegen me dat hij niet gestoord wilde worden, zelfs niet door u,' antwoordde ze ferm.

Ineens ging de deur open en er kwamen vier mensen naar buiten, die allemaal tegelijk liepen te praten. Ik kende de drie mannen die bij Marc waren niet, maar ze leken Marc wel goed te kennen. Er was geen spoor te bekennen van de aarzeling en beleefdheid die kenmerkend was voor toekomstige klanten die eens een kijkje bij ons kwamen nemen. Marc zag me meteen, maar deed net alsof hij in gesprek was met de kleine, bebaarde man naast hem. Ze liepen langs me heen en ik wilde me net als Marcs secretaresse al automatisch op de achtergrond houden, maar op het allerlaatste moment voelde ik de behoefte om zelfbewust voor hen te gaan staan.

'Hallo, ik was net op weg naar je,' zei ik luid.

'Leela!' Marc deed net alsof hij verbaasd was. Hij kuste me hoffelijk op beide wangen. 'Wat fijn om je te zien. Ik dacht dat je vandaag niet beschikbaar zou zijn,' zei hij. 'Ik wilde net met mijn gasten gaan lunchen.'

Hij loog. Mijn argwaan was onmiddellijk gewekt. Ik glimlachte zo goed als ik kon. 'Dat is mooi. Ik heb ook nog niet geluncht,' zei ik, terwijl ik mijn hand op zijn arm legde.

Marc leek in de war. De anderen keken naar hem en toen geïnteresseerd naar mij. Hij maakte zich los uit mijn greep. 'Je moet vast nog een hoop doen voor het Challandproject,' zei hij luid, en hij probeerde gezaghebbend te klinken. 'Ik kom wel even kijken wanneer ik weer terug ben.'

'Nee, ik heb het overzicht dat je wilde hebben al af,' zei ik. 'De secretaresse is het voor me aan het printen. Je hebt me zo hard laten werken dat ik nog geen tijd heb gehad om te eten,' zei ik, terwijl ik een fraai pruilmondje trok.

De kleine donkere man naast Marc die me zo geboeid had gadegeslagen, mengde zich in het gesprek. 'Ik hoop dat madame ons wil vergezellen voor de lunch. Het zou mij in ieder geval een genoegen zijn,' zei hij met een zwaar Spaans accent. Ik keek hem aandachtig aan. Hij had peper-en-zoutkleurig haar, een donkerbruine snor en een keurig klein baardje. De snor en baard vormden een kring rond zijn mond, en binnen die donkere kring zagen zijn lippen er heel erg rood uit. Hij wendde zich tot Marc. 'Wie is deze beeldschone dame? Waar heeft u haar verborgen gehouden?'

Marc kneep zijn ogen tot spleetjes. Hij keek eerst naar de man en toen naar mij. Er verscheen een bekende, berekenende blik in zijn ogen. Hij schonk me een veelbetekenende glimlach en wendde zich tot de klant. 'Ik heb haar niet verborgen gehouden, ik wilde haar gewoon niet storen. We werken hier allemaal voor onszelf,' zei hij gladjes. 'Leela Patel. Ze is mijn rechterhand hier.'

Ik keek naar zijn in elegante wol verpakte rug toen hij naar buiten liep om twee taxi's aan te houden en dacht aan al die klanten met wie ik hem dankzij de connecties van Olivier in contact had gebracht.

De klant stelde zichzelf voor als Alfredo Castellano. Hij was Mexicaan en adjunct-directeur van Amber Productions, afdeling Latijns-Amerika. 'Zeg maar Alfredo,' zei hij knipogend. 'Ik doe niet graag formeel tegen mensen die ik aardig vind.'

Verbaasd sperde ik mijn ogen open. Amber Productions was van origine een bedrijf uit Texas dat inmiddels was uitgegroeid tot de grootste tv-productiemaatschappij ter wereld. Het bedrijf produceerde van alles, van videoclips en nieuws tot talkshows en soaps. Het was ook uitgever van een groot aantal culinaire en vrouwenbladen. De oudere man, een Amerikaan met een edele neus en een bos wit haar, was Douglas Ambrey, de adjunct-directeur van de afdeling marketing van Amber USA.

'Hoe maakt u het?' We schudden elkaar de hand. Hij keek me met onpersoonlijke, lichtbruine ogen aan en richtte zijn blik toen ongeduldig op de straat.

De derde man, een knappe Amerikaan, stelde zichzelf voor als Ray MacArthur, hoofd pr.

Ik glimlachte naar hem, maar hij reageerde niet en keek op zijn horloge.

'Zijn we allemaal klaar om te gaan?' Marc kwam de hal in en voerde ons snel mee naar de wachtende taxi's.

Hij hielp meneer Ambrey de eerste taxi in. De pr-man ging snel voorin zitten. Voordat Marc naast de oudere man instapte, zei hij tegen me dat ik samen met Alfredo Castellano de tweede taxi moest nemen en snel naar Talbeys op de Place Clichy moest gaan. In de taxi zei de Mexicaan erg weinig, maar ik merkte dat hij naar mijn borsten keek. En het kon me onmogelijk ontgaan dat zijn warme dij de mijne raakte. Ik keek door het raampje naar de regen en zag de straten voorbijglijden.

Toen we eindelijk in het restaurant aankwamen, stond de gerant al bij de ingang op ons te wachten. Het leek hem enigszins te verbazen dat we met een persoon meer waren, maar hij gebaarde snel naar de obers dat ze een extra stoel neer moesten zetten. Hij babbelde ontspannen met Marc, die hier vaak oesters kwam eten, en leidde ons na een paar minuten plechtig naar een lege tafel in het midden van de ruimte. Het restaurant zat redelijk vol. Ik voelde dat de andere gasten naar ons keken.

Aan tafel zorgde Marc ervoor dat ik naast de Mexicaan kwam te zitten. De weinig spraakzame pr-man, Ray MacArthur, nam aan mijn andere zijde plaats. Ik zag dat Marc naast meneer Ambrey ging zitten.

Ik glimlachte vanaf de andere kant van de tafel naar hem.

'Houdt u van vis, meneer Ambrey?' vroeg ik beleefd. 'Hier heeft men de beste schaaldieren van heel Parijs. Vooral de oesters zijn befaamd.'

Meneer Ambrey antwoordde droogjes: 'Nee, om eerlijk te zijn geef ik daar helemaal niets om. Ik hou niet van de lucht van vis.'

Ik probeerde mijn verbazing te verbergen, maar het lukte me niet. Toen keek ik naar Marc. Hij bloosde. Hij had zich helemaal niet afgevraagd wat zijn klanten lekker zouden vinden, maar had gewoon een tafel in zijn lievlingsrestaurant gereserveerd. Ik had zin om te lachen, en dat deed ik ook.

Ze keken me allemaal ongemakkelijk aan, maar ik kon niet ophouden. 'Het... s-s-spijt me. Ik heb te hard gewerkt,' zei ik verontschuldigend toen ik eindelijk ophield met lachen. 'Wat jammer dat u niet van vis houdt, meneer Ambrey,' zei ik. 'In Florida hebben ze lekkere vis en schaaldieren.' Ik keek naar zijn door de zon gebruinde huid.

'Maar ik kom uit Texas, en daar hebben we liever vlees,' antwoordde hij kortaf en richtte zijn aandacht weer op de menukaart. Ik voelde me gepikeerd. Hij was de belangrijkste man, anders zou Marc niet zoveel aandacht aan hem hebben besteed.

Ik deed een nieuwe poging. 'Wij Parijzenaars zien rauwe oesters met een vleugje citroen als het hoogtepunt van onze culinaire beschaving,' zei ik luid. 'Het is een uiterst verfijnd genoegen – de smaak van pijn.' Ik voelde de lucht om me heen dikker en kouder worden, maar ik had in ieder geval Ambreys aandacht getrokken. 'U zou het eens moeten proberen. Volgens sommige mensen zijn oesters een lustopwekkend middel.'

'Het maakt niet uit,' viel Marc me snel in de rede, zich tot meneer Ambrey wendend. 'Er staan ook nog andere gerechten op het menu. De eend is erg goed, een *spécialité de la maison*,' zei hij. Hij moest zich wel erg opgelaten voelen, besefte ik, anders zou hij wel hebben geweten wat dat in het Engels was.

Ik wendde me tot Ray MacArthur. Hij keek met een wezenloze blik naar de menukaart. Ik kon merken dat hij geen Frans kon lezen. Ik kreeg medelijden met hem omdat ik nog niet was vergeten dat ik zelf zo met de taal had geworsteld.

Ik legde mijn hand op zijn arm. 'Maakt u zich geen zorgen over de kaart. Wanneer de ober onze bestelling voor de drankjes komt opnemen, zal ik hem om een Engelstalige kaart vragen.'

'Dank u.' Hij glimlachte dankbaar naar me. 'Hebben ze hier ook bier?'

'Dat weet ik niet, maar ik zal het aan de ober vragen.'

'Nee, laat maar zitten,' zei hij snel, nog steeds nerveus. 'Ik neem wel hetzelfde als de anderen.'

Er was geen spoor van de ober te bekennen. Ik wist van mijn eerdere bezoeken dat de bediening in Talbeys traag was. Traagheid gaf Amerikanen een ongemakkelijk gevoel, en dat gold ook voor deze mannen. Ik zag dat ze steeds ongeduldiger werden.

'Vertelt u eens, waarom wendt een groot bedrijf als het uwe zich tot ons?' vroeg ik aan Ray.

Hij leek een beetje van zijn stuk gebracht. Ik glimlachte bemoedigend. Hij smolt zichtbaar. 'Nou, uw bedrijf was een van de vijf die mijn afdeling heeft geselecteerd,' zei hij, ook glimlachend.

'Zeg Ray, ben je nu al alles aan het vertellen?' kwam Ambreys kille, afgemeten stem tussenbeide.

Ray bloosde. 'Ik vertel mevrouw Patel alleen maar over onze vergadering van vanmorgen,' mompelde hij.

'Ze heeft vast andere dingen aan haar hoofd,' zei Ambrey.

Ik wilde iets zeggen, maar op dat moment verscheen de ober.

'Laten we bestellen,' zei Ambrey kortaf. 'We hebben niet veel tijd.'

Ik nam als voorgerecht oesters en als hoofdgerecht zalm met een romige mosterdsaus. Marc en de Mexicaan namen hetzelfde. Ambrey en Ray bestelden salade en *canard à l'orange.*

Toen de drankjes werden geserveerd, deed ik een nieuwe poging om Ray uit te horen. Ik wilde weten hoe lang Marc al contact met hem had, hoe lang Marc dit al voor me verborgen hield. Maar deze keer ontweek hij mijn vragen.

'Ik kan zien dat u staat te popelen om te horen wat we van plan zijn,' zei de Mexicaan in mijn oor. Hij had al die tijd zitten pruilen en was boos omdat ik geen aandacht aan hem besteedde.

'Echt?' Ik keek hem een beetje sceptisch aan. Maar zijn blik was scherp en erg zelfverzekerd.

'Wat voor soort werk heeft uw bedrijf in gedachten?' vroeg ik.

'We willen kijken of we onze eigen zender in Rusland kunnen lanceren. En we hebben iemand nodig die ons in de markt zet. Uw bedrijf heeft al eerder in Rusland gewerkt, nietwaar?' antwoordde hij.

'Ja. Een beetje,' gaf ik toe. Ze hadden hun huiswerk gedaan. 'Maar waarom hebt u voor ons gekozen? Wij zijn zo klein.'

'Klein is mooi.' Zijn gezicht kreeg een dierlijke, gretige uitdrukking, die hij niet probeerde te verbergen. 'Weet u dat uw borsten echt een volmaakte vorm hebben? Perfect. Ik ben met stomheid geslagen door zoveel schoonheid.'

Ik wendde vol walging mijn blik af. Waarom zou ik nog moeite doen om beleefd tegen deze man te zijn?

Hij wist wat ik dacht. 'Ik ben machtiger dan u denkt. Weet u hoe de macht binnen Amber Productions is verdeeld?' vroeg hij zacht.

'Nee,' gaf ik toe. Het was boeiend om te zien hoe zijn gezicht veranderde. De honger maakte zijn trekken scherper. Ik keek over de tafel heen naar Marc. Hij was in een gesprek met Ambrey verwikkeld. Marc gebaarde alsof hij een golfbal in een hole sloeg. Ik wendde me weer tot de Mexicaan.

'Het bedrijf werkt met franchises. Ik ben eigenaar van de Zuid-Amerikaanse kabelzender die de producten van Amber uitzendt. We produceren ook onze eigen programma's die op een bepaald taalgebied of een bepaald land zijn toegesneden en die we weer aan Amber USA of aan Amber-franchises in Japan, Australië, India of waar dan ook verkopen. De meeste programma's worden momenteel in Latijns-Amerika gemaakt en verkocht, en wij zijn dan ook de dikke melkkoe die de Russische investeringen mag financieren.'

Mijn ogen werden groot toen ik deze informatie probeerde te verwerken. Hij keek me vol zelfvertrouwen aan.

Op dat moment werd het eten geserveerd. De ober zette een ovaal porseleinen bord voor me neer. Het lag vol met ijsblokjes en was bedekt door een zilveren deksel. Toen de warme lucht in het restaurant in contact kwam met het koude ijs, steeg er een damp op. Ik sloot vol verwachting mijn ogen, verlangend naar het moment waarop de ober de deksel zou optillen. Hij serveerde de anderen en tilde toen plechtig de deksels op. De Mexicaan gaf me een kneepje in mijn dij. De geur van de oesters steeg op. Ik verstijfde van schrik.

'Wacht even,' zei ik op scherpe toon. De ober, die net de deksel van Marcs bord optilde, bleef staan. Hij keek me aan.

'Deze oesters zijn dood.'

De mond van de ober viel open. Een paar verbijsterde seconden lang zei niemand iets. Toen zei de ober: 'Maar... maar mevrouw. Dat kan niet.'

Ik keek hem kil en onbewogen aan.

Hij keek wanhopig om zich heen. De anderen keken hem uitdrukkingsloos aan en richtten hun blikken toen op mij. Ik stond op en liep om de tafel heen naar de ober toe.

'Die oesters zijn dóód.'

'Maar... maar de kok, die haalt ze elke dag zelf.' De ober was zo van zijn stuk gebracht dat hij de deksel uit zijn hand liet vallen. Die kletterde op de vloer. Hij deed een paar stappen naar achteren. Zijn ogen zochten naar de gerant, die direct achter ons kwam staan. 'Madame, is er iets aan de hand?' vroeg hij gladjes.

'Uw oesters zijn dood,' zei ik tegen hem.

Hij keek ontzet. Toen kreeg hij zichzelf weer in de hand en werd hij de verbeelding van woedende onschuld.

'Dat kan niet waar zijn. We serveren hier alleen oesters die uiterst vers zijn. We zijn trots op de versheid. U hebt het mis.'

Even twijfelde ik, maar toen zei ik ferm: '*Je suis desolée.* Maar als het om eten gaat, heb ik het nooit mis.'

'Maar u heeft nog geen enkele oester aangeraakt.'

'Ik hoef niet te proeven. Ik ruik het zo wel.'

'*C'est impossible.*' Hij stak zijn ongeloof niet onder stoelen of banken.

De mannen aan tafel rilden van opluchting. Ik negeerde hen en richtte me op de gerant. Hij was degene die ik moest overtuigen. Ik ging voor hem staan en versperde hem de weg. 'Het is waar. Ik ruik het en mijn neus liegt niet.'

De mond van de gerant vertrok zich spottend. Zijn neus trilde. Hij draaide zijn rug naar me toe en wendde zich tot de mannen aan tafel. Hij zei overdreven vriendelijk tegen Marc: 'Meneer Despres, u bent een kenner. Alstublieft, proeft u de oesters en vertelt u me wat u ervan vindt.'

'Hij vindt helemaal niets,' onderbrak ik hem. 'Hij heeft niet zo'n goede neus als ik.'

'Leela, wacht even. *Calme-toi*!' Marc stond rustig op, glimlachte naar de zwijgende mannen en kwam bij ons staan. 'Toe nou, Leela, denk een beetje aan Henri hier. Hij is van zijn stuk gebracht.'

'Aan hem denken? Waarom moet ik aan hem denken? Hij wil me voor leugenaar uitmaken,' antwoordde ik snel, met een boze blik op de gerant. 'Hij geeft ons dode oesters en probeert het dan te ontkennen. Wie denkt hij wel dat ik ben? Een buitenlander?' Ik wendde me tot Marc. 'Vertel het hem, Marc, vertel hem wie ik ben.'

'Leela. *Détends-toi.*' Marc legde zijn handen op mijn schouders en trok me zachtjes bij de tafel vandaan. 'Kom, dan gaan we even naar buiten en praten we hier als verstandige mensen over.'

Hij leidde me in de richting van de uitgang.

'Verstandig? Ik ben verstandig,' mopperde ik. 'Hij is onverstandig als hij denkt dat hij dit kan maken.' Ik keek boos naar de gerant die nog steeds protesterend achter ons aan kwam.

'Goed, goed, maar je hoeft hier niet zo'n scène te trappen,' fluisterde Marc. 'Iedereen kijkt naar je.' Ik keek om me heen en zag dat iedereen me aankeek. Ik was tevreden. Ze mogen allemaal weten hoe goed ik kan ruiken, dacht ik, maar toen merkte ik dat hij me naar de deur leidde.

Ik bleef staan en draaide me om. 'Je liegt,' siste ik. 'Die oesters waren hartstikke rot. Ik weet het gewoon. Ik heb de beste neus van de hele wereld.'

Marc trok mijn arm bijna uit de kom toen hij me wegsleurde.

Ten slotte stonden we buiten.

'Het spijt me, Leela,' zei Marc toen we met zijn tweetjes waren, 'maar ik moest je daarvandaan halen. Je maakte een scène.'

Ik keek echter niet naar hem, maar verbaasd naar de hemel. Die was blauw, en het was buiten zonnig. Het regende niet meer. Het terras van de aangrenzende Val Nombreuse zat helemaal vol. Het wemelde op straat van de mensen. 'Ik ben geen klein kind, hoor,' zei ik ten slotte. 'Ik weet heel goed dat ik een scène trapte. Zijn oesters waren bedorven. Het was zijn verdiende loon.'

Ik hield even op om adem te halen, maar voordat hij iets kon zeggen, ging ik weer verder, zijn voorzichtige toontje imiterend: 'Ik beschermde onze zaak. Denk je dat ze ons hadden ingehuurd als ze na de lunch ziek waren geworden? En je zat met de verkeerde te praten. De hoge piet is die Mexicaan, en ik heb hem in mijn zak zitten.'

Ik keek Marc triomfantelijk aan, maar hij begreep vast niet wat ik had gezegd, want hij reageerde niet.

'Marc, zeg nu iets. Ben ik niet slim?' vroeg ik.

Het was alsof hij me nog steeds niet had gehoord. Hij keek me met een vreemde blik aan. 'Gaat alles goed met je?' vroeg hij uiteindelijk.

'Natuurlijk gaat het goed. Waarom zou het niet goed gaan? Heb je me gehoord? Die Mexicaan is degene die we in de watten moeten leggen, niet Ambrey. Hij heeft het geld voor de Russische onderneming.'

Marc kreeg een wezenloze blik in zijn ogen en staarde naar de straat.

'Wat is er, Marc? Waar kijk je naar?' Ik pakte zijn arm vast. 'Waarom luister je niet naar me?' Toen merkte ik dat zijn neus bewoog. Hij sperde zijn neusgaten open en snuffelde, alsof hij op zoek was naar frisse lucht. Een vlaag van vreselijke angst overspoelde me. Ik begon te zweten. Marc haalde mijn hand van zijn arm en liep weg, naar de beschutting van de ingang van het restaurant. Verslagen zag ik hem weglopen. Oesters en parfum. Dat was het enige waaraan ik kon denken, de geur van oesters en parfum. Ik haalde me die geur voor de geest en klampte me eraan vast. Ik had een goede neus, daar was niets mis mee. Toen hoorde ik dat Marc iets tegen me zei, en de mist om me heen trok een beetje op.

'Maar je moet jezelf echt een beetje in de hand houden,' zei hij. 'Je gedrag... is schadelijk voor het bedrijf. Je bent de laatste tijd veel te agressief.' Zijn neusgaten gingen nog even open en bewogen toen niet meer.

Het was mijn geur. Dat probeerde hij tegen me te zeggen. Ik wist het. De stank was terug, alleen kon ik hem nu niet ruiken. Paniek vervulde me. Ik begon te trillen.

'Is alles in orde?' vroeg hij. 'Met Olivier, bedoel ik.'

'Natuurlijk. Waarom vraag je dat?' snauwde ik. Waarom zei Marc niet gewoon dat ik stonk en dat ik daarom kon vertrekken? Waarom bleef hij zo beleefd?

'Goed. Het zijn mijn zaken niet,' zei hij sussend. 'Maar ik maak me zorgen. Ik wil je helpen.'

'En ik wil jou helpen, ook al weet ik dat je me buitenspel probeert te zetten.'

Hij keek me met een vreemde blik aan. Ik wachtte tot hij toe zou slaan.

Ineens zei hij: 'Het spijt me dat ik het vraag, maar ben je soms zwanger?'

Ik barstte los: 'Ben je gek geworden, Marc? Denk je dat ik mezelf de kans zou geven om zwanger te worden?' Ik wist nu zeker dat hij het had geroken. Iedereen wist dat zwangere vrouwen zichzelf niet konden beheersen en op de vreemdste momenten begonnen te zweten, dat ze opvliegers hadden en dat hun lichaamsgeur veranderde. Waarom zou hij anders denken dat ik zwanger was?

'Rustig, niet zo hard.' Hij keek beschaamd om zich heen.

'Ik zou rustig zijn als jij niet zo dom deed,' zei ik ruw. Ik besloot om voor de aanval te kiezen en net te doen alsof er niets aan de hand was. 'Kom, dan gaan we weer naar binnen.' Ik liep in de richting van het donkere binnenste van het restaurant.

'Nee.' Marc hield me tegen. 'Je kunt niet terug naar binnen. Je hebt jezelf te schande gemaakt.'

Ik bleef staan. Zijn stem klonk zo beslist dat het een opluchting was.

'Weet je het soms al?' vroeg ik met hese stem. Ik keek hem smekend aan. 'Het waren niet de oesters...'

'Nee.' Hij schudde met een onmetelijke droefheid zijn hoofd. 'Het waren niet de oesters.'

We keken elkaar zwijgend aan. In zijn ogen waren angst en, erger nog, walging te lezen.

'Ik denk dat je gelijk hebt,' zei ik langzaam. 'Ik voel me al een tijdje niet zo best. Ik denk dat ik maar naar huis ga. Even liggen. Die hoofdpijn.' Ik hield mijn hand voor mijn ogen. Tussen mijn vingers door keek ik naar zijn gezicht.

Hij keek opgelucht. 'Ja. Ga er even tussenuit. Je hebt veel te hard gewerkt.'

‘Bied hun maar mijn verontschuldigingen aan,’ zei ik snel. Ik draaide me om naar de straat. ‘En zeg tegen die Mexicaan dat hij het nummer van zijn hotel op mijn antwoordapparaat kan inspreken.’

‘Dat is niet nodig,’ zei Marc beslist. ‘Ga nu maar naar huis en vergeet de hele zaak. Rust maar lekker uit.’ Hij draaide zich om en liep naar binnen.

Ik wilde dat hij zich om zou draaien, maar dat deed hij niet.

Toen de deuren achter hem dichtvielen, greep de paniek me naar de keel. Ik zag dat hij behoedzaam door het restaurant liep. Zijn schouders hingen af toen hij ging zitten. Hij scheen opgelucht te zijn dat hij me kon vergeten, me onder tafel kon vegen.

Drie

Een andere wereld. Van me gescheiden door een dunne laag glas. Ik druk mijn hoofd tegen het glas. Aan de andere kant zit een ouder paartje me aan te staren. Ze zien er bang uit. Ze fluisteren iets tegen de ober en wijzen. Hij draait zich om en kijkt ook naar me. Zijn blik is leeg en hard. Ik verroer me niet. Hij haalt zijn schouders op en trekt de stoel van de geschrokken vrouw onder de tafel vandaan. De echtgenoot, een breekbare, witharige man, pakt beschermend haar arm beet. Ze lopen achter de ober aan. Het restaurant wendt zijn gezicht van me af en ik sta alleen op straat. Ik draai me om en begin te lopen. Het wemelt op straat van de mensen. Afrikanen, Chinezen, Indiërs, Fransen, Tamils. Het ziet er rommelig uit, al die vormen en kleuren en gedaanten van die verschillende buitenlanders tegen de achtergrond van de oude chique gebouwen en geheime binnenplaatsen. De bourgeoisie die nog steeds in die binnenhoven woont, heeft zich teruggetrokken achter gepantserde deuren van gietijzer. De straten zijn nu in handen van de werklozen, de hongerigen, de stinkerds, die ze met hun grenzeloze, onuitsprekelijke verlangens vullen. Ik hoor niet bij hen. Ik hoor daarbinnen, in een restaurant of een opgeruimd appartement, waar elk voorwerp begeerte moet opwekken. Ik hoor thuis op een rustige plek, vol eten en parfums, en de subtiele troost van wol en rook.

Maar die kunnen je stank niet verbergen, zegt een gemeen stemmetje tegen me.

Ik loop dus snel over de Avenue de Clichy. Ik loop doelbewust, met een peinzende frons op mijn gezicht. Anderen om me heen zien er net zo uit. Magere mannen in versleten pakken met nepleren tassen onder hun arm. Ik ken hun soort. Ze komen elke dag naar kantoor, met aktetassen vol cv's. Daarna gaan ze naar een kroeg, waar ze tot middernacht zitten te zuipen. De geur van de kroeg achtervolgt hen tot op kantoor, en wanneer ze weer vertrekken, blijft de lucht hangen, vermengd met die van kopieerapparaten die uit hun cv's opstijgt.

Ik loop langs seksshops waar kogelronde mannen naar me roepen, me geld aanbieden, me van alles aanbieden als ik voor hen wil poseren, als ze me mogen aanraken. Ze lijken mijn dure kleren niet te zien. Ze ruiken alleen mijn geur. Ze steken gretig hun handen naar me uit, als honden die een loopse teef ruiken.

Ik begin te rennen. Langs de Place Pigalle met het reusachtige rode rad van de Moulin Rouge, langs felverlichte restaurants vol toeristen met hongerige, lege gezichten en boodschappentassen in hun handen geklemd, langs piepkleine winkeltjes waar het vlees langzaam in de etalages hangt te zweten. Ik ren erlangs, langs de kinderwagens en zuigelingen, de mannen en de vrouwen, de pooiers, de dealers, de handtastelijken. Ik ren langs hen allemaal omdat ik sneller ben. De wind blaast door mijn haar. Hij snijdt door mijn kleren en koelt mijn huid af, waardoor mijn botten aanvoelen als glas. Maar de stank volgt me nog steeds, houdt me bij, verraadt al mijn bewegingen.

Ik ren struikelend vooruit, links, rechts, en dan weer rechts een andere straat in. Langzaam sterft het lawaai van de boulevard weg. Ik zie steeds minder winkels. De straat is rustig. De gebouwen zijn hoger, trotser, grijs en oud. Ze weten dat ze de tijd hebben weerstaan.

Het trottoir wordt smaller. De mensen verdwijnen. De huizen slingeren als linten naar voren en naar achteren. Ik ga weer rustig lopen. Ik kijk omhoog naar de gebouwen. Houten luiken op de eerste verdieping. Ramen met gordijnen op de tweede.

Planten op de vijfde. Waar zal ik naar binnen mogen? Er verschijnt een scheur in de poort van zwart staal, en er komt een man uit. Voorzichtig gluurt hij naar buiten. In zijn ene hand heeft hij een helm en in de andere een tas. Hij heeft een plek gekozen zonder hondenstront, rommel of betrokkenheid. De straat is gevaarlijk, zeggen zijn voeten in de schoenen met hun dikke zolen tegen me. Hij probeert zijn gezicht zo onbewogen mogelijk te laten zijn, maar wanneer hij ziet dat ik naar hem kijk, verschijnt er een angstige blik in zijn ogen. Hij draait zich om en doet zorgvuldig de deur naar zijn wereld op slot. Hij voelt nog even of die echt op slot zit. Zijn leren jack glanst in het late oktoberlicht. Voorzichtig steekt hij de straat over. In een flits is hij verdwenen, op rubberen vleugels de straat uit gesneld.

Ineens word ik overvallen door een bekend gevoel. Ik ben hier eerder geweest. Ik loop verder en ga de hoek om. In de afgesloten binnenhoven is een huis met een tuin en twee kinderen waar ik heen moet. Kinderen zijn wilden. Ze vinden sterke geuren niet erg. Ik moet het vinden, het huis van de walvissen. Dan hoef ik me alleen nog maar de code te herinneren. Dan zal ik door de ijzeren poort wandelen en het verleden uitwissen.

De gebouwen worden strakker en hebben hier allemaal dezelfde gladde witte gevels. De straten zien er hetzelfde uit. Hun eenvormigheid is bedrieglijk. Een kindermeisje loopt voorbij, haar tas vol wantrouwen in de hand. Ze trekt haar neus op, en ik bloos van schaamte. Ik draai me om en loop de andere kant op, zonder te stoppen. De straten worden een achtergrond voor mijn bewegende schaduw. Ik weet niet meer waar ik ben. De huizen worden kleiner en staan dichter op elkaar.

Ik sla een lelijke straat in. Op de begane grond van de gebouwen zijn duistere winkeltjes. De etalages zijn slechtverlicht en geheimzinnig, de mensen en de goederen aan het oog onttrekkend. Voor sommige ramen zijn planken getimmerd. Aan andere gebouwen hangen korte waslijnen die bijna bezwijken onder de felgekleurde kledingstukken met kloeke motieven. Om de paar minuten waaien de kleren zachtjes heen en weer omdat er een vlaag lucht uit de metro door de ontluchtingsroosters naar boven stroomt. De geur van de metro hangt in de lucht, die herinnert aan beweging en de belofte van ontsnapping opwekt. Een enkele lamp, een lichtreclame van rode neon, verzacht de duisternis. Ik loop erheen. Ik moet me verstoppen. Ik moet uitrusten.

Ik duw de deur open. De houten wanden zijn oud en zuigen het zwakke gele lamplicht in zich op. Het café is bijna helemaal leeg. Er staan vier mannen aan de bar, halfverborgen in de duisternis. Wanneer ik de deur opendoe, kijken ze op, maar ik kan hun ogen niet zien. Ik kan alleen de kastelein zien, die een wit schort en een zwart vest draagt. Hij droogt de glazen af en zet ze boven zijn hoofd in het rek. Het licht valt door de glazen en op zijn kale hoofd. De stilte is aangenaam en wordt slechts verbroken door het geluid van glas dat hout raakt.

De kastelein neemt de tijd. Eerst bedient hij de drie werklui met gele helmen aan de andere kant van de bar.

Daarna loopt hij naar mij toe. 'Wat wil je?' vraagt hij onbeleefd.

'Een glas cognac,' antwoord ik.

'Het is te vroeg voor cognac,' zegt hij. De andere mannen ruiken onenigheid en kijken op.

'Dan heb je het mis,' zeg ik kalm. 'In mijn wereld is het nooit te vroeg.'

Een van de mannen aan de andere kant van de bar roept: 'Welke wereld is dat? Het apenrijk?'

Een vlaag van ergernis. 'Hou je kop, Jules. Drink je whisky op en bemoei je met je eigen zaken,' zegt de kastelein over zijn schouder. Hij geeft me de cognac.

De dampen stijgen op en verwarmen mijn gezicht. Het warme goudkleurige vocht glijdt door mijn keel en ontsmet op weg naar beneden mijn vlees.

'Dank je.' Ik glimlach.

'*De rien!*'

'Kom toch even bij me zitten, pak een borrel. Ik trakteer.' Ineens heb ik zin om te praten.

De hand die de bar afveegt, blijft stil liggen.

'Ik zei toch dat ze op zoek was naar een vent,' zegt een van de gele helmen tegen zijn maat.

'Maar jou moet ze niet, hè?' grinnikt de ander.

'*Ta gueule, tais toi*,' zegt de eerste grommend.

'Er komen hier vast veel mensen die je met hun verhalen vervelen, hè?' zeg ik.

Hij draait zich om en slaat rustig zijn armen over elkaar.

'Maar ik ben anders, hoor.'

'Wil je nog wat?' onderbreekt hij me op ruwe toon.

'Hoe bedoel je?'

'Nog wat te drinken.'

Ik kijk naar mijn glas. Het is leeg. De patiënt heeft nog meer ontsmettingsmiddel nodig.

'Hier, neem dit maar.' Hij geeft me wijn aan. Die is ondoorzichtig en donker en ruikt medicinaal. Ik drink snel het glas leeg en vraag om meer. Hij schenkt een glas wijn in. Voordat hij het glas los kan laten, steek ik mijn hand uit en leg die boven op de zijne. Hij trekt zijn hand terug, en de wijn druppelt over mijn hand op de bar. 'Kijk uit, anders moet ik je er uitgooien.'

De lucht wordt nu sterker. Hij komt onder mijn rok vandaan. Snel laat ik me van de kruk glijden. 'Ik ga even naar het toilet,' kondig ik op luide toon aan. Achter uit de ruimte klinkt een bulderend mannelijk gelach.

'Nee, dat ga je niet.' De kastelein loopt met grote passen om de bar heen. 'Voordat je ergens heen gaat, moet je eerst betalen.'

'Maar ik ga nergens heen. Ik wil alleen maar naar het toilet.'

'Dat is goed, maar je moet eerst je drankjes betalen.'

'Goed.' Ik zoek in mijn tas naar een biljet van honderd franc. Ten slotte vind ik het en geef het aan hem.

Hij pakt het aan, haalt zilveren munten uit de beurs rond zijn middel en telt het wisselgeld uit.

'Laat maar zitten,' zeg ik pruilend.

'Je hebt een muntje nodig voor het toilet, anders zul je op de heren moeten gaan,' zegt hij, terwijl hij me een muntstuk geeft. Terwijl ik het trapje afdaal, klinkt er nog meer mannelijk gelach.

Pas veel later loop ik het trapje weer op. De kastelein is weer druk bezig om de glazen met een witte theedoek te poetsen. Voor de drinkende klanten zijn etende klanten in de plaats gekomen. Het zijn er nog maar twee, die plechtig aan de beide uiteinden van de bar zitten.

'Kan ik nog iets te drinken krijgen?' vraag ik aan de kastelein. Ik ga op een kruk in het midden zitten. Mijn kleren ruiken nog steeds naar de zure urinelucht die in het toilet hing.

'*Dis donc, encore là*?' zegt hij lachend. 'Ik wilde al een van mijn dappere klanten naar je laten zoeken.'

Ik neem niet de moeite om te antwoorden. 'Zeg, waar is mijn wijn?' vraag ik op barse toon. Het schijnt de anderen niet te deren dat ik naar het toilet ruik, en de kastelein evenmin. Ik leun dankbaar op de bar.

De kastelein pakt een glas onder de bar vandaan. Hij haalt een karaf te voorschijn en vult die met dezelfde goedkope donkere wijn. 'Maar we serveren nu maaltijden, dus je moet ook iets eten. Trouwens,' voegt hij eraan toe, 'ik wil niet dat je te snel dronken wordt.'

'Ik had de beroemdste kok van de hele wereld kunnen zijn,' vertel ik hem, 'dus je eten kan maar beter goed zijn.'

Maar de kastelein loopt al naar de keukendeur.

De man links van me vraagt: 'Ben je kok?'

Ik kijk hem kritisch aan. Zijn kleren, van de lichtbruine regenjas tot de bruine leren schoenen, zijn van het soort dat zich niets van mode aantrekt. De ogen onder het lage zware voorhoofd zijn kleine donkere gaten. Van voren wordt hij kaal, maar hij heeft de rest van zijn bruine haar in zijn nek tot een klein staartje samengebonden. Hij heeft diepe rimpels die van zijn driehoekige neus tot onder zijn bleke mond lopen. Ik zeg op kille toon: 'Dat had ik kunnen zijn, maar ik ben het niet.'

'Wat doe je dan wel?' Hij glimlacht beminnelijk.

'Ik zit in zaken,' antwoord ik.

'Echt? *Quelle coïncidence*, ik ook. Misschien kunnen we zaken met elkaar doen.' Hij schuift door naar de kruk naast me. 'Vind je het goed als we samen eten?'

Ik haal mijn schouders op. '*Ça m'est égale*.'

De kastelein zet de twee borden met eten met een bons voor ons neer. 'Noem je dit bedienen?' vraag ik kwaad.

'Ik ben hier niet om klanten te bedienen.' Hij loopt naar de andere kant van de bar.

De man naast me buigt zich naar me toe. 'Let maar niet op hem.' Hij glimlacht veelbetekenend.

Ik negeer hem. Ik moet zorgen dat ik anders ga ruiken.

We zitten zwijgend te eten.

'Vertel eens, in wat voor zaken zit je?' vraagt hij ineens.

'Ik verkoop dingen,' zeg ik kortaf.

'Ik ook. Ik heb mijn eigen bedrijf in de Auvergne. Centrale verwarming. Kunststof vloeren. Iedereen wil dat.'

'*Tant mieux*. Het is leuk om iets hebben wat iedereen wil.'

'Je bent erg verleidelijk, je weet wat je wilt,' fluistert de verkoper in mijn oor.

Ik leun vlug achterover. Ruikt hij het dan niet?

Verbijsterd kijk ik hem aan. Misschien kan hij je genezen, fluistert een klein stemmetje.

Ik draal niet. 'Laten we naar je hotel gaan,' zeg ik snel.

Hij glijdt van de kruk. Met trillende handen haalt hij het geld uit zijn portefeuille en betaalt zijn eigen rekening en die van mij.

Buiten op straat rijden de auto's geluidloos voorbij, als in een droom. Het motregent weer, en er komt damp uit onze neusgaten. Hij blijft staan en kijkt me aan. 'Mijn hotel is een paar straten verder, maar als je ergens anders heen wilt, vind ik dat ook goed.'

‘Het kan me niet schelen. Je hotel is prima.’ Gretig pak ik zijn arm beet. We wandelen de straat door.

De regen valt zacht op onze huid neer. De koplampen van de auto’s beschijnen de vallende regendruppels, zodat het net lijkt alsof ze in het licht blijven zweven. Ik heb zelf ook het idee dat ik zweef, tussen angst en hoop. Lachend knijp ik hem in zijn arm. ‘Wil je me jouw verhaal vertellen?’

Hij blijft staan. ‘Hoe bedoel je?’ vraagt hij bezorgd.

‘Ik wil alles van je weten. Je problemen, je leven, dat soort dingen. Ik kan goed luisteren. Mannen vertellen me graag allerlei dingen.’

Hij wendt zich af. ‘*Merde.* Wat heb ik nu weer voor een gek getroffen.’ Hij probeert te glimlachen. ‘Als dit jouw manier is om me meer te laten betalen, dan kan ik je nu al vertellen dat het niet zal lukken. Ik heb al jaren geen enkel vloerdeel meer verkocht.’

‘Je verkoopt geen kunststof vloeren. Misschien verkoop je wel verzekeringen.’ Ik begin te schudden van het lachen.

‘*Putain*! Van alle hoeren in Parijs...’ Hij schudt vol walging zijn hoofd. ‘*... celle-la me rendra fou.*’

Ik hoor *pu* en blijf ineens staan. ‘Wat zei je?’

Hij lijkt in de war.

‘Je zei toch dat ik stonk?’ zeg ik beschuldigend.

‘Natuurlijk niet. Waarom zou ik zoiets zeggen?’ Hij deinst met een schuldig gezicht achteruit.

‘Omdat het van je gezicht te lezen is. Je vindt dat ik stink.’

Vol ongeloof schudt hij zijn hoofd. ‘Je bent echt gek. Dat heb ik weer.’

‘Hoe bedoel je, dat heb jij weer? Ik heb het weer. Ik zit met een gek opgescheept die vindt dat ik stink.’ Ik draai me om en schreeuw naar de voorbijgangers.

‘Ssst.’ Hij houdt zijn hand voor mijn mond. Ik bijt en proef zijn bloed. Hij duwt me van zich af en loopt weg.

Ik ren hem achterna. ‘Wacht.’ Ik pak zijn hand en druk die

tegen mijn borst. 'Hoor eens, het spijt me. Ik... neem me mee. Ik zal proberen om niet te stinken... en... en na een tijdje merk je het niet meer, dat beloof ik.' Ik moet rennen om hem bij te kunnen houden.

'Nee, laat me los. Geschift wijf.' Hij laat me struikelen. Ik val, maar blijf zijn arm vasthouden terwijl mijn voeten onder me weggglijden.

'Nee. Ik wil met je mee. Neem me mee,' jammer ik.

Hij blijft ineens staan. 'Sta op.' Achter het bevel gaat angst schuil. Ik blijf stil liggen.

'Sta je nu nog eens op?' schreeuwt hij.

'Mag ik dan met je mee?'

Hij knikt afwezig. 'Mijn hotel is vlakbij, maar ik kan je moeilijk naar binnen slepen.'

'En je vindt dat ik lekker ruik? Anders?'

'Ja, je ruikt anders.' Hij buigt zich voorover en trekt me overeind.

'En zelfs een beetje exotisch?'

'O ja, erg exotisch,' stemt hij in.

Ik ga op mijn knieën zitten. 'Onweerstaanbaar,' zeg ik, terwijl ik lachend naar hem opkijk.

'Natuurlijk.' Hij trekt me verder overeind, totdat ik eindelijk weer rechtop sta. Ik kijk hem blij aan, maar dan verschijnt er een uitdrukking van woest genot op zijn gezicht. Hij heft zijn linkerhand op en geeft me een harde klap tegen de zijkant van mijn hoofd.

'Hier, je verdiende loon, trut,' mompelt hij, en hij rent weg.

Mijn benen kunnen me niet langer dragen en ik zink weg in diepe duisternis.

Vier

Langzaam word ik me bewust van de geluiden van de straat. Het holle gekabbel van water dat snel door een ondergrondse goot stroomt. Het zware gedreun en getril van de auto's op straat. De vlaag stoom die door een putdeksel ontsnapt. Boven mijn linkerslaap zit een zwellende bult, die meedogenloos onder mijn huid oprijst. Hij heeft een eigen leven. Zoals zoveel dingen in dit natte, klamme klimaat groeit hij even bedaard als de planten.

Mijn geur hangt als een lijkwade om me heen, een bedorven, zoetige lucht van verrotting. Mijn lichaam stinkt nog erger dan een vuilniswagen, vind ik. In tegenstelling tot de vuilniswagen, die vanboven open is, in tegenstelling tot de vuilniswagen waaraan mannen zich elke dag vastklampen, blijft in mijn geval de stank binnen in me, in een plaats zonder lucht of licht, en sijpelt als geducht chemisch afval, dat niemand durft aan te raken, door mijn poriën naar buiten. Ik kan de kruidige lucht overal om me heen voelen. De zware stank blijft in de vochtige lucht hangen. Wanneer ik ademhaal, wordt de geur van rottend eten steeds sterker.

De gebouwen lijken zich met de lucht te vermengen. Ik zie alleen het bord. Het knippert afwisselend in rood en roze en vervuilt de hemel. Het regent weer. De druppels slokken het licht op, vallen zwaar op de grond. Ik knipper, en de kleuren vloeien als een gordijn samen. De kleur sijpelt naar de verborgen aderen en vormt een doolhof van stroompjes onder de stad.

Ondergronds. Er wordt tegen me gefluisterd. Ga ondergronds. Ik strompel nietsziend in de richting van de metro.

Ten slotte ben ik onder de grond, in de veilige haven van het station. Het perron is vol. Hier merkt niemand dat ik stink. De trein glijdt het station binnen. De mensenmassa golft naar voren en sleept me mee, de trein in. Dan klinkt de bel, sluiten de deuren ons in en begint de trein te rijden. Hij duikt steeds sneller de duisternis in.

Ik staar naar de deur voor me. De sticker op de deur is die bekende met dat roze konijn met zijn poot tussen de deur. Op de plek waar zijn poot klem zit, zijn dikke zwarte lijnen getekend die pijn moeten verbeelden. Maar het konijn kijkt over zijn schouder en glimlacht verleidelijk. Afscheiding is pijnlijk, maar een mens moet blijven lachen. Misschien is het natuurlijk om van geliefden te worden gescheiden als men een leven vol beweging leidt. Misschien gaat de keus wel tussen houden van of bewegen. Ik denk aan Olivier. Hij zit vast geduldig met het eten te wachten. Maar ik zit vast in een tunnel die voor eeuwige bewegingen is gemaakt. Vaarwel, Olivier, fluister ik in gedachten droevig. Ik ben uit jouw wereld gevallen. In het treinstel lacht het valse daglicht voor altijd.

De trein zoeft door een bocht en remt af voor een volgend station. Er stapt een poppenspeler in. Zuchtend kijk ik het treinstel rond. De andere passagiers hebben ook hun gezichten afgewend. De poppenspeler lijkt het niet te merken. Hij bukt zich, pakt een doek van zwart fluweel en spant die als een gordijn tussen de twee palen in het treinstel. Vervolgens pakt hij een ouderwets uitziende videocamera die hij midden in het gangpad zet. Hij verdwijnt achter het gordijn.

Boven de rand van het gordijn verschijnt een pop, die toonloos een bekend liedje neuriet. De passagiers beginnen te mompelen en heen en weer te schuifelen.

'Hou eens op met die herrie,' schreeuwt een man.

'Je hebt het gehoord, Patrick.' Er verschijnt een tweede pop.

Hij geeft de eerste pop een mep op zijn hoofd. 'Je kunt echt niet zingen.'

Ik kijk verbaasd op.

'*Aloua*, Ahmed,' zegt de eerste pop. 'Wat moet ik anders? Ik heb verder niets te doen.'

De rest van zijn woorden is niet te verstaan omdat er net een trein passeert.

'Wat is dat?' vraagt de tweede pop.

'Een trein.'

'Nee. Je hebt het mis. Dat is geen trein, het is de oorlog.'

'Je bent gek,' snauwt Patrick. 'Het is geen oorlog meer. De Verenigde Staten beschermen ons.'

Er lacht iemand.

'Luister eens, ik ken dat geluid – het is oorlog.'

'Weet je het wel zeker? Hoe weet je dat? Heeft God je dat verteld? Is dat je beste vriend?'

'Ik weet het omdat...' Er passeert nog een trein. De pop springt geërgerd op. '*Merde, putain de train, me fait chier.* Ik kan niet nadenken.'

Een paar jonge meisjes giechelen om het grove taalgebruik.

'Wat? Kun je niet nadenken?'

'Natuurlijk kan ik wel nadenken.'

'Wat heeft het voor zin? Word je betaald om na te denken?'

'Nee, maar ik vind het leuk. Ik ben er goed in.'

'Idioot. Je kunt er niet goed in zijn als je er niet voor betaald krijgt. Niemand betaalt mij voor iets.'

Er valt een stilte in het treinstel. Ik kan merken dat iedereen zit te luisteren.

'Mooi. Dan ben je vrij om geld te gaan verdienen. Wil je geld verdienen?'

Voordat de andere pop antwoord kan geven, zegt een zware mannenstem achter me smalend: 'Iedereen wil geld verdienen, maar niemand wil ervoor werken.'

Ik draai me om. Het is een reus van een vent, met een enorme borstkas en grijs haar. Achter hem staan nog zes andere mannen die allemaal de gele helm dragen die bij hun beroep hoort.

'Weet je hoe je geld moet verdienen?' vraagt de eerste pop.

'Natuurlijk.'

'Dat kan niet. Je bent een Arabier.'

'Wat weet jij daar nou van? Mijn voorouders waren al aan het handelen toen die van jou nog niet eens konden tellen.'

'Gelul. Jouw volk bestaat alleen maar uit oplichters. Maar goed, wat was je van plan?'

'Mijn idee is schitterend omdat het zo eenvoudig is. We sturen een brief naar de regering waarin we schrijven dat er niet genoeg banen zijn en dat we daarom onze eigen banen willen scheppen, maar dat we daar wel geld voor moeten hebben. We stellen voor dat ze ons een aardig bedrag lenen waarmee we onze eigen zaak kunnen beginnen.'

'Waarom zouden ze dat doen?'

'Omdat ze dan geen uitkering hoeven te betalen. Weet je, ze zullen er zo blij mee zijn dat ze ons alles zullen geven wat we maar willen hebben.'

Er borrelt een cynische lach in me op.

'Maar ik vind het leuk om elke maand die cheque te krijgen. Daardoor voel ik me Frans,' zegt de eerste pop.

De passagiers lachen, maar ik kan niet meelachen.

'Doe niet zo achterlijk. Je kunt onafhankelijk zijn. Dat is beter dan Frans zijn,' zegt de tweede pop.

Ja, maar om onafhankelijk te kunnen zijn, moet je eerst Frans zijn, denk ik bitter. Ik kijk naar de gezichten om me heen. Dat weten ze allemaal niet.

'Dat gaat niet,' zegt Patrick. 'Ik ben stom. Daarom hebben ze me van school getrapt. Ik kan zelf niets nieuws bedenken.'

De toeschouwers beginnen weer te lachen. Ik kijk naar hen. Ik ben niet alleen boos, maar ook jaloers op de poppenspeler.

'Maak je geen zorgen,' zegt de tweede pop trots. 'Ik kan je

helpen. Ik zit boordevol ideeën.' Hij wendt zich tot ons. '*Pour toi. Lavage-á-main*,' kondigt hij aan.

Even is het stil, maar dan barsten de toeschouwers weer in lachen uit. Wanneer het gelach verstomt, zegt Patrick: 'Een wasserij waar kleren op de hand worden gewassen? Wat heeft dat voor nut?'

'Sommige mensen wassen liever op de hand dan met de machine. Het is natuurlijker.'

'Je bent een idioot. Ga weg.' Hij draait zich om en begint opnieuw toonloos te zingen.

'Je hebt het mis,' houdt Ahmed vol. 'Geloof me, ik heb de markt onderzocht.'

'Je weet helemaal niets,' schreeuwt Patrick bijna in tranen. 'Je bent nergens goed voor, net als ik. Weet je waar de rijken mijn moeder voor betalen? Om hun mooie dure dingen bij hen thuis te wassen.'

Ahmed springt achteruit. 'Waarom heb je me niet verteld wat je moeder doet?' Hij laat zijn kin in zijn hand rusten en doet net alsof hij nadenkt. 'Maar wat doet je moeder met haar eigen vuile kleren wanneer ze de vuile kleren van andere mensen heeft gewassen?'

'Ze heeft een wasmachine,' zegt Patrick zelfvoldaan.

De toeschouwers beginnen te lachen. Ondanks alles doe ik dit keer mee.

'Waarom heb je me niet verteld dat je moeder een wasmachine heeft?' wil Ahmed weten.

'Daar heb je nooit naar gevraagd,' antwoordt Patrick mokkend.

'Goed, laten we niet persoonlijk worden. Je kunt met haar machine een echte wasserij beginnen.'

'Dat kan niet. Ik weet niet hoe de wasmachine werkt. Dat doet mijn moeder altijd.'

Ahmed slaat geïrriteerd op zijn dij. 'Laat die machine maar zitten. Je kunt de kleren van de buren op de hand wassen, net zoals je moeder voor de rijke mensen van Parijs doet.'

'Maar...'

'Niets te maren,' zegt Ahmed vastbesloten. 'We zorgen ervoor dat de mensen gaan denken dat jij het beter kunt dan zij. Beter en goedkoper, op een groot reclamebord. Ze zullen voor ons in de rij staan.'

'Maar de mensen in de buurt kennen me. Daarom verstop ik me hier,' kermt Patrick.

We barsten allemaal tegelijk in lachen uit. De blik van een vrouw met grijs haar en een gezicht dat vol bezorgde rimpels staat, kruist de mijne. We kijken elkaar glimlachend aan.

'Zit je soms in de politiek?' vraagt Patrick aan Ahmed. 'Want als dat zo is, dan kun je me beter met rust laten. Ik stem niet.'

'Ik zit niet in de politiek. Ik ben een *animateur des emplois*.'

Patrick kijkt verbaasd, maar grinnikt dan spottend. 'Wat voor baan is dat? Daar heb ik nog nooit van gehoord.'

Ahmed neemt een zelfbewuste houding aan. 'Dat geeft niet,' zegt hij hooghartig. 'Ik ben de eerste van een lange traditie die tot ver in de toekomst zal blijven bestaan.' Hij heft als een priester zijn arm op. 'Ik zal voor iedereen banen scheppen.'

'O ja?' schreeuwt iemand in het publiek, die ongelovig snuift. 'Zelfs de regering kan dat niet, zelfs de grote bedrijven kunnen dat niet.'

'Dat komt omdat de grote *chefs d'enterprises* en de bureaucraten zo groot en belangrijk zijn dat ze zich nooit ver genoeg vooroverbuigen om in de scheuren te kunnen kijken.'

'Ze zijn zeker bang om van achteren te worden genaaid,' roept een van de toeschouwers. Ahmed buigt zich langzaam voorover, houdt zijn hand voor zijn kont en kijkt angstig om. Iedereen in het treinstel begint wild te klappen.

Ineens houdt de trein midden in de tunnel halt. Een stem roept om dat er op het volgende station onverwacht iets is voorgevallen. De poppen vragen zich hardop af wat de reden voor het oponthoud kan zijn. Maar ik kijk niet meer naar ze. Ik droom over een restaurant, mijn restaurant, vol geuren die ik heb geschapen. De trein begint weer te rijden. Ik ben in de keuken van Olivier, in onze keuken, warm van het koken, waar mijn eigen geur is opgegaan in de geur van onze vrijpartijen.

Met een ellendig gevoel keer ik naar het heden terug. Ons treinstel zit weer vol mensen. Ze staan zelfs in de gangpaden. Ik staar naar de muur van lichamen, merk dat de temperatuur in het treinstel stijgt en dat de lucht bedompt wordt. De menigte scheidt zich en er komt een klein mannetje te voorschijn, dat bijna dubbelgebogen loopt. Zijn sluike vettige haar hangt over zijn voorhoofd en bedekt bijna zijn hele gezicht, en hij houdt zijn blik op een onzichtbaar punt ongeveer acht centimeter boven de vloer gericht. Hij laat zijn armen voor zich bungelen, zodat het lijkt alsof ze een vreemde, elastische eigen wil hebben die in tegenspraak is met zijn doelloos schuifelende voeten en zijn apathisch klinkende bedelpraatje. Er valt een schaduw over het treinstel. De andere mensen kijken naar hem en wenden zich dan geïrriteerd of gegeneerd af. Alleen het groepje bouwvakkers blijft onaangedaan. Ze gaan hem, nog steeds pratend, uit de weg.

Ik benijd hen omdat ze de bedelaar kunnen negeren. Ik kan dat niet. Ik zie de bedelaar met een bijgelovige angst naderen, wetend dat hij mijn noodlot is. Nu staat hij voor een paar jonge jongens die hem uitdrukkingsloos aanstaren. Een van hen legt een muntje in zijn bungelende hand. Hij loopt door, langs de drie tienermeisjes. Een van zijn armen strijkt per ongeluk langs het in kousen gehulde been van een van de meisjes. Ze schreeuwt en de andere meisjes kijken hem boos aan. Hij draait zich snel om, alle blikken ontwijkend, herhaalt domweg steeds weer het woordje '*Merci*'. Hij is zo in de war dat hij tegen de bouwvakkers botst. Deze keer zien ze hem wel.

'*Fait attention, merde*,' barst de dikke man los.

'*Vaurien*,' voegt een andere man er met een boze blik op de bedelaar aan toe. Een derde man, de kleinste van het groepje met een gezicht als een rat, slaat tegen de hand van de bedelaar, zodat de muntjes in het rond vliegen en op de vloer vallen. De bedelaar maakt een geluid en valt op zijn knieën.

De voorman kijkt neer op de bedelaar en richt zijn blik dan weer op het zwarte gordijn waar de poppen zijn. 'Waarom raap je dat geld op?' zegt hij. Hij bukt zich en grijpt de bedelaar bij zijn haren. 'Je hebt niets gedaan om het te verdienen, je hebt het recht niet om het te houden.'

Ik schrik zo dat mijn borstkas strak aanvoelt, en ik moet het brok in mijn keel wegslikken. Het gezicht van de bedelaar is duidelijk te zien. Zijn trekken zijn zacht en gerimpeld, en het lijkt alsof zijn gezicht door de muizen is aangevreten. Maar zijn ogen zijn het ergst: diepliggend, omringd door zwarte randen, leeg en doods. Het zijn de ogen van een dwaas – leeg, de blik naar binnen gericht.

De voorman sleurt de bedelaar meedogenloos mee naar de poppenspeler.

'Kijk eens,' zegt hij tegen hem. 'Dit geval hier is een echte werkloze. Denk je dat je een baan voor hem kunt vinden? Nee. Hij is niet zomaar werkloos. Hij is werkloos omdat hij een nietsnut is. Dus probeer geen excuses voor jouw soort te vinden. Pak je poppen en scheer je weg hier.'

Ik houd mijn adem in. Het is doodstil in het treinstel.

'Heb je het tegen mij?' vraagt Ahmed met hoge, afgeknepen stem. 'Ik ben niet werkloos. Ik ben de werkgever van de werklozen. Op een dag zul jij ook naar me toe komen. Er zijn tegenwoordig steeds minder banen voor zwijnen.'

'Wat?' buldert de voorman. 'Noem je me een zwijn?'

Ahmed doet net alsof hij geschrokken terugdeinst. Zijn benen trillen hevig. 'Natuurlijk niet, *monsieur*. Zwijnen zijn nuttige dieren. Ze dienen ons als voedsel.'

De meisjes beginnen te lachen, en de andere passagiers doen mee. Het gezicht van de voorman, dat al donkerrood was, wordt nu paars. Hij maakt een geluid dat eindigt in tandengeknars, stort zich op het zwarte gordijn en probeert het hoofd van Ahmed te pakken.

Op dat moment komt de trein met een ruk tot stilstand. De voorman verliest zijn evenwicht, struikelt over de videocamera van de poppenspeler en grijpt het zwarte gordijn beet. Hij valt met een bons neer, het gordijn en de poppen met zich mee sleurend. De poppenspeler kijkt op de oudere man neer en bukt zich om hem overeind te helpen. Maar de voorman spuugt naar hem. Ik kijk naar de andere bouwvakkers. Hun gezichten staan moordlustig. Instinctief pak ik de arm van de poppenspeler vast en probeer hem het gangpad in te trekken, weg van de groep bouwvakkers. Ik hoor een gebulder en daarna het geluid van metaal dat de vloer raakt en iets wat breekt.

Ik kijk om. De bouwvakkers hebben hun woedende leider gered en nemen wraak op de stille camera die nog steeds loopt. Ze springen er gretig bovenop en vertrappen hem met hun zware laarzen.

'Hé, wacht eens even,' roept de poppenspeler. 'Dat is mijn camera.'

'Precies, en hierna ben jij aan de beurt,' zegt de voorman. Hij scheurt Ahmed met zijn tanden aan stukken. Met een woedende brul stort de poppenspeler zich op hem.

De voorman slaat hem van zich af alsof hij een vlieg is. De poppenspeler valt op zijn knieën. Ze gaan om hem heen staan en beginnen hem allemaal te slaan en te schoppen, elkaar aanmoedigingen toeschreeuwend. Ik stort me op hen en kruip boven op de poppenspeler. Ze schoppen ons allebei. Ik voel de trappen tegen mijn rug, mijn hoofd, de zijkant van mijn gezicht. De poppenspeler ligt stil onder me. Dan hoor ik dat iemand tegen hen schreeuwt, roept dat ze moeten stoppen, dat ze geen vrouw moeten slaan.

Ineens houdt het getrap op. Een vreemde trekt me overeind en helpt me om te gaan zitten. De andere passagiers staan in een beschermende kring om ons heen. 'Kom, dan help ik je,' zegt een barse stem. 'Gaat het? Moet ik je naar het ziekenhuis brengen?' Een grote hand komt op me neer. Ik duw hem weg en loop langzaam door het gangpad, de poppenspeler met me mee trekkend. Hij volgt aarzelend, zachtjes kreunend, nog steeds worstelend om denkbeeldige slagen af te weren.

De trein stopt en de deuren gaan open. We springen eruit. Hij blijft kreunen. '*Arrêt*, mijn tas, mijn pop.' Ik kijk over de mensenmassa op het perron heen naar de trein. De bouwvakkers drommen samen bij de deur van het treinstel, twijfelend of ze de jacht moeten voortzetten of binnen moeten blijven. Ze kijken ons door de ramen aan en maken dreigende gebaren. 'We komen je wel weer tegen, daar kun je zeker van zijn.' Die woorden vormt een van hen langzaam met zijn mond. Eindelijk wordt er op de fluit geblazen, gaan de deuren dicht en begint de trein weer te rijden. Wij staan op het perron te kijken hoe het ene na het andere treinstel voorbijdendert.

Ten slotte wordt het weer stil op het station. We zijn alleen en houden elkaar nog steeds vast. Mijn lijf doet pijn.

De poppenspeler kijkt de trein na, die in de tunnel verdwijnt. 'Mijn camera!'

Ik kijk hem aan. 'Je bent in ieder geval in veiligheid.'

'En mijn tas, en alle andere poppen. Allemaal weg.'

'Behalve die.' Ik wijs naar Patrick, die hij nog steeds tegen zijn borst geklemd houdt.

'Maar wat moet ik met één pop beginnen?'

'Nou, als je per se verhalen wilt vertellen die iedereen boos maken, dan kun je verwachten dat dit vroeg of laat gebeurt,' zeg ik ongeduldig. 'Waarom vertel je geen vrolijke verhalen?'

Hij lacht bitter. 'Vrolijke verhalen. Mijn verhaal was een vrolijk verhaal.' Zijn blik glijdt onderzoekend over mijn gezicht. 'Misschien is dat je niet opgevallen.'

Natuurlijk is me dat niet opgevallen, wil ik roepen. Hoe had ik dat moeten merken? Mijn geur stijgt op en sluit zich om me heen. Ik zie de bedelaar voor me staan, zijn lege ogen vragen me of ik meega. 'Het is jouw schuld. Waarom maak je helden van de *chômeurs*? Het zijn werkloze, verslagen mensen, mensen die hun zelfrespect hebben verloren,' zeg ik.

Zijn gezicht wordt ondoorgrondelijk. Hij ruikt het ook, denk ik. Ik weet dat hij weg zal gaan, nog voordat hij het zegt.

Ik sta alleen met mijn wanhoop.

Dan hoor ik zijn stem, gedempt en van ver weg: 'Misschien weet jij een beter verhaal dat ik kan vertellen?'

Ik haal mijn schouders op. 'Je kunt hun mijn verhaal vertellen,' zeg ik. 'Er zit zelfs een echte bedelaar aan het einde.'

'Hoe bedoel je?'

Ik kijk hem boos aan en doe een stap naar voren. 'Kun je een baan vinden voor iemand die zo stinkt als ik?'

Hij doet een stap naar achteren. Er verschijnt een verbaasde blik in zijn ogen.

Ik kom nog dichterbij, hem uitdagend om weg te lopen.

Eindelijk bewegen zijn lippen. 'Je stinkt niet,' zegt hij.

'Wat?' Ik voel me walgelijk.

'Je stinkt niet.'

'Wat weet een metrorat als jij over stank? Je leeft erin,' zeg ik boosaardig. Ik wil dat hij weggaat.

Hij geeft geen antwoord.

'Ga weg. Laat me met rust.' Ik draai me om en trek mijn jas dichter om me heen. Heel langzaam pakt hij me vast en draait me om, zodat ik hem aankijk. Hij pakt mijn kin vast en dwingt me om hem in de ogen te kijken. 'Je ruikt net zoals ieder ander.'

Ik verstijf. 'Je kent me niet, daarom ruik je het misschien niet,' zeg ik droevig.

Hij slaat zijn arm om me heen en trekt me langzaam mee naar een bankje. 'Vertel me dan maar over jezelf. Ik ga niet weg.'

Langzaam, aarzelend, begin ik hem over de stank te vertellen. Maar tot mijn eigen verbazing begin ik over de dood van mijn vader. Aan het einde vertel ik over de oesters en dat ik wist dat de stank er weer was.

'Heb je je daarom vandaag in de metro verstopt?' onderbreekt hij me op vriendelijke toon.

Ik kijk hem verbaasd aan. 'Hoe weet je dat?'

Hij glimlacht jongensachtig. 'Ik hou ook van de geur van de metro,' bekent hij. 'Die is anoniem. Je kunt jezelf erin verstoppen en toch niet alleen zijn. Voor mij is het de geur van thuis.'

Ik kijk hem sprakeloos aan.

Hij staart in gedachten verzonken naar de rails.

'Je stinkt niet,' zegt hij ten slotte. 'Dat is alleen maar je angst die spreekt. Je wilt denken dat je stinkt, want dan hoef je niet meer te vechten. Dan kan niemand je nog kwetsen, omdat je jezelf al hebt afgewezen en je zelfrespect al bent kwijtgeraakt.'

'Hoe weet je dat?' vraag ik, verscheurd tussen twijfel en hoop.

'Omdat mijn moeder me dat heeft verteld,' antwoordt hij eenvoudig.

'Je moeder?'

'Ja, maar dat is een lang verhaal. En jij moet nu maar eens naar huis gaan.'

'Ik hou van lange verhalen.' Ik pak zijn arm vast.

'Nee, het komt later wel. Voor vanavond hebben we al genoeg meegemaakt.'

We verlaten hand in hand de metro en lopen de drukke boulevard op. Aan het einde slaan we linksaf, een andere felverlichte straat in. Ik vind het fijn om vlak naast hem te lopen. Zijn kruidige geur omringt me, en ik voel me veilig. Ik merk dat mensen naar hem kijken en voor hem opzij gaan. We lopen zwijgend verder.

De straat loopt omhoog. Het trottoir wordt smaller en door de ongelijke bestrating is lopen niet eenvoudig. De gebouwen aan beide kanten zijn hier ouderwets, smoezelig en niet meer dan twee verdiepingen hoog. Maar door de doffe straatlantaarns en muren in vele tinten zijn ze geheimzinnig mooi. Ten slotte komen we bij een cafeetje aan het einde van een steile cul-de-sac. Het heet A go-go. Voor het cafeetje staan twee piepkleine plastic tafeltjes op straat. De poppenspeler trekt een stoel onder de tafel vandaan en nodigt me uit om te gaan zitten.

'Hier?' zeg ik plagend. 'Ik ben bang dat we nog van het trottoir vallen.'

Hij lacht. 'Zo kunnen we niet naar binnen. We zouden de klanten aan het schrikken maken.'

Op dat moment komt er iemand naar buiten die naar ons toe loopt. Haar gestalte steekt scherp af tegen het licht en bolt bij haar heupen en dijen bijna uit haar jurk. Vanuit het midden van die berg vlees rijst haar bovenlichaam breekbaar en sierlijk op. Ze komt snel dichterbij en roept: 'We zijn gesloten. Jullie kunnen hier niet blijven.' Ze blijft staan wanneer ze ons ziet en fronst haar dikke zwarte wenkbrauwen. 'Jullie twee zien eruit alsof jullie uit de riolen van Parijs zijn gekropen. Wat is er gebeurd?'

Ze heeft een ongewoon gezicht. Het is tegelijkertijd jong en oud, stevig en verweerd. Haar kleine donkere ogen moeten groter lijken door de kohl, en haar vieze blonde haar is hoog op haar hoofd vastgespeld.

'Ze hebben Ahmed vernield.'

'Wat? Alweer?' Haar gezicht licht op door haar woede. 'Ik kan het niet bijhouden, die poppen zijn zo moeilijk te maken. En ik kan niet altijd aan de juiste spullen komen, vooral niet aan de wol voor Ahmeds haar.'

'Ja, dat kun je wel, Laure,' zegt hij. Dan voegt hij eraan toe: 'Je bent de enige die het kan.'

Ik kijk haar verbaasd aan. Zij heeft de poppen gemaakt?

'Denk je dat ik niet meer te doen heb dan jouw poppen maken?' zegt ze brommend, maar haar stem klinkt al vriendelijker.

'En kun je iets te drinken voor ons halen? Als we toch moeten wachten...' gaat hij plagend verder.

Ze lacht. Het is een geluid dat diep uit haar buik komt. 'Zo is het. Gewoon vragen, dan krijg je het. Denk je dat het zo gaat?'

'Natuurlijk. Maar geef me eerst een zoen,' zegt hij, terwijl hij haar naar zich toe trekt. Wanneer ze zich vooroverbuigt, kan ik een glimp van haar gezicht opvangen. Het is mooi geworden, alsof er vanbinnen een of ander licht is gaan schijnen.

Ze loopt terug naar de bar. De mannen begroeten haar met een bulderend gelach. Ze leunen als reusachtige vleermuizen over haar heen. Ze zwaait haar vinger voor het gezicht van de dichtstbijzijnde man heen en weer en zegt iets tegen hem.

'Hoe deed je dat?' vraag ik aan de poppenspeler.

'Wat?'

'Haar mooi maken.'

Hij snapt het niet. 'Jij bent degene die mooi is,' zegt hij.

'Ik? Nee. Nu niet.' Zijn gezicht wordt zachter en hij knielt voor me neer. 'Arme Leela. De geur was je enige verdediging, je verweer tegen de machteloosheid. Maar hij is niet echt. Hij is niet echter dan je weerloosheid.'

Heel lang zeg ik niets. Dan vertel ik hem: 'Ratten houden ook van de metro. Ik heb ooit een rat gekend die sigarettenpeuken verzamelde en er kleine stapeltjes van maakte. Hij was heel sierlijk en had zulke verfijnde pootjes. Hij merkte altijd dat ik naar hem keek en keek dan zo trots terug. Ik benijdde hem altijd.'

Hij begint te lachen. Ik kijk hem onzeker aan.

Ten slotte houdt hij op. '*Genus rattus, Rattus norvegicus*,' zegt hij tegen me. 'Ze worden ook wel rioolratten genoemd. Een heel succesvolle groep immigranten, die zich erg goed kan aanpassen. Ze voelen zich overal thuis. Ze zijn uit India hierheen gekomen, niemand weet hoe lang geleden, misschien wel vijfhonderd jaar. Het zijn geweldige vechters omdat ze weten hoe ze hun omgeving moeten gebruiken. Maar helaas lijden ze aan pleinvrees en moeten ze in afgesloten ruimten blijven. Daarom houden ze van de metro.' Hij knikt in zichzelf. 'O ja, ik ken ze heel goed.'

Onder het toeziend oog van Laure blijven we de hele nacht met elkaar zitten praten. Ze komt af en toe naar ons tafeltje om de karaf bij te vullen. Ten slotte kleurt de hemel steeds lichter en lichter, in alle mogelijke kleuren grijs. Aan de andere kant van de straat spuwt een open goot plotseling water uit, grijs en schuimend. Het soort water dat je in handmatig te bedienen wasmachines kunt vinden. Ik zie het water over de kinderkopjes sijpelen, die erdoor gaan glanzen. Het vult de spleten en loopt eerst langzaam en daarna sneller langs de helling naar beneden, waar het verkeer heen en weer rijdt.

Ineens kijkt de poppenspeler omhoog. 'Het is al laat. Ik moest maar eens teruggaan en kijken of ik nog iets kan verdienen.'

Ik kijk hem wanhopig aan. 'Kan ik je nog eens zien? Misschien kunnen we eens een keer samen ergens gaan eten?'

Hij geeft geen antwoord.

'W-waar kan ik je vinden?' vraag ik ademloos.

'Je weet al waar je me kunt vinden.'

'Hoe bedoel je? Hier?'

'Nee. In de metro.'

'In de metro?' herhaal ik dom.

Hij knikt.

'Maar... maar... hoe kan ik nu weten waar je bent?'

'Door mijn geur,' zegt hij lachend.

Ik lach met hem mee en voel geen bitterheid.

Hij staat op. 'We zullen elkaar weer ontmoeten, maar nu moet je naar huis.'

We verlaten samen het café. Buiten op straat buigt hij zich naar me toe en geeft me een zoen op mijn wang. '*Au revoir*.' Hij loopt weg.

Ik blijf staan waar ik sta. Ik heb nog geen zin om weg te gaan. De straat is verlaten. Ik kijk naar de gebouwen om ons heen. Voor een van de ramen hangt een bordje met EENKAMERWONING TE KOOP. Ik kijk er glimlachend naar, terugdenkend aan mijn tijd bij de familie Baleine, toen ik tijdens mijn zwerftochten door de stad verlangend naar de bordjes met TE KOOP keek. Ik denk aan Olivier. Hij zit ongetwijfeld op me te wachten. Mijn hart stroomt vol liefde, waardoor er voor angst geen ruimte meer is. De hemel licht verder op en kleurt blauw, en uit de huizen aan beide kanten klinken de geluiden van mensen die opstaan. Ik loop in zijn voetspoor de straat uit. Ik ga naar huis.

Dankwoord

Allereerst wil ik iedereen bedanken die het manuscript in de ruwe vorm heeft gelezen en me heeft geholpen om er iets moois van te maken: Nina Payne, Cheryl Slover-Linett, Ava Li, Helene Peu du Vallon, Ajay Agarwal, Fred Glick, Donna Bryson, David en Pat Specter.

Verder dank aan Sudhir Kakar omdat hij me heeft aangemoedigd en het boek verder op weg heeft geholpen; dank aan mijn redacteuren bij Penguin India – David Davidar, Karthika V.K. en Sayoni Basu, die me hebben geleerd dat minder ook meer kan zijn; Melanie Fleishman, redactrice met een uitstekende neus en gevoel voor humor; mijn agente, Laura Susijn, omdat ze altijd precies zegt wat ze denkt; Prabuddha Das Gupta en Bena Sareen, die Leela een onvergetelijk gezicht hebben gegeven; en Sabine Thiriot en Sabine Gaudemare, die de schrik van de aankomst in een warm welkom hebben veranderd.

Ten slotte dank aan mijn vader, Prem Jha, die tevens een moeder voor me is geweest, en aan mijn familie, mijn vlees en ziel.